ZŁOTY
ATLAS

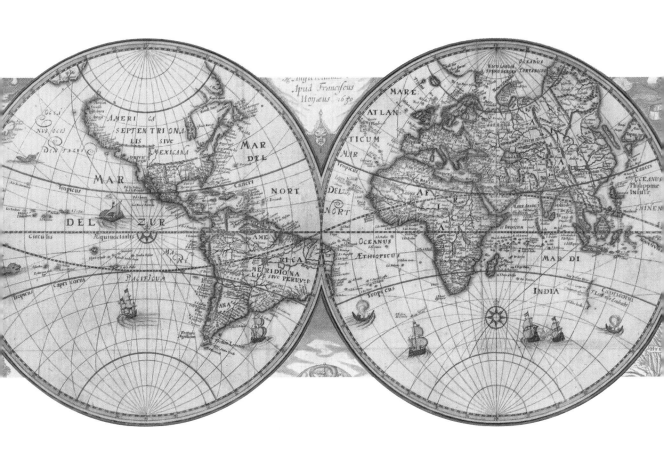

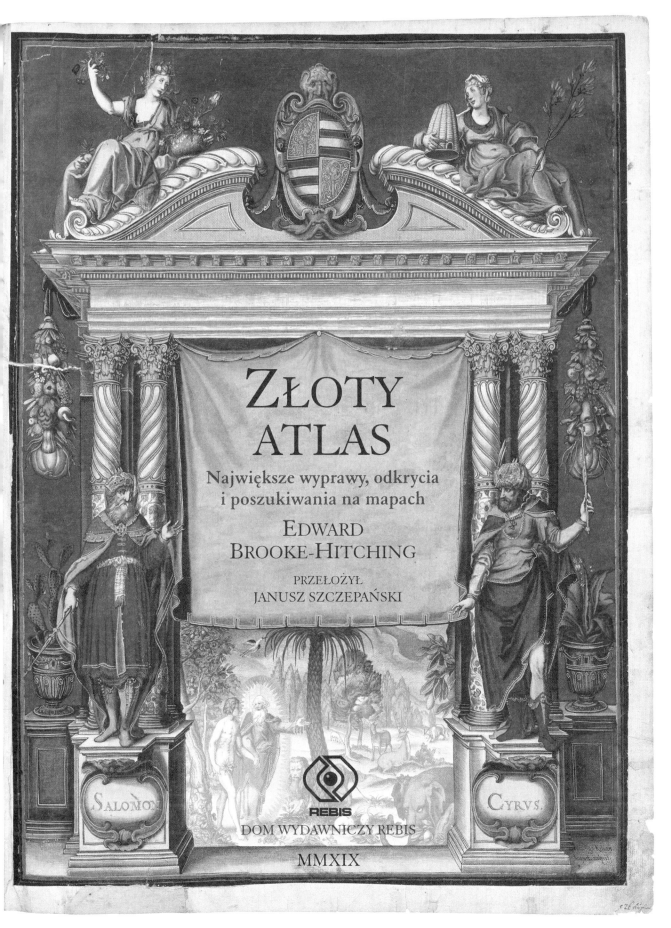

ZŁOTY ATLAS

Największe wyprawy, odkrycia
i poszukiwania na mapach

EDWARD
BROOKE-HITCHING

PRZEŁOŻYŁ
JANUSZ SZCZEPAŃSKI

DOM WYDAWNICZY REBIS

MMXIX

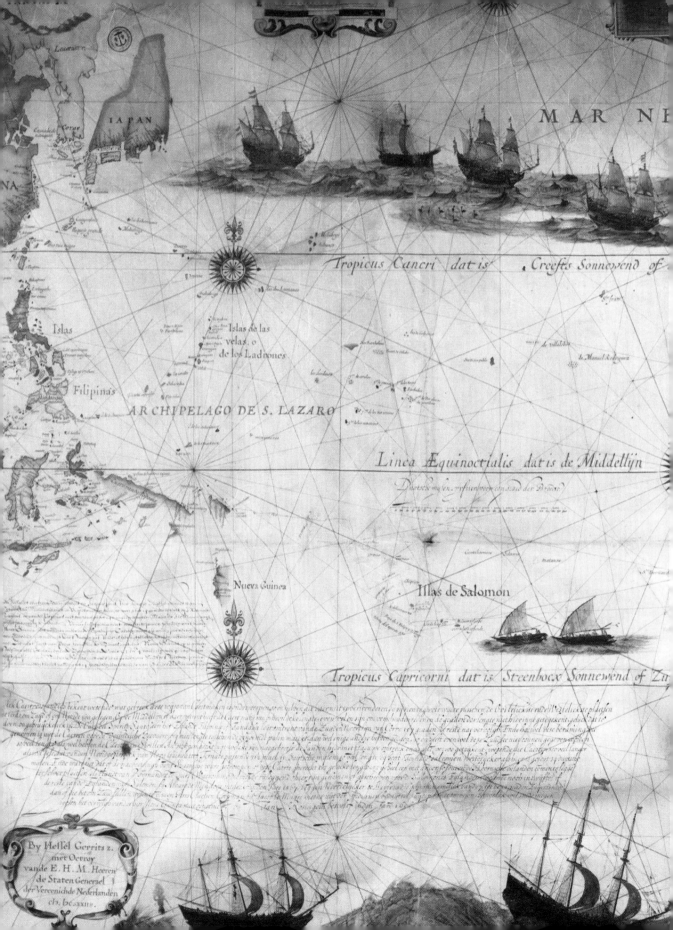

IAPAN

MAR NI

Islas

Filipinas

Tropicus Cancri dat is   Creefts Sonnewend of

Islas de las
velas, o
de los Ladrones

ARCHIPELAGO DE S. LAZARO

Linea Æquinoctialis dat is de Middellijn

Nueva Guinea

Illas de Salomon

Tropicus Capricorni dat is Steenbocx Sonnewend of Zu

By Heſſel Gerrits z.
met Octroy
vande E. H. M. Heeren
de Staten Generael
der Vereenichde Nederlanden
cɪɔ. ɪɔc.xxɪɪ.

Emmie i Franklinowi

SPIS TREŚCI

WSTĘP

*Podążając za blaskiem słońca,
opuściliśmy Stary Świat.* Krzysztof Kolumb

Mapy, trzeba powiedzieć, nie do końca są tym, czym się wydają.
Przez całe dzieje różne kultury wykuwały, rysowały i drukowały
swoje przestrzenne wizje świata, wykorzystując wszelkie dostępne
materiały. Na piaskowcu z ery permu we włoskiej Val Camonica
widnieje tak zwany petroglif z Bedoliny, wycięty ok. 1500 roku
p.n.e. przez ludzi z epoki żelaza, którzy usiłowali się połapać
w otaczającym ich świecie. Pojawiające się od XIII wieku malowa-
ne na pergaminie mapy zwane portolanami stanowiły awangardę
nowej, praktycznej dokładności kartograficznej; wykonany ze skó-

*Mapa świata Johna Speeda
z Prospect of the Most Famous
Parts of the World (1627),
pierwszego angielskiego atlasu
świata*

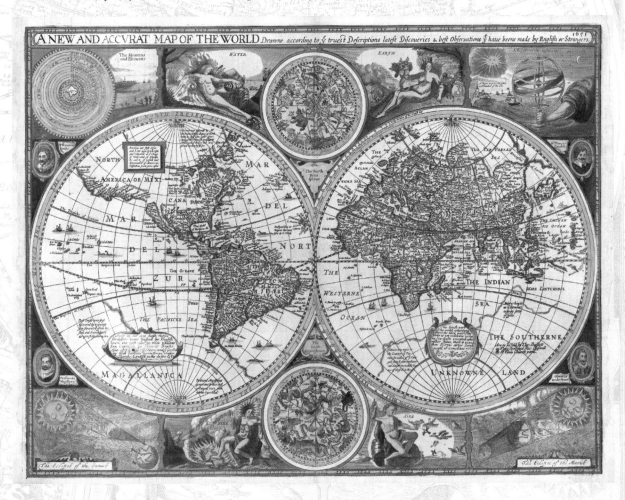

ry cielęcej nośnik dobrze znosił bryzgi morskiej wody, od których
papier rozmiękłby w sekundy. Są też znaczniej rzadsze kurioza,
jak gigantyczne płócienne mapy XIX-wiecznych misjonarzy za-
wierające informacje o liczbie pogan oczekujących na chrzest (por.
rozdział „David Livingstone, Henry Morton Stanley i Czarny
Ląd") czy składane jak parasol bawełniane globusy lub misternie
grawerowane srebrne monety wiktoriańskich wielbicieli map, którzy chcieli nosić świat ze sobą po mieście.

Jednakowoż – przy całej tej różnorodności – dla wszystkich
map, jakie w ogóle wydano, jest jedna wspólna rzecz, zasadni-
czy składnik przesycający każdą ich kartograficzną cząsteczkę:
historia, która je ożywia i wypełnia burzliwymi stuleciami ludzkich przedsięwzięć niezbędnych do nagromadzenia ukazanej

*Duży portolan Morza
Śródziemnego w trzech
pergaminowych arkuszach
autorstwa Giovanniego Battisty
Cavalliniego (1641)*

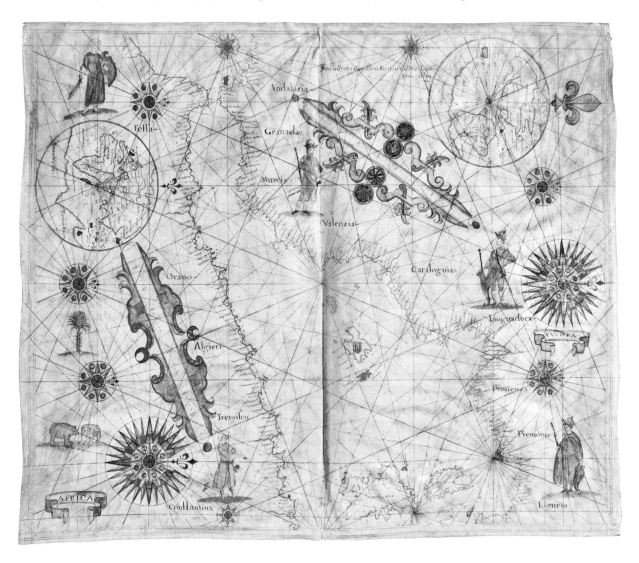

na nich wiedzy. Pomyślmy, czym był każdy drobny łuk linii brzegowej czy meander rzeki dla ich odkrywców: brylantem informacji wyrwanych z niezmierzonych ciemności za znanym horyzontem, trofeum potencjalnie cenniejszym niż pełna kosztowności ładownia, gdyż mogło prowadzić do nieskończonych bogactw w głębi kontynentu. Mapy są jak gobeliny precyzyjnie utkane z przygód żeglarzy i inicjatyw eksploracyjnych monarchów, zdobywców, korporacji, uczonych oraz samotnych łowców skarbów. Wszystkich ich łączyła wspólna motywacja: rozwiać mglę białych plam.

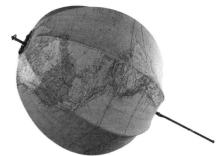

Myślą przewodnią *Złotego atlasu* jest przełożenie tej kartograficznej narracji na opowieść o największych odkrywcach, naświetlenie sposobu, w jaki ich pionierskie wyczyny wplatają się w historyczną osnowę mapy, oraz pokazanie, jak świat nowożytny nabierał kształtu pod piórkiem czy prasą drukarską jej twórców. W równej mierze chodziło też o to, by zilustrować te historie najpiękniejszą kolekcją map, jaka kiedykolwiek trafiła na półki księgarskie. Niektóre z nich, swoiste metryki urodzenia nowych państw, okryły się niesławą. Inne rzadkie, nadzwyczajnej wartości egzemplarze trafiają do publikacji po raz pierwszy, co zawdzięczam najrozmaitszym źródłom: nie tylko muzeom i bibliotekom, lecz także zbiorom prywatnym i antykwariatom z całego świata. Na przykład portolan Maggiola, zamieszczony w rozdziale „Rejs Verrazana wzdłuż Wschodniego Wybrzeża Ameryki Północnej", jest obecnie wyceniany na 10 mln dolarów (to najcenniejsza mapa, jaka kiedykolwiek pojawiła się na ogólnodostępnym rynku). I każda z nich, od lokalnych po globalne, ma co opowiadać.

Rozpoczynamy wprawdzie od najwcześniejszych udokumentowanych odkryć starożytnych, ale historia naszego orientowania się na morskich bezdrożach jest znacznie starsza. Tworzyli ją pierwsi wielcy żeglarze – Polinezyjczycy. W latach 3000–1000 p.n.e. ci fenomenalni podróżnicy przemierzali w swych łodziach z bocznymi pływakami cały Pacyfik, posługując się tylko znajomością prądów oceanicznych, układów fal i gwiazd przekazywaną w tradycji ustnej – czyli poniekąd mapami w formie słownej. Te wczesne przedsięwzięcia nie są w żaden sposób poświadczone, lecz archeologia dostarczyła dowodów migracji Polinezyjczykw z Melanezji na archipelagi Tonga i Samoa, potem na wschód, na Wyspy Towarzystwa i Wyspę Wielkanocną oraz na Hawaje i Nową Zelandię. Zapisy historyczne dotyczące eksploracji świata pojawiły się dopiero wraz z podróżami starożytnych Egipcjan badających dolny bieg Nilu, Morze Czerwone i dalsze akweny – wiemy o nich jednak tylko z lakonicznych wzmianek

Składany globus z 1860 roku konstrukcji Johna Betta, zaopatrzony w mechanizm jak w parasolu

w pismach autorów greckich i rzymskich, jak Herodot, Strabon i Pliniusz, którzy dysponowali materiałami dla nas dawno utraconymi.

Najwcześniejsze wysiłki zmierzające do tworzenia sieci handlowych przynosiły postęp bardzo powolny i fragmentaryczny. Olbrzymi progres w zakresie odkryć geograficznych nastąpił dopiero w epoce zdobywców. Dzięki kampaniom Aleksandra Macedońskiego z IV wieku p.n.e. i późniejszej ekspansji imperium Rzymian wielki geograf Klaudiusz Ptolemeusz mógł już przedstawić świat z bezprecedensową dokładnością, posługując się rewolucyjnym matematycznym układem współrzędnych. Gdy po upadku cesarstwa rzymskiego Europa romańska pogrążyła się w mrokach wczesnego średniowiecza, najznamienitszych odkryć dokonywali podróżnicy z krajów położonych daleko od jej granic. Szerzący się niczym pożar buszu islam zjednoczył rozległą mozaikę krain od Hiszpanii po Bliski Wschód, co dało

Mapa Sebastiana Münstera przedstawiająca potwory, jakie miały grasować w wodach Skandynawii (1550)

arabskim uczonym swobodę podróżowania. W tym samym czasie Skandynawowie zaczęli się wypuszczać na burzliwy północny Atlantyk i dotarli do Islandii, Grenlandii, a pod koniec X wieku – przez czysty przypadek – nawet do „Winlandii" (Ameryki Północnej).

Eksploratorskie sukcesy wikingów nie odbiły się jednak większym echem na Starym Kontynencie. Kolejna fala odkryć nastąpiła dopiero wskutek ekspansjonizmu Mongołów. Zaprowadzony przez Wielki Chanat porządek umożliwił w XIII wieku kupcom z Europy (w tym sławnemu Marcowi Polo) stosunkowo bezpieczne przemieszczanie się po całej Azji. Bogactwo Wschodu odsłoniło się europejskim oczom, ale trasa lądowa była niepraktycznie czasochłonna i trudna – potrzebny stał się szlak morski, aby można było zabierać nabyte drogą wymiany jedwab i przyprawy dużymi, całostatkowymi partiami. Tak w XV stuleciu rozpoczęła się epoka wielkich odkryć. Ruszyły portugalskie wyprawy wzdłuż brzegów Afryki. Przy okazji poszukiwań drogi do Indii królowie starali się zdobyć i umocnić pozycję w lukratywnym handlu saharyjskim złotem i niewolnikami. Wreszcie w 1488 roku Bartolomeu Dias opłynął Przylądek Dobrej Nadziei, a dziesięć lat później Vasco da Gama dotarł do wybrzeża indyjskiego. Mniej więcej w tym samym czasie brytyjska ekspedycja dokonała śmiałej trawersaty północnego Atlantyku i odkryła Nową Fundlandię (patrz rozdział „Rejsy Johna Cabota do Ameryki Północnej"); również Hiszpanie zaczynali spoglądać na zachód, zgodziwszy się w 1494 roku pozostawić szlaki wschodnie Portugalczykom. Kolumb wyruszył za ocean w nadziei, że wygra w rywalizacji o znalezienie drogi morskiej do Indii, natrafił jednak na Nowy Świat (i nigdy nie przyjął do wiadomości, że nie udało mu się odnaleźć Orientu).

Bogactwa Ameryk miały przeobrazić Europę kosztem zniszczenia tamtejszych kultur, ale nie było to widoczne od razu. Priorytetem pozostawał szlak na Daleki Wschód. Przeszkodę kontynentalną na tej drodze pierwszy ominął Ferdynand Magellan. W sztormowej pogodzie wpłynął w cieśninę, którą nazwano jego imieniem, i w 1520 roku wychynął na przestwór Pacyfiku. Odkrycie złotych cywilizacji Azteków i Inków zaczęło jednak przyciągać do Ameryki Południowej nowy gatunek bezlitosnych eksploratorów – łowców skarbów. To żądza żółtego kruszcu sprawiła, że w 1513 roku Juan Ponce de León odkrył Florydę, a Hernán Cortés w latach 1517–1521 złupił Meksyk, co przypieczętowało upadek imperium azteckiego.

Iberyjskim zdobywcom deptali już po piętach Anglicy. Francis Drake opuścił Plymouth w 1577 roku i przez Cieśninę

NA NASTĘPNYCH STRONACH:
Planisphere Terrestre… *Pietera van der Aa (1713), ukazująca zasięg eksploracji francuskiej*

Magellana wypłynął na Ocean Spokojny. Zaczęła się łupieżcza kampania, która była wielkim wstrząsem dla Hiszpanów, kompletnie nieprzygotowanych na taką ewentualność, a ostatecznie zakończyła się pierwszym w historii angielskiej żeglugi opłynięciem globu. Następny był sir Walter Raleigh, któremu marzyła się inna zdobycz: mityczne El Dorado, za którym gonił z tragicznymi skutkami. Równocześnie krajan obu żeglarzy ogarnęła nowa obsesja – poszukiwanie Przejścia Północno-Zachodniego, które w teorii ułatwiłoby przedostawanie się z Atlantyku na Pacyfik, jeśli nie w poprzek kontynentu amerykańskiego, to ponad nim. Wzbudzone w ten sposób nadzieje na lepszy dostęp do rynków dalekowschodnich stały się zaczynem nowego zjawiska: zawiązywania się kompanii handlowych. Te monopolistyczne organizacje rychło urosły do potęgi i zamożności porównywalnych z królestwami. Angielska Kompania Moskiewska wysyłała misje handlowe w głąb Rusi i do Azji Środkowej, poszukując Przejścia Północno-Wschodniego do Chin. Na szlakach południowych Brytyjska Kompania Wschodnioindyjska konkurowała o zasoby Orientu z holenderską imienniczką (Vereenigde Oostindische Compagnie, w skrócie VOC), która później dzięki niedostępnym dla rywali szlakom – zebranym w tajnym atlasie *The Sea Torch* [Morska pochodnia] – dobiła się tak zdumiewającej fortuny, że po dziś dzień pozostaje najbogatszym przedsiębiorstwem w historii, wycenianym według aktualnych norm na siedem bilionów dolarów. (Dla porównania: obecny lider, korporacja Apple, w chwili oddania tej książki do druku była warta marne siedemset pięćdziesiąt miliardów). Prowadzona przez VOC z bazy na Jawie eksploracja w kierunku wschodnim zaowocowała odkryciem nowych lądów: najpierw Australii, a krótko potem Nowej Zelandii, i nowymi obsesjami.

W XVIII wieku stopniowo nastąpiło przesunięcie w stronę bardziej naukowego podejścia do odkryć, ucieleśnianego w kartografii przez zasadę, którą można by nazwać „mniej zdobnictwa, więcej matematyki". W obsadzie eksploracyjnych epopei postać głodnego złota korsarza i awanturnika zastąpili bardziej zorganizowani pragmatycy. Vitus Bering poprowadził nadzwyczajną wyprawę badawczą przez całą zamarzniętą Rosję, aby spełnić ostatnie życzenie cara Piotra Wielkiego. W latach 1766–1769 Ziemię opłynął pierwszy Francuz, Louis Antoine de Bougainville (a przy okazji pierwsza kobieta, o czym dziś mało kto pamięta). Jednakże złoty standard tej naukowej epoki odkryć wyznaczył kapitan James Cook, który do chwili makabrycznej śmierci na Hawajach zrealizował trzy epickie podróże po Oceanie Spokoj-

PLANISPHERIUM TERRESTRE,
Secundum recentiores Astronomorum
Observationes
A. D. Cassini Filio, Regiæ Scientiarum
Academiæ Socio delineatum.
Dicanumque Regi Christianissimo.
LUDOVICI BATAVORUM.
Excudit PETRUS VANDER AA
cum Privilegio.

OCEAN MERIDIONAL

nym, mające charakter starannie
przemyślanych wypraw badawczych
i zakończone bezprecedensowym
sukcesem. Podróże Cooka zainspi-
rowały rzesze odkrywców w rodzaju George'a Vancouvera
i La Pérouse'a (który później
zaginął w tajemniczych okolicz-
nościach), dzięki czemu mapy
wybrzeży kontynentalnych stawały
się coraz bardziej szczegółowe.
W następnym stuleciu ten trend
nadal się rozwijał. Szkot Mungo
Park wyruszył spenetrować ogromną białą plamę na mapie – wnętrze
Afryki. Alexander von Humboldt
i Aimé Bonpland przemierzyli,
opisali i zmapowali egzotyczną
Amerykę Południową. Meriwether
Lewis i William Clark z polecenia
Thomasa Jeffersona przewędrowali
olbrzymie przestrzenie amerykańskiego Zachodu.

W centrum zainteresowania
pozostawało też zbadanie Arktyki.
W połowie XIX wieku Brytyjczycy
wznowili wysiłki w celu odnalezienia
Przejścia Północno-Zachodniego.
Wśród odkrywców przeczesujących
lodowy labirynt w poszukiwaniu

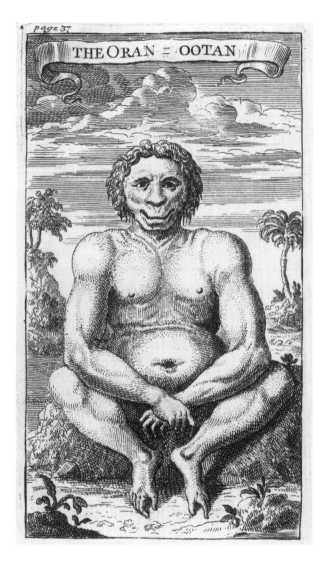

*Pierwsze europejskie wyobrażenie
orangutana z* A Voyage To and
From the Island of Borneo
Daniela Beekmana (1718)

żeglownego kanału znaleźli się m.in. William Parry, John Ross
oraz zaginiona ekspedycja sir Johna Franklina. Ta obsesja, siła na-
pędowa tak zwanej epoki heroizmu w eksploracji, utrzymywała się
aż po wiek XX. Ostatecznie udało się to Roaldowi Amundsenowi
w latach 1903–1906 i wtedy ostatnim wielkim wyzwaniem został
tylko wyścig do biegunów, otwarty dla każdego, kto był dostatecznie zamożny, odważny i szalony. Rywalizacja o pierwszeństwo
w dotarciu na biegun północny nie doczekała się rozstrzygnięcia
z powodu zdumiewającej niewiarygodności jej dwóch protagoni-
stów; ostatnią odsłoną epoki wielkich odkryć, kiedy świat ogarniał
już płomień I wojny światowej, stało się przykuwające uwagę antarktyczne współzawodnictwo zespołów brytyjskiego i norweskiego
o to, kto pierwszy zatknie flagę na biegunie południowym. Była to

historia katastrofalnego pecha, przetykana inspirującymi aktami odwagi.

Wszystkie te opowieści żyją w mapach, które niosą ich ślady; triumfy przydają blasku złoceniom, tragedie przyciemniają kolory. Mapy, istne dzieła sztuki eksploracji, niczym latarnie znaczą bieg historii poznawania świata. Jak żaden inny dokument uwieczniały każdy etap naszej rozwijającej się wiedzy pięknem zarówno rosnącej naukowej precyzji, jak i wizji artystycznej. Oczywiście dzisiaj, w czasach doskonałej technologii mapowania satelitarnego, można twierdzić, że kartografia utraciła tę wizerunkową i narracyjną jakość, a tajemniczość ustąpiła pola utylitarności. Lecz jakie podróże, boje i akty poświęcenia doprowadziły nas do obecnego stanu rzeczy? Jakim sposobem i kosztem

Jedyny znany egzemplarz „coelometru" W. Marshama Adamsa, wynalezionego ok. 1874 roku jako kompletne narzędzie instruktażowe do astronawigacji

gromadziliśmy wiedzę o świecie, rozkwitającą tymi papierowymi kwiatami? Oto dramat z globalną obsadą i czasem akcji obejmującym cztery tysiące lat, który zaczyna się – jak powinna każda porządna sztuka – od przywiezienia tańczącego pigmeja.

2250 P.N.E.–150 N.E.: BADANIE I MAPOWANIE ŚWIATA ANTYCZNEGO

Nic nie jest niemożliwe dla tego, kto próbuje. ALEKSANDER WIELKI

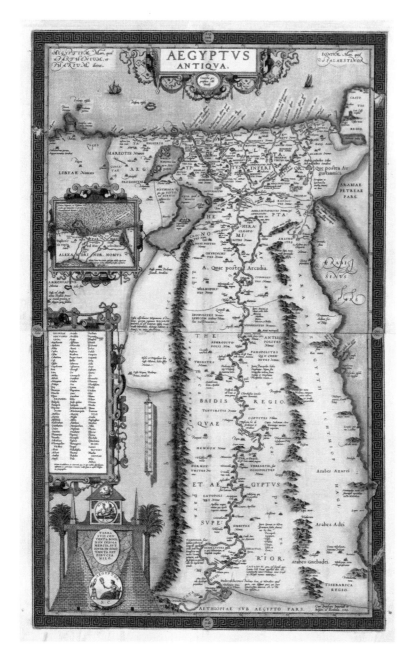

*Dwuarkuszowa mapa
starożytnego Egiptu
(1584) sporządzona
przez Orteliusa, który
dane do niej czerpał
z prac historyków
Diodora Sycylijskiego,
Herodota, Strabona
i Pliniusza*

Szukając historii o najwcześniejszych znanych z imienia odkrywcach, trafimy na starożytny Egipt – królestwo tradycyjnie
kojarzone raczej z silnym poczuciem wyższości i polityką
izolacjonizmu. Nie ma lepszego przykładu z tamtej epoki niż
Harchuf, szlachetnie urodzony podróżnik z czasów VI dynastii
(ok. 2345–2181 p.n.e.), którego grób na wzgórzach Asuanu,
z widokiem na Nil, zawiera kutą w kamieniu autobiografię.
Historia Harchufa jest najwcześniejszą udokumentowaną kro-
niką ekspedycji odkrywczej i opowiada o jego czterech wielkich
wyprawach do dalekiej krainy „Jam". Jej położenie skrywa mgła
tajemnicy, uważa się jednak, że chodzi o region w obecnym Su-
danie nad górnym Nilem. „Dokonałem tego zaledwie w siedem
miesięcy", przechwala się podróżnik w opisie pierwszej z nich,
„i przywiozłem stamtąd najrozmaitsze dary (…). Wielce mnie
za to sławiono". Z kolejnych trzech ekspedycji powracał z równie egzotycznymi prezentami, aż w końcu z ostatniej wysłał do
ośmioletniego faraona Pepiego II informację, że wiezie ze sobą
„tańczącego karła z krainy duchów". „Niezwłocznie wracaj na
północ", odpisał zaintrygowany Pepi w liście, który Harchuf
z dumą wyrzeźbił na swym grobowcu. „I masz przywieźć owego
karła (…), a zważaj, by ci do wody nie wypadł".

Harchuf – wizerunek z reliefu
nagrobnego

Jeszcze bardziej tajemnicza, też leżąca na południowym
wschodzie w bliżej nieokreślonym miejscu, była kraina Punt,
którą po raz pierwszy odwiedziła ekipa wysłana z rozkazu
faraona Sahurego ok. 2450 roku p.n.e. Punt obfitował w dobra
luksusowe, stał się więc regularnym celem wypraw, mimo że wymagało to taszczenia materiałów do budowy statków znad Nilu
nad odległe o 250 km Morze Czerwone. Po 2000 roku p.n.e.
Punt poszedł w zapomnienie na pięć stuleci, aż do okresu
panowania królowej Hatszepsut, pierwszej kobiety na tronie
egipskim, który objęła w 1479 roku p.n.e. W nadziei na nie-
śmiertelność w ludzkiej pamięci wyekspediowała zespół dwustu
dziesięciu ludzi, by odnowił kontakty z Puntem i przywiózł
egzotyczne drzewa do zaplanowanego przez nią największego
ogrodu w dziejach Egiptu. Wyprawa przywiozła nie tylko sa-
dzonki, lecz także mirrę, kadzidło i wiele innych darów, w tym
całe puntyjskie rodziny. Ten sukces przyniósł spełnienie pragnienia monarchini: jej wspaniałą świątynię funeralną, ozdobioną
triumfalnymi płaskorzeźbami upamiętniającymi rejs do Puntu,
dzień w dzień zwiedzają dziś tłumy turystów.

Osiemset sześćdziesiąt lat później koronę egipską włożył
faraon Necho II i z miejsca wziął się do rozwiązania proble-
mu transportu lądowego między Nilem i Morzem Czerwo-

Wojownicy egipscy z ekspedycji Hatszepsut do krainy Punt – malowidło ze świątyni królowej w Deir el-Bahari

nym – nakazał wykopać kanał, protoplastę Kanału Sueskiego. Z budowy zrezygnowano, gdy osunięcie się piasku pochłonęło dwanaście tysięcy ofiar. Nie bez znaczenia dla tej decyzji były też obawy, że znienawidzeni Babilończycy mogliby wykorzystać kanał jako drogę inwazji. W tej sytuacji Necho II przeniósł uwagę jeszcze dalej na południe niż jego poprzednicy. Między 610 a 594 rokiem p.n.e. wynajął grupę fenickich nawigatorów, by poprowadzili nową, bezprecedensową ekspedycję. Jedynym źródłem pisanym na jej temat jest pojedynczy akapit w *Dziejach* Herodota. Żeglarze posuwali się wzdłuż wschodniego wybrzeża Afryki, aż w końcu opłynęli jej południowy kraniec i skierowali się na zachód, mając słońce po prawej burcie. (Dla Herodota, który nie miał pojęcia o kulistości Ziemi, było to bardzo zagadkowe). Powrócili w końcu do Egiptu przez Morze Śródziemne, okrążywszy w ten sposób cały kontynent. Nad tym, ile z tego wydarzyło się rzeczywiście, spierano się ponad dwa tysiące lat. Pliniusz w to wierzył, Ptolemeusz wyśmiał, był bowiem przekonany – co widać na jego mapach – że Afryki opłynąć się nie da, gdyż jest tylko półwyspem wystającym z ogromnego kontynentu południowego.

Inną postacią wymienioną przez Herodota był Skylaks z Kariandy, Grek w służbie perskiej, który badał wybrzeża Oceanu Indyjskiego i w 515 roku p.n.e. opłynął Półwysep Arabski. Skylaks zapuszczał się na nieznane wody dla sławy i chwały, natomiast gdy czterdzieści pięć lat później w podobną podróż wyruszał Sataspes, siostrzeniec króla Dariusza i kuzyn panującego wówczas Kserksesa I, kierował się czymś zgoła innym. Oskarżony o gwałt na córce jednego z nobilów, by uniknąć zwyczajowego wyroku śmierci przez wbicie na pal, wybrał karę „jeszcze sroższą": wyprawę wokół Afryki. Wypłynąwszy z Egiptu na Morze Śródziemne, minął Słupy Heraklesa i wiele miesięcy ciągnął wzdłuż afrykańskich brzegów na południe, aż odkrył krainę pigmejów odziewających się w liście palmowe. Nie mogąc pokonać przeciwnych prądów, zawrócił do Persji, licząc na to, że dokonane odkrycia okażą się na wagę ułaskawienia. Przeliczył się. Kserkses uznał, że ukarany za słabo się przyłożył do zadania, i Sataspes w końcu wylądował na palu.

IV wiek p.n.e. należał do Aleksandra Wielkiego, który w wieku dwudziestu siedmiu lat, kiedy jego ojciec Filip II zginął z ręki mordercy, odziedziczył greckie królestwo Macedonii i w krótkim czasie umocnił panowanie nad całą Grecją. W 334 roku p.n.e. na czele wielkiej armii przeprawił się przez Hellespont (Dardanele) i rozpoczął kampanię wojenną na niespotykaną skalę, w której

Mapa podbojów Aleksandra Wielkiego sporządzona przez Orteliusa w 1608 roku

Mapa Wysp Brytyjskich Martina Waldseemüllera. Przekrzywienie Szkocji wzięło się przypuszczalnie z tego, że Ptolemeusz polegał na nieprecyzyjnie określonych współrzędnych Pyteasza.

zawojował kawał Azji i północno-wschodniej Afryki, nie przegrywając ani jednej bitwy. Jako trzydziestolatek władał jednym z największych imperiów, jakie kiedykolwiek powstały. Nauki pobierał (do szesnastego roku życia) od Arystotelesa, ale przyswojona wtedy przezeń koncepcja świata była ograniczona stanem greckiej wiedzy geograficznej: wszystko na wschód od Morza Kaspijskiego i na południe od Arabii było tylko przedmiotem hipotez. Nie zdawano sobie sprawy z prawdziwych rozmiarów Azji, a świat według Arystotelesa był olbrzymią wyspą otoczoną przez jeden ciągły ocean.

Pragnienie odkrycia wybrzeża owego „Wielkiego Morza Zewnętrznego" pchało Macedończyka przez wiele tysięcy kilometrów, od Egiptu przez Mezopotamię i Persję aż na niekończące się stepy Azji Środkowej, by wreszcie w 326 roku p.n.e. doprowadzić go do doliny Indusu (gdzie jednym z jego wielu żądań było, żeby miejscowi dostarczyli do obejrzenia słynnego yeti; powiedziano mu jednak, że to niemożliwe, bo stwór nie przeżyłby klimatu nizin). Chciał jeszcze iść naprzód i przekroczyć Ganges, ale jego wyczerpani ludzie odmówili dalszego marszu.

W 325 roku p.n.e. Pyteasz, geograf z greckiej kolonii i ośrodka handlowego w Massilii (dzisiejsza Marsylia), ukończył nadzwyczajną podróż i sporządził pierwszy w historii opis wybrzeży Brytanii, północnej Europy i Skandynawii. Zapis tej

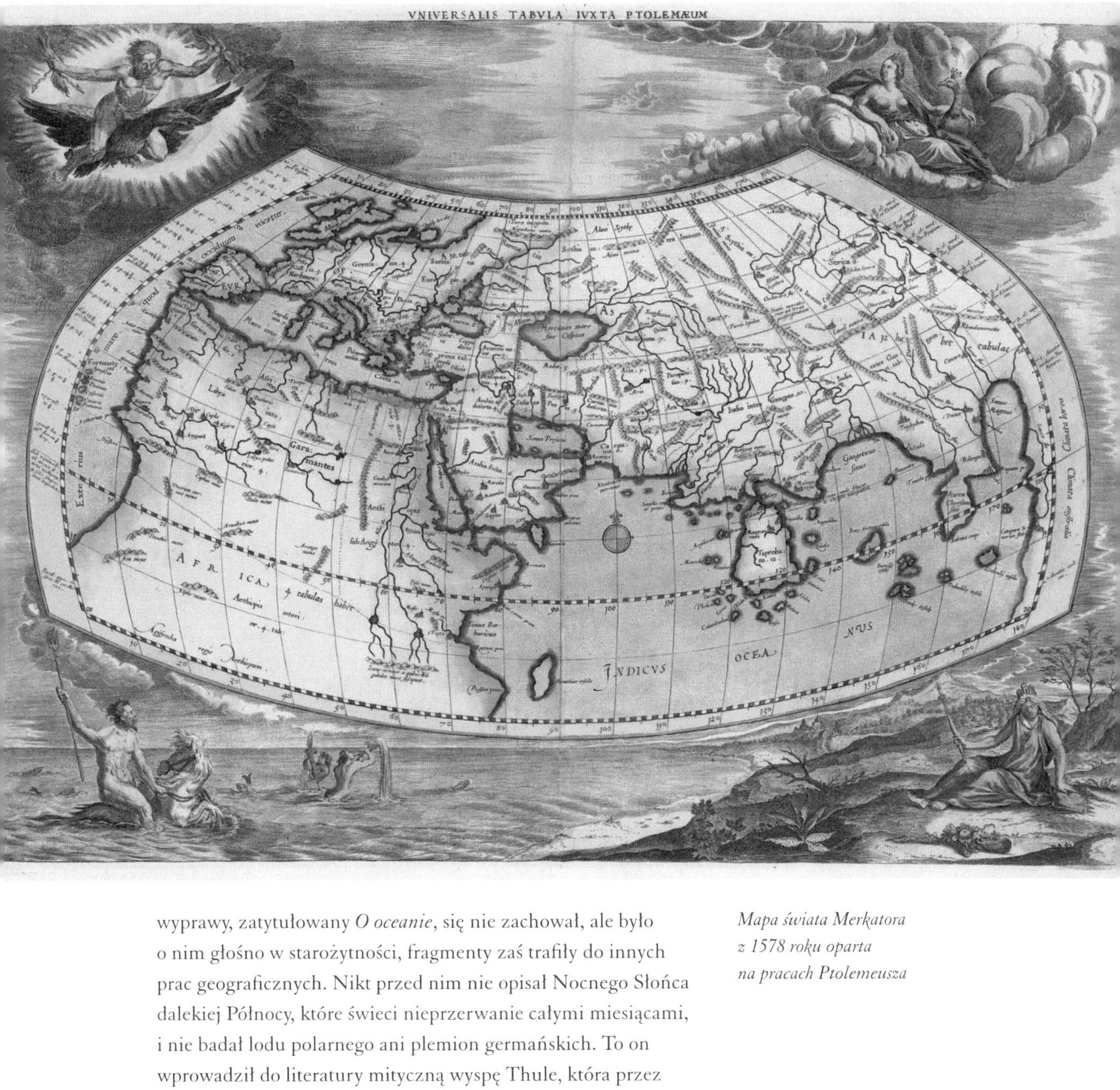

VNIVERSALIS TABVLA IVXTA PTOLEMÆVM

wyprawy, zatytułowany *O oceanie*, się nie zachował, ale było
o nim głośno w starożytności, fragmenty zaś trafiły do innych
prac geograficznych. Nikt przed nim nie opisał Nocnego Słońca
dalekiej Północy, które świeci nieprzerwanie całymi miesiącami,
i nie badał lodu polarnego ani plemion germańskich. To on
wprowadził do literatury mityczną wyspę Thule, która przez
ponad tysiąc lat zaprzątała wyobraźnię geografów, chrzczących
tą nazwą przeróżne fantazje o lądach północnych. Pyteasz
wyruszył z Zatoki Biskajskiej i od brzegów bretońskich dotarł
przez kanał La Manche do Kornwalii, następnie opłynął „wyspy Pretannów", zbadał Orkady i Szetlandy, po czym skierował
się na północ, ku owej Thule (prawdopodobnie była to Islandia
lub Norwegia).

*Mapa świata Merkatora
z 1578 roku oparta
na pracach Ptolemeusza*

Choć relacja Greka budziła wątpliwości – Strabon skwitował
ją nazwaniem autora „arcyfałszerzem" – przez stulecia cyto-
wali ją i historycy, i geografowie; odbiła się też wyraźnym echem
we wczesnej kartografii, czego przykładem jest mapa Ptolemeusza (s. 22), ukazująca Szkocję odgiętą pod kątem prostym –
prawdopodobnie z powodu nadmiernej ufności twórcy w błędne
dane Pyteasza.

Z początkiem pierwszego tysiąclecia n.e. mroki skrywające
wnętrze dzisiejszych Francji, Niemiec, Hiszpanii i Brytanii
rozproszyły rzymskie ekspedycje wojenne Juliusza Cezara i jego
następców, dzięki którym powstały pierwsze szczegółowe opisy
geografii tych ziem i kultur je zamieszkujących. Już w 84 roku
rzymski wódz Agrykola, Gal z pochodzenia, dotarł do Szkocji.
Nieświadomy historii Pyteasza wysłał w morze załogę z zadaniem opłynięcia wyspy; rzymscy żeglarze zajęli Orkady i odkryli
własną „Thule" – Szetlandy. Tymczasem w Afryce Swetoniusz
Paulinus przebył w 42 roku góry Atlas, a osiemnaście lat później
Neron wyprawił niewielki oddział pretorianów w górę Nilu na
poszukiwanie jego źródła. Żołnierze dobrnęli aż do południowego Sudanu, gdzie zgubili rzekę na moczarach Sudd, które
i dla wielu późniejszych ekspedycji okazały się przeszkodą nie
do pokonania.

Bardzo niewiele wiemy o drugowiecznym greckim karto-
grafie Marinosie z Tyru. Jego pieczołowicie ułożony atlas był
pierwszą publikacją, w której wszystkim ówcześnie znanym

*Fragment wykonanej ok. 1200 roku
kopii* Tabula Peutingeriana
*(300 p.n.e.), siedmiometrowej
mapy drogowej imperium
rzymskiego z zaznaczonymi
ok. 4 tysiącami osad. Brzeg
Brytanii widnieje w lewym
górnym rogu.*

Na sąsiedniej stronie:
Wojna galijska *(1753).
Całopalenie „wiklinowego
człowieka", w którym zamknięta
była ludzka ofiara, opisane
przez Juliusza Cezara w* Wojnie
galijskiej. *W rzeczywistości
nie ma dowodów, że ta forma
składania ofiar była kiedykolwiek
praktykowana – prawdopodobnie
była to historyjka zmyślona dla
podkreślenia barbarzyńskości
tubylców.*

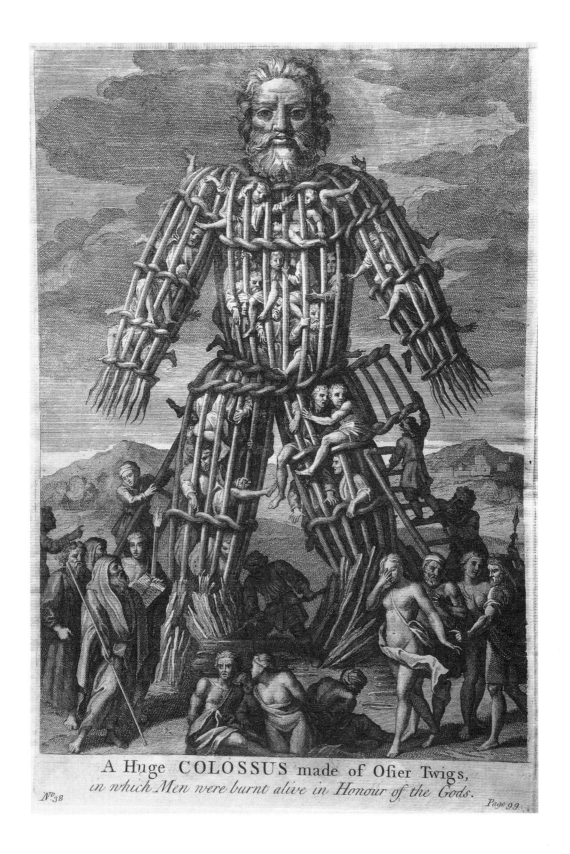

A Huge COLOSSUS made of Ofier Twigs,
in which Men were burnt alive in Honour of the Gods.

Nᵒ.38   Page 99.

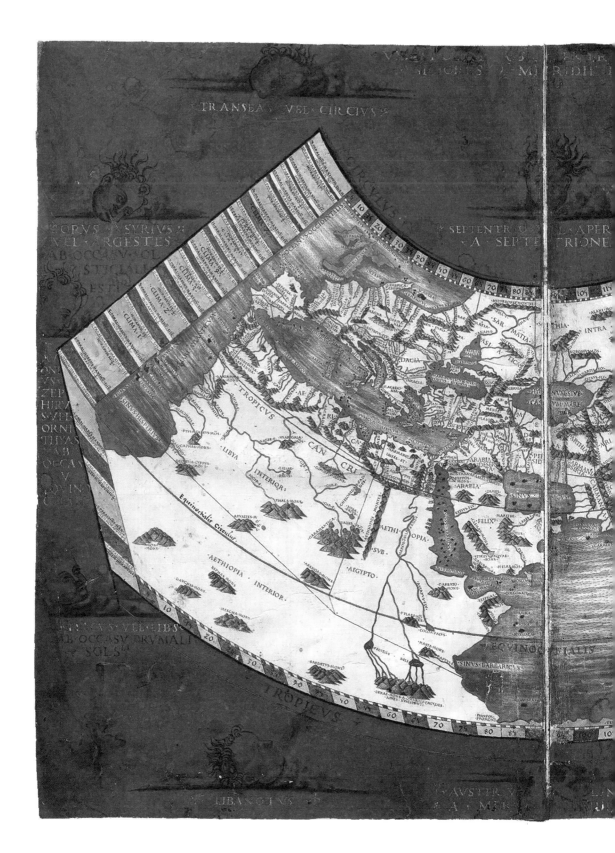

obiektom geograficznym
zostały przypisane współ-
rzędne. Praca zaginęła, dała
jednak fundament jedynej
starożytnej pracy o kartografii, która przetrwała do
naszych czasów: *Geografii*
Klaudiusza Ptolemeusza, napisanej w latach ok. 140–150.
I ona zagubiła się na długo;
pozostawała nieznana póź-
niejszym badaczom aż do
IX wieku, kiedy odnaleźli
ją kartografowie muzułmań-
scy. Dla Europejczyków odkrył ją ponownie na początku XIV wieku bizantyjski
mnich Maksymus Planudes;
przełożył dzieło na łacinę
i na jego podstawie wykonał
pierwsze z wielu rekonstruk-
cji map Ptolemejskich.

Geografia w elegancki
sposób podsumowała historię
odkryć starożytnych. Repro-
dukowane w średniowiecz-
nych manuskryptach mapy
Ptolemeusza wyparły ukie-
runkowane religijnie *mappae
mundi* (mapy świata) i wyznaczały normy percepcji
geograficznej przez następne
dwieście lat.

*Świat według mapy greckiego
matematyka Ptolemeusza
(II w.) – tu kopia drukowana
w Rzymie (1478)*

833: GEOGRAFOWIE BLISKIEGO WSCHODU –
W POGONI ZA WIEDZĄ

Szukaj wiedzy, nawet gdybyś musiał jechać do Chin. PROROK MAHOMET

Korzystając z dziedzictwa Klaudiusza Ptolemeusza, arabscy
i perscy kartografowie włączyli dorobek hellenistycznej geografii
do fundamentu, na którym budowali świat na mapach. Uzupeł-
nili wiekową *Geografię* o własne umiejętności i wiedzę zebraną
od wszędobylskich kupców i członków wypraw do Chin, Afryki,
Indii i Indonezji, bazując przy tym na starych danych ze Wschodu, niedostępnych dla Greków i Rzymian.

    W 833 roku Muhammad Ibn Musa al-Chuwarizmi, perski
uczony z bagdadzkiego Domu Mądrości, dokonał pierwszej po-
ważnej rewizji *Geografii*, publikując *Kitab as-surat ar-ard* [Księgę

*Prostokątna mapa świata
z Księgi kuriozów
(ok. 1020–1050), ilustrowanego
kompendium geograficznego
nieznanego autora, które
powstało w Egipcie*

Kolista mapa świata
Al-Idrisiego (1154)
z manuskryptu ze zbiorów
Biblioteki Bodlejańskiej
w Oksfordzie

opisu Ziemi]. Z braku oryginalnych map Al-Chuwarizmi wziął się do poprawiania Ptolemeusza; skorygował na przykład jego przesadną ocenę rozciągłości Morza Śródziemnego z 63° do bardziej dokładnej wartości 50° długości geograficznej i przedstawił Atlantyk i Ocean Indyjski jako akweny otwarte (Ptolemeusz przyjął, że są zbiornikami śródlądowymi).

Idąc w ślady Al-Chuwarizmiego, Ibn Chordadbeh napisał najwcześniejsze z zachowanych arabskich kompendiów geografii administracyjnej – *Kitab al-masalik wa-l-mamalik* [Księgę dróg i królestw] – w którym szczegółowo ujął szlaki handlowe do Indii i Indonezji, ilustrując je mapami i opisując ziemie, ludy i kultury południowych wybrzeży Azji aż po Brahmaputrę, Andamany, Półwysep Malajski i Jawę. Pojawiają się tam też pierwsze wzmianki o krajach dalekowschodnich: Chinach, zjednoczonej Silli (Korei) i Japonii; wymieniona jest również mityczna wyspa Wak-Wak, słynąca z drzewa krzyczących ludzkich głów, dzikim rykiem witających brzask i zmierzch: „Na wschód

od Chin leży kraina Wak-Wak, tak bogata w złoto, że jej mieszkańcy robią z niego łańcuchy dla psów i obroże dla małp. Także
tuniki szyją złotem przetykane".

Początek X wieku zaznaczył się ważną wyprawą arabskiego
pisarza Ahmada Ibn Fadlana, który w 922 roku zwiedził kraje
za Morzem Kaspijskim jako uczestnik misji dyplomatycz
nej z ramienia kalifa Al-Muktadira do Bułgarii Wołżańsko-
-Kamskiej (część obecnej Rosji w dorzeczu Wołgi i Kamy).
W dzienniku podróży (którego kompletną wersję odkryto dopiero w 1923 roku) wiele miejsca poświęcił studiom nad ludem

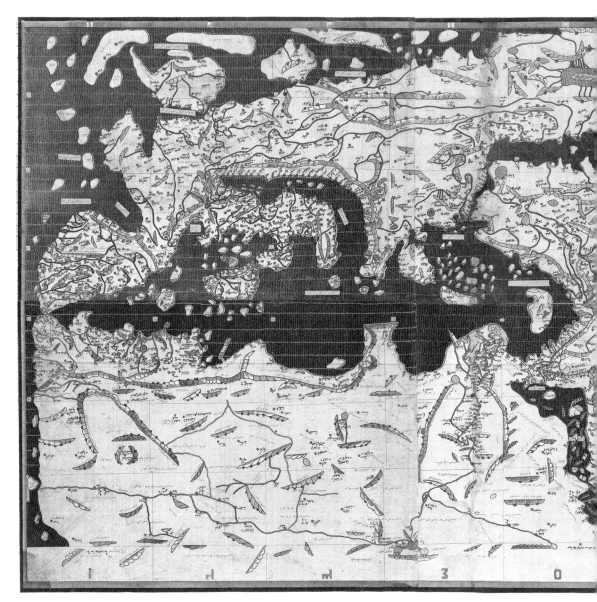

„Rusiyyah" – nam szerzej znanym jako wikingowie. Z arabskiego punktu widzenia była to rasa nadzwyczajna: jasnowłosi, wysocy jak palmy i wytatuowani „od czubków palców po kark w ciemne wzory drzewne". Ibn Fadlan uznał ich za doskonały wzorzec człowieka, choć nie aprobował ich skrajnej wulgarności i kompletnego braku higieny osobistej. Ze zgrozą donosił też o makabrycznym widowisku: składaniu ofiar z ludzi podczas pochówku łodziowego jednego z wodzów.

Jeszcze większą estymą cieszył się pochodzący z Iraku Abu al-Hasan Ibn al-Husajn al-Masudi, zwany czasem „arabskim

Mapa świata z Tabula Rogeriana*, sporządzona przez arabskiego geografa Al-Idrisiego w 1154 roku. Tu odwrócona do góry nogami dla łatwiejszego porównania; oryginał, typowo dla map arabskich z tego okresu, jest bowiem zorientowany górą ku południowi (wierni z krain leżących na północ od Mekki podczas modłów zwracali się na południe).*

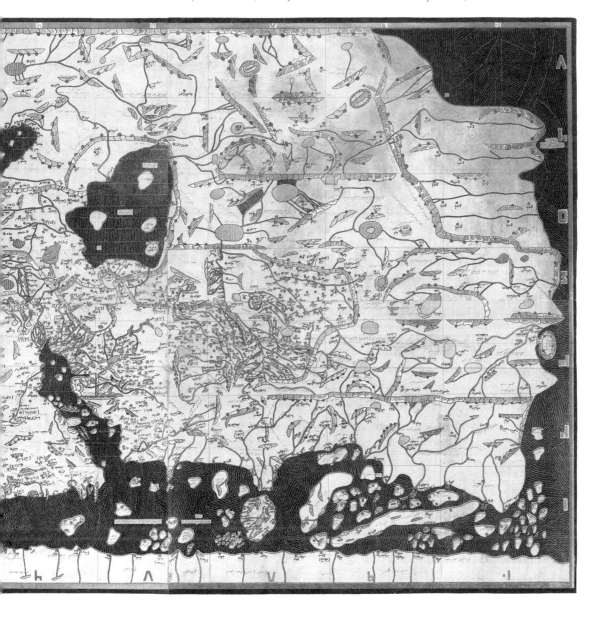

Herodotem", którego nienasycona ciekawość skłoniła do poznawania świata na własne oczy. W swoich podróżach zawitał do Syrii, Iranu, Armenii, Omanu, nad Morze Kaspijskie, do doliny Indusu, a nawet na Cejlon i wschodnie wybrzeże Afryki aż po Zanzibar (niewykluczone, że również Madagaskar). Wprawdzie wiele jego opisów zaginęło, przypisuje mu się jednak ponad dwadzieścia pozycji z tematyką od sekt religijnych po trucizny. Najbardziej imponującym dziełem jest *Akbar az-zaman* [Historia czasu], złożone z trzydziestu tomów gigantyczne studium królestw świata islamskiego i poza nim. Al-Masudi porównywał się do człowieka, który „znalazłszy perły wszelkich rodzajów i barw, zrobił z nich ozdobny naszyjnik, pieczołowicie strzeżony przez właściciela".

Najbliższy spadkobierca intelektualny Al-Masudiego

Drzewo krzyczących głów, rosnące ponoć na mitycznej wyspie Wak-Wak, która widnieje na wielu wczesnych mapach arabskich

pojawił się ponad trzydzieści lat po jego śmierci w osobie omnibusa Abuar-Rajana al-Biruniego, który w 990 roku dokładnie wyznaczył szerokość geograficzną swojego miasta, mając wtedy raptem siedemnaście lat. Al-Biruni, żywy symbol islamskiego Złotego wieku, często nazywany ojcem geodezji i antropologii, przemierzył całe Indie i sporządził drobiazgowy opis ich geografii, miejscowych obyczajów i wierzeń, za co uhonorowano go tytułem Al-Ustad (mistrz). Jedną z jego największych zasług było opracowanie nowej techniki wyznaczania obwodu globu ziemskiego; uzyskany przezeń wynik różnił się od rzeczywistego zaledwie o 16,8 km. Nanosząc na globus współrzędne znanych miast i charakterystycznych punktów geograficznych, doszedł do wniosku, że cały kontynent euroazjatycki zajmuje tylko dwie piąte planety. W pojęciu tradycyjnym pozostałe trzy piąte zajmował „Ocean Światowy"; Al-Biruni jednak na podstawie

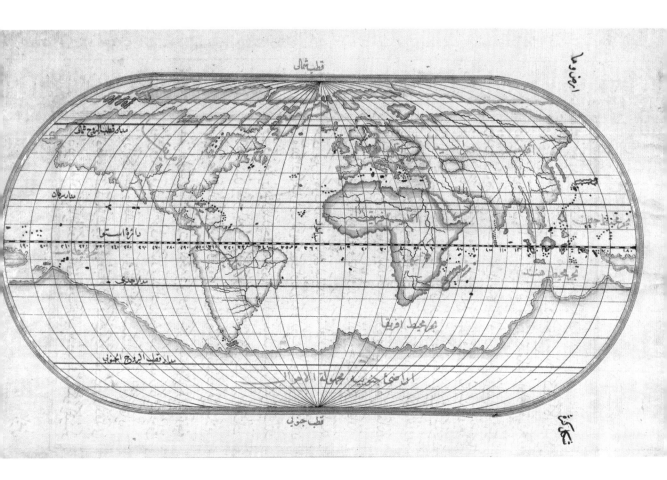

własnych badań nad ciężarem właściwym sformułował logiczny wniosek, że pomiędzy Europą i Azją musi leżeć jakiś inny kontynent. Drogą czystej dedukcji w 1037 roku przewidział istnienie Ameryki, do której Europejczycy dotarli zaledwie kilka lat przed opublikowaniem jego teorii w *Al-kanun al-Masudi* (Codex Masudicus). Co więcej, odkrycia tego dokonała ta sama „nieokrzesana" rasa, która wzbudziła taką grozę u Ibn Fadlana – wikingowie.

Mapa świata tureckiego admirała
i kartografa Piriego Reisa
(1465/1470–1553)

684   2290 p.n.e.   1750 p.n.e.   1250 p.n.e.   590 p.n.e.   750 p.n.e.   56   750   1025   1675   1135   1175   1785   1500
1500 p.n.e.   2000 p.n.e.   1500 p.n.e.   1000 p.n.e.   500 p.n.e.   0   500   1000   1050   1100   1300   1500
1050   1000   1050   1100   1300   1500

986–1010: WIKINGOWIE ODKRYWAJĄ AMERYKĘ

Kto podróżował, ten powiedzieć umie,
jakiego ducha są ludzie, których spotyka.

(ZE STARONORMAŃSKIEGO POEMATU *HÁVAMÁL*)

Słynna mapa Islandii Orteliusa z wizerunkami wybuchających wulkanów i mitycznych stworzeń morskich (1587)

Setki lat przed Kolumbem po piaskach wybrzeża Ameryki stąpali wikingowie. Na Grenlandii Eirik Raude (Eryk Rudy), wygnany z Norwegii za zabójstwo, założył nową osadę dla siebie, rodziny i zwolenników. Nazwa, którą nadał nowej ziemi – Grønland – była sprytnym wybiegiem dla uatrakcyjnienia lądu w trzech czwartych pokrytego wiecznym lodem. Pogłoski o tym, że ów „Zielony Kraj" nie tylko jest przyjazny dla osadnictwa, ale na dodatek obfituje w kły morsów (jeden

Obraz XIX-wiecznego malarza Jensa Erika Carla Rasmussena przedstawiający łódź wikingów u brzegów Grenlandii

z najcenniejszych towarów w średniowiecznej Europie), rychło się obiły o wikińskie uszy w Islandii i Norwegii, toteż północny Atlantyk zaroił się od łodzi wiozących emigrantów zdecydowanych wykroić dla siebie kawałek tego tortu. Przy takim ruchu było praktycznie nieuniknione, że któryś ze statków zdryfuje z kursu i przypadkiem dokona jeszcze większego odkrycia.

W 986 roku Bjarni Herjólfsson dotarł do Islandii z zamiarem dołączenia do rodziny. Ku niemiłemu zaskoczeniu dowiedział się tam, że jego ojciec sprzedał dom i opuścił kraj, aby pójść w ślady Rudego i przenieść się na Grenlandię. Rad nierad Bjarni znów wyruszył za nim na ocean, lecz podróż nie poszła zgodnie z planem. Trzeciego dnia żeglugi dostał się w sztorm, który zniósł go bardzo daleko, aż po kilku dniach trafił na nieznany brzeg – Labrador. Domyślając się, że to nie może być Grenlandia, Herjólfsson nawet się nie zatrzymał, by zbadać nowy ląd, tylko popłynął dalej szukać właściwego celu wyprawy i wkrótce go odnalazł. Jego relacja nie spotkała się jednak z zainteresowaniem i dopiero piętnaście lat później Leif Eriksson, syn Rudego, odkupił od niego łódź i pożeglował ku opisanej przez byłego właściciela krainie. Jemu też, nie Herjólfssonowi, w *Sadze o Eryku Rudym* przypisano to odkrycie.

Jak mówią sagi, około 1000 roku Eriksson z trzydziestopięcioosobową załogą odtworzył rejs Bjarniego i przybył na „ziemię płaskich kamieni", której nadał nazwę Helluland. Przyjmuje się powszechnie, że chodziło o Ziemię Baffina, piątą co do wielkości wyspę na świecie, w dzisiejszym kanadyjskim regionie Nunavut. Tamtejszy jałowy, górzysty teren nie nadawał się jednak dla celów osadnictwa, Leif ruszył więc na południe do „Marklandu". I tam natknął się na niegościnny, porośnięty puszczą brzeg, kontynuował zatem podróż i wkrótce znalazł lepsze miejsce

z przyjemniejszym klimatem. Przezimował tam, a powróciwszy
na Grenlandię, nie mógł się nachwalić nowej krainy: przyjazna
pogoda, bujna roślinność, wody pełne łososi. Najbardziej jednak
rozwodził się nad tamtejszą winoroślą, ląd nazwano więc Winlandią, krajem wina. (Pozostaje kwestią sporną, czy rzeczywiście
dotarł tak daleko na południe, by trafić na dzikie winogrona, czy
raczej odziedziczył po ojcu smykałkę do reklamy).

Tak czy owak, Winlandia znalazła się w polu zainteresowań
jego ziomków i niedługo potem wyruszyła tam kolejna ekspedycja. W zastępstwie Leifa, który musiał zostać i zająć się kolonią
na Grenlandii, kierował nią jego brat Thorvald. Tym razem jednak żeglarze napotkali opór ze strony ludności tubylczej i wódz
zginął od strzały. To na jakiś czas ostudziło zapędy eksploracyjne
wikingów i dopiero w 1010 roku powinowaty Erikssona, Thorfinn Karlsefni, wylądował tam z grupą sześćdziesięciu jeden
wojowników z żonami i zwierzętami hodowlanymi, by założyć
osadę. Od tego momentu przekazane w sagach relacje są rozbieżne, można jednak stwierdzić, że kolonia ta była usytuowana
na północnym cyplu Nowej Fundlandii. Nie mamy dziś informacji, jak głęboko osadnicy spenetrowali wyspę, wydaje się jednak, że pozostawali na kontynencie amerykańskim aż do połowy
XIV wieku. W 1960 roku prowadzone w tej okolicy prace wykopaliskowe w L'Anse aux Meadows dostarczyły przekonujących
dowodów, które potwierdziły ten nadzwyczajny prekolumbijski
kontakt transoceaniczny.

Inne niedawne związane z tym odkrycie jest zdecydowanie
bardziej kontrowersyjne. Tak zwana mapa Winlandii, rzekomo
z XV wieku, ukazuje te wikińskie odkrycia w Nowym Świecie
(w tym „Vinlanda Insula"), a także Afrykę, Azję i Europę. Znaleziono ją w 1957 roku (trzy lata przed odkryciem pozostałości
osady w L'Anse aux Meadows) między stronami średniowiecznego tekstu *Hystoria tartarorum*, kiedy londyński księgarz Irving
Davis zaoferował ją na sprzedaż British Museum. Od początku była traktowana z dużą podejrzliwością. Nie pasowały na
przykład do siebie miejsca uszkodzone przez owady na mapie
i w książce (to się jednak wyjaśniło rok później, gdy w ręce
tego samego antykwariusza trafił trzeci tom, gdzie ślady już się
zgadzały). Od tamtej pory mapę poddawano coraz intensywniejszym i technicznie bardziej złożonym badaniom, włącznie
z analizą chemiczną atramentu, mikrofotografią, spektroskopią
i datowaniem radiowęglowym – konsensusu co do jej autentyczności wciąż jednak nie ma.

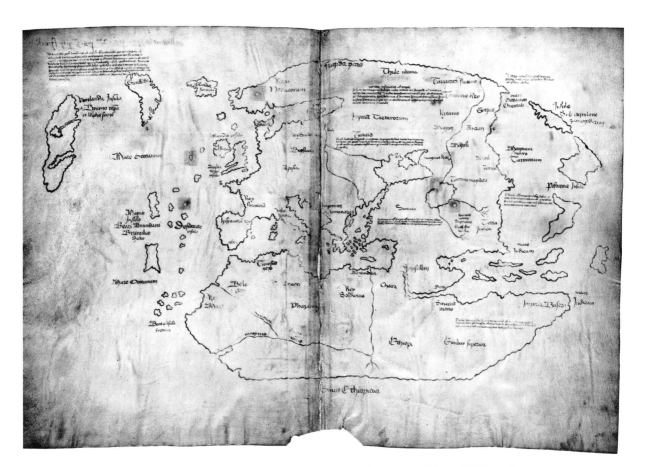

Uniwersytet Yale, któremu mapę podarowano w 1965 roku, odmówił oficjalnego opowiedzenia się w sporze. „Uważamy się za opiekunów wyjątkowo ciekawego i kontrowersyjnego dokumentu", powiedziała w 2002 roku kierowniczka uczelnianej biblioteki Alice Prochaska, „i z wielkim zainteresowaniem śledzimy prace badawcze". Dziewięć lat później profesor historii z Yale, Paul Freedman, stwierdził jednak, że mapa jest „niestety sfałszowana" – i na tym stanęło.

Mapa wikińskich odkryć w Winlandii, prawdopodobnie mistyfikacja

1271–1295: PODRÓŻE MARCA POLO

Nie opisałem nawet połowy tego, co widziałem.   Marco Polo

Koniec XI wieku zbiegł się ze schyłkiem epoki wikingów. Skandynawia przeszła ogromną zmianę kulturową. Kościół katolicki rósł w siłę, kształtowały się królestwa Norwegii, Danii i Szwecji. Ostatnią wzmianką o Winlandii jest zapis o podróży z 1121 roku, kiedy islandzki biskup Eric Gnupsson „wybrał się na jej poszukiwanie". Więcej o nim nie słyszano i wkrótce, z powodów do dziś niewiadomych, tamtejsza kolonia została porzucona (podobnie jak w XV wieku Grenlandia). W tym samym czasie doniosłe przemiany zachodziły również w Azji Środkowej, a ich motorem był jeden człowiek – Czyngis-chan. Na początku XIII wieku ten mongolski wódz zjednoczył wojujące między sobą plemiona azjatyckie w wielką, niepowstrzymaną siłę i przyniósł niespotykaną dotąd stabilizację w całej

Atlas kataloński z 1375 roku – jeden z najwcześniejszych portolanów (map wykorzystywanych w nawigacji morskiej) sporządzony z uwzględnieniem danych zaczerpniętych wprost z zapisków podróżnych Marca Polo

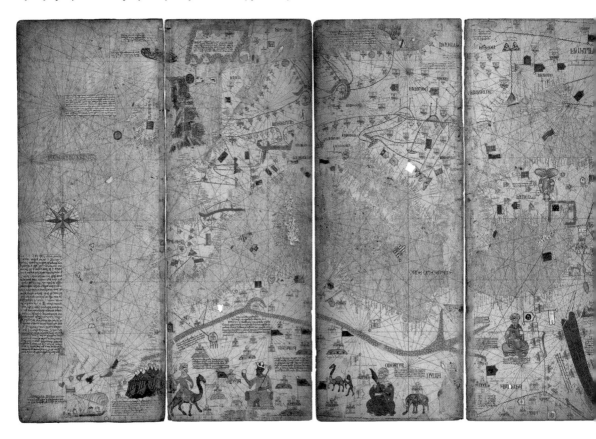

Eurazji – pax Mongolica (pokój mongolski) – dzięki czemu podróżni pierwszy raz w dziejach mogli stosunkowo bezpiecznie
pokonywać szlak z Europy do Chin.

W 1298 roku pisarz Rusticello z Pizy gnił w genueńskim
więzieniu, kiedy niedawno przybyły kolega z celi, kupiec po
czterdziestce, zaczął mu opowiadać historię swojego życia.
Nowy przez długie miesiące opowiadał współwięźniom fantastyczne historie z niewiarygodnie dalekiej podróży na Wschód,
wzdłuż obramowanych dzikim kwieciem malachitowych rzek
Chotanu, przez bezlitosne pustynie Persji i bujną zieleń Badachszanu. Największe wrażenie robiły anegdoty z życia na dworze
mongolskiego Wielkiego Chana, wodza dzikiej hordy zwanej
w Europie Tatarami, który „umyślił sobie, że podbije cały świat"
i budził skrajną grozę w całym wschodnim chrześcijaństwie.
Obieżyświat-gawędziarz i autor romansów zdecydowali się na
współpracę. Pierwszy posłał do Wenecji po swoje zapiski, drugi
zasiadł do pisania historii, w której miejsce intrygi miłosnej zajęły przygody podróżnika. Tak powstała książka, której
wznowienia pojawiają się do dzisiaj, siedemset lat po premierze,

tytułowana rozmaicie: oryginalnie (Rusticello pisał w dialekcie starofrancuskim) *Le Divisament dou monde*, czyli *Opisanie świata* [taki też jest tytuł przekładu polskiego – dop. J.S.]; *De mirabilis mundi* [O cudach świata]; *Il Milione* [Milion], a w świecie anglojęzycznym *The Travels of Marco Polo* [Podróże Marca Polo].

W 1269 roku piętnastoletni Marco pierwszy raz spotkał się z ojcem Niccolò i stryjem Maffeo, kiedy obaj panowie wrócili do Wenecji z gigantycznej podróży na Wschód. Według *Opisania świata* Niccolò i Maffeo dziewięć lat wcześniej wyruszyli w celach handlowych z Konstantynopola do krymskiego portu Sudak. Moment wybrali nader fortunnie: krótko po ich odjeździe miasto zajął cesarz bizantyjski Michał VIII Paleolog, z którego rozkazu dzielnica wenecka została spalona, a wszyscy Wenecjanie uwięzieni i oślepieni. Z Sudaku pojechali dalej z towarem nad Wołgę, w powrocie przeszkodziła im jednak lokalna wojna. Schronienie znaleźli w Bucharze (na ziemiach obecnego Uzbe-

Mapa Chin Lorenza Friesa z 1522 roku, pierwsza z map poświęconych wyłącznie Dalekiemu Wschodowi zawierająca dane z dzieła Marca Polo [np. dotyczące portu Quinzay (Hangzhou) na wschodnim wybrzeżu i Zinpangri (Japonii)]

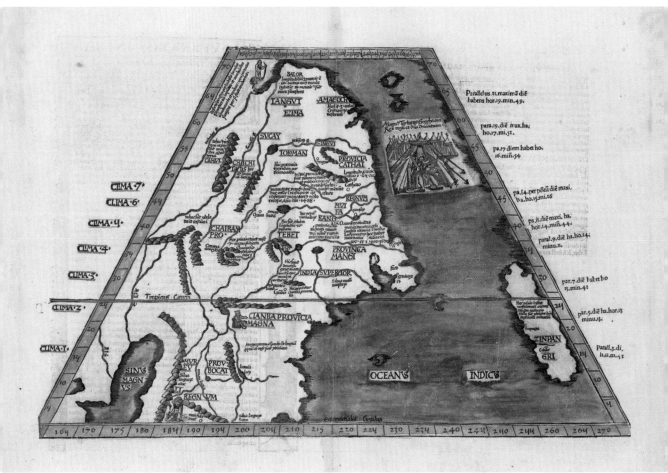

kistanu) i przyjęli zaproszenie tatarskiego chana Lewantu do od-
wiedzenia jego suwerena Kubilaja, Wielkiego Chana wszystkich
Mongołów, w jego dalekim pałacu w Chanbałyku (Pekinie). Ku-
bilaj miał bardziej dociekliwe usposobienie niż jego poprzednicy,
przyjął więc gości z Zachodu uprzejmie i z zainteresowaniem.
Usłyszawszy od nich o wierze chrześcijańskiej, nakłonił ich, by
pojechali do Wenecji i wrócili raz jeszcze ze stoma uczonymi,
aby go z ową wiarą szczegółowo zapoznali.

Z tego właśnie powodu bracia Polo zjawili się w rodzinnym
mieście. Nowo wybrany papież Grzegorz X chętnie udzielił błogosławieństwa zamierzonemu przedsięwzięciu, lecz na wysłanie
setki uczonych zgody nie wyraził – i tak w 1271 roku Niccolò
i Maffeo wyruszyli znowu do dalekiego Kataju z jednym tylko towarzyszem: siedemnastoletnim Markiem. Drogą morską
udali się do Akki w Ziemi Świętej, skąd na wielbłądach dotarli
do irańskiego portu Ormuz. Do Chin zamierzali popłynąć
statkiem, odstraszył ich jednak stan techniczny dostępnych jednostek, byli więc zmuszeni podróżować Jedwabnym Szlakiem –
starożytną siecią dróg przecinających wzdłuż kontynent azjatyc-
ki. Nadzwyczajna ekspansja potęgi Mongołów scaliła ten wielki
ląd w stopniu wystarczającym, by można było pokonać ową
ogromną drogę, lecz nie bez ryzyka. Dla bezpieczeństwa trzej
panowie Polo większość trasy przejechali z karawaną kupiecką,
i tak przychodziło im jednak walczyć z bandytami, burzami
piaskowymi i innymi przeciwnościami. W trzy i pół roku dotarli
wreszcie do pałacu Kubilaja, gdzie po entuzjastycznym przyję-
ciu przekazali chanowi listy papieskie i święty olej z Jerozolimy.

Dalej relacja Marca Polo opowiada o gościnie u chana, który nadał im honorowe funkcje dworskie. Książkę od początku
odrzucano jako wytwór fantazji (co naturalnie w niczym nie
umniejszyło jej popularności w całej Europie), nie można jej
jednak odmówić wspaniałego bogactwa szczegółów w opisie
geografii i historii kultury imperium. Wśród najbardziej znanych
ciekawostek jest m.in. opowiadanie o księżniczce Chutulun,
kuzynce Kubilaja, którą Polo przedstawia jako świetną wojow-
niczkę. Ku rozpaczy rodziców dziewczyna stawiała kandydatom
na męża warunek, że muszą stanąć z nią do pojedynku zapa-
śniczego: jeśli zalotnik przegra, poślubi zwycięzcę; jeśli wygra,
pokonany musi oddać jej konia. Zmarła w staropanieństwie jako
posiadaczka dziesięciu tysięcy rumaków.

Marco Polo obalił też pewne popularne wierzenia i błędne
koncepcje dotyczące topografii i mieszkańców wschodniej Azji,
jakie podali wcześniejsi autorzy: na przykład rewelacje Odory-

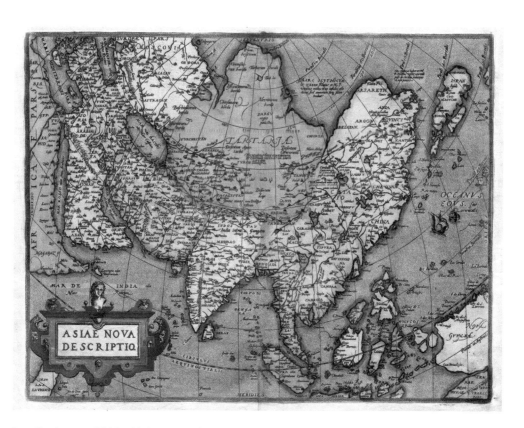

ka z Pordenone (1286–1331) o żyjących nad Jangcy liliputach
o wzroście zaledwie trzech piędzi czy Giovanniego da Pian del
Carpine (1185–1252) o „dzikich ludziach bez zdolności mowy
i nogach pozbawionych stawów", kobietokształtnych potwo-
rach biorących psy na mężów i innych równie fantastycznych
rzeczach, których źródeł można się doszukiwać w mitologiach
starożytnych. W *Opisaniu świata* znajdujemy też pierwszą europejską wzmiankę o puszczaniu latawców, aczkolwiek w dość
niezwykłym kontekście. Można się jej doszukać tylko w naj-
rzadszej formie manuskryptu, łacińskim przekładzie dwóch
dokumentów datowanych na XV wiek. Polo opowiedział Rusti-
cellemu, że gdy chiński statek kupiecki miał wyruszyć w morze,
załoga stawiała wróżby przez wypuszczanie ogromnego latawca,
zdolnego unieść człowieka:

*Żeglarze mają [do tego] wiklinowy szkielet (…). Biorą następnie
jakiegoś głupca bądź pijaka i przywiązują go do owej konstrukcji,
jako że nikt przy zdrowych zmysłach nie wystawiłby się na taki ha-
zard. Robi się to, gdy jest dostatecznie wietrznie. Unoszą ów szkielet
pod wiatr, który dźwiga go wysoko, a ludzie trzymają go na długiej
linie.*

*Tworząc mapę Azji (1574),
Giacomo Gastaldi tak ufnie
oparł się na historii Marca
Polo, że nawet pominął Jezioro
Aralskie – niewymienione
w Opisaniu świata.*

Zanim ocenimy wiarygodność samego Marca Polo, trzeba
wziąć pod uwagę wiek manuskryptu i związane z nim problemy.
Ponieważ książka powstała przed wynalezieniem druku, prze-
pisywano ją ręcznie i zachowane egzemplarze różnią się znacznie w niuansach przekładu. Krytycy wskazują też podejrzane
pominięcia głównych elementów ówczesnego życia: chińskich
piktogramów, herbaty, jedzenia pałeczkami, zwyczaju krępo-
wania stóp dziewczętom. Za dowód obciążający uważa się też
brak jakiejkolwiek wzmianki o Wielkim Murze Chińskim –
ale próżno ich też szukać w zapiskach wcześniejszych podróżników, jak wymieniony wyżej Odoryk i Giovanni de' Marignolli
(1290–1360). Obrońcy Marca tłumaczą ponadto, że Wielki Mur,
jaki znamy dzisiaj, zbudowano dwa stulecia po jego wizycie,
a istniejący za jego czasów pierwowzór nie miał aż takiego znaczenia. Być może najlepiej przyjąć *Opisanie świata* ze świadomością, że nie da się w nim odsiać zmyśleń od faktów, i z przymru-
żeniem oka delektować się leniwie płynącą, poetycką narracją
Rusticella i bogactwem zebranych przez Marca Polo anegdot
i ciekawostek, wybaczając autorowi, że niektórych opisywanych
wrażeń przypuszczalnie nie doznał osobiście.

*Mapa Fra Maura (1459) – jedna
z najwspanialszych z epoki
odkryć. Zawiera informacje
zebrane przez Marca Polo, jak
np. notka o plemionach
północno-wschodniej Azji
w krainie Tenduch, zwanych
Ung i Mongul. Nazwy
północnych Chin (Kataj)
i kontrolowanego przez dynastię
Song regionu południowego
(Mangi) także zaczerpnięte
są z Opisania świata.*

1405–1433: NIEZWYKŁE WYPRAWY CHIŃSKIEGO ADMIRAŁA ZHENG HE

Nasze żagle, dzień i noc pod niebo rozwinięte jak białe obłoki, niosły nas obranym kursem z szybkością gwiazdy. ADMIRAŁ ZHENG HE

W 1368 roku ostatecznie upadło wielkie imperium mongolskie, które tak przyjaźnie witało europejskich misjonarzy i kupców, rozbite na rywalizujące mniejsze chanaty. Kontrolę nad terytorium przejęła chińska dynastia Ming, która szybko urosła w siłę: dysponowała milionową armią i największą stocznią wojenną na świecie. Kiedy w 1402 roku na tronie zasiadł Yongle, trzeci z cesarzy Ming, Chiny zaczęły spoglądać poza własne granice. Podjęto decyzję o wysłaniu ogromnego korpusu ekspedycyjnego na południowy Pacyfik i Ocean Indyjski w demonstracji siły na niespotykaną skalę. Dowództwo wyprawy Yongle powierzył swemu ulubionemu dworzaninowi, eunuchowi Zheng He.

Nie było w historii tak wspaniałego widowiska jak wypłynięcie kolosalnej floty admirała Zheng He (1371–1435), uważanego za największego chińskiego odkrywcę. Przez dwadzieścia lat w siedmiu podróżach otworzył dla swego tradycyjnie izolacjonistycznego państwa znaczną część południowej i zachodniej Azji, a nawet wschodniej Afryki. Jego okrętami były wielkie dżonki zwane „statkami skarbów", wspomagane przez armadę jednostek pomocniczych. Największy z nich miał podobno cztery pokłady, 450 stóp (137 m) długości i 180 stóp (55 m) szerokości na śródokręciu. Brytyjski sinolog Joseph Needham uważał te dane za zaniżone; szacował, że długość ich kadłuba mogła sięgać nawet 600 stóp (193 m)*.

Fragment drzeworytowej mapy Mao Kuna z Wubei zhi, *najbardziej wyczerpującego podręcznika wojskowego, jaki kiedykolwiek stworzono (liczył 10405 stronic), ukazujący przejście floty Zheng He przez cieśninę Malakka (między Malezją a Sumatrą). Nazywa się ją* Mapą żeglugi Zheng He

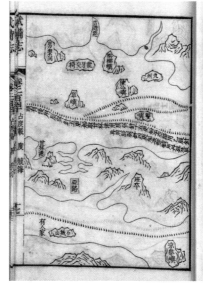

* Wymiary te kwestionowano z powodów ich czystej niepraktyczności. W takich legendach można się spodziewać pewnej przesady; z drugiej strony warto jednak wiedzieć, że dwa z suchych doków w Longjiang, gdzie prawdopodobnie dżonki zbudowano, miały szerokość 64 m – wystarczającą nawet dla tak monstrualnie dużych jednostek.

Dla porównania: to pół długości i dwa razy więcej niż szerokość *Titanica* (269 m i 28 m). Przy okrętach Zheng He największa w zespole Kolumba *Santa Maria* była istnym karzełkiem. To zresztą mało powiedziane: gdyby wziąć wszystkie statki biorące udział w wyprawach Kolumba i Vasco da Gamy, zmieściłyby się na pokładzie jednego tylko „statku skarbów". Każda z dżonek z osobna wywierała imponujące wrażenie; gdy płynęły razem w szyku, można by pomyśleć, że po wodzie sunie całe drewniane miasto.

Budowę floty ukończono w 1405 roku i niezwłocznie wyekspediowano ją w morze. Sześćdziesiąt dwa giganty w asyście dwustu dwudziestu pięciu mniejszych jednostek (ich załogi liczyły łącznie 27 780 ludzi) pod dowództwem Zheng He skierowały się na Ocean Indyjski do Kalikatu (Kozhikode) z misją zbadania wschodniego wybrzeża Indii, ustanowienia powiązań handlowych i zbierania danin dla cesarza. Po postojach w Czampie (południowy Wietnam), Syjamie, Malakce i na Jawie flota dotarła do celu, gdzie admirał zakupił wielkie ilości przypraw. W drodze powrotnej doszło do starcia z indonezyjskim piratem Zuyim, któremu strzelił do głowy niefortunny pomysł zagarnięcia tak bogatego łupu. Chińczycy wycięli ponad pięć tysięcy jego zbójów, zatopili dziesięć ich statków i jakby nigdy nic kontynuowali rejs.

Niedawno odkryty egzemplarz mapy świata, która według pewnych opinii mogła być oparta na informacjach zebranych przez admirała Zheng He. Charakterystyczne błędy zdradzają jednak, że to kopia mapy europejskiej z początku XVII w.

Przez następne siedem lat flota przemierzała Ocean Indyjski. Podczas czwartej wyprawy (1413–1415) liczebność załogi wzrosła do 28 560 ludzi. Armada posuwała się wzdłuż brzegów arabskich i dotarła aż do Dżuddy leżącej mniej więcej w połowie długości Morza Czerwonego. Ładownie pękały od egzotycznych towarów i żywego ładunku zebranego na cześć i dla uciechy cesarza. Na pokłady wzięto dziewiętnastu cudzoziemskich posłów mających złożyć mu hołd. Następny pobyt w Indiach zaowocował jeszcze cenniejszym ładunkiem: strusiami, zebrami i wielbłądami. Perłą tej menażerii była jednak żyrafa przywieziona do Bengalu z Kenii, która wzbudziła w Chinach wielką sensację. Takiego cudaka nikt tam jeszcze nie widział; uznano, że to qilin, mityczne stworzenie mające zwiastować pomyślność. Ten dar posła bengalskiego został przyjęty na cesarskim dworze z entuzjazmem.

Podziw budzą rozmach i zasięg podróży admirała Zheng He, istnieją jednak niepotwierdzone hipotezy, że jego flota mogła dopłynąć nawet dalej, niż poprzednio uważano. Jedynym na to dowodem historycznym jest mapa Fra Maura z 1459 roku (pełna reprodukcja jest zamieszczona w rozdziale o podróżach Marca Polo na stronie 43), na której widnieje rysunek dżonki opływającej Przylądek Dobrej Nadziei, zaopatrzony w intrygujący podpis:

Około roku Pańskiego 1420 statek zwany Zoncho de India *(dżonką z Indii), płynąc przez Morze Indyjskie ku Wyspie Mężczyzn i Kobiet, został zepchnięty przez sztorm za przylądek Diab, przez Wyspy Zielone na Morze Ciemności w drodze na zachód i południowy zachód. Czterdzieści dni wodę jeno i niebo widzieli, a mil według ich obliczeń przebyli dwa tysiące, i szczęście ich opuściło.*

Chociaż Fra Mauro odnotował to jako rejs pojedynczego statku i nie wymienił imienia Zheng He, pojawiły się poglądy, że może to świadczyć, iż admirał dotarł aż na Atlantyk – nic innego jednak tego nie potwierdza. Za źródło powyższej inskrypcji przyjmuje się zapiski zamieszkałego w Damaszku weneckiego kupca i odkrywcy Niccola de' Contiego, który żeglował po Oceanie Indyjskim w tym samym okresie co flota Zheng He. Wyruszywszy z Syrii, dotarł przez pustynię do Bagdadu i przez ponad dwadzieścia lat penetrował szlaki handlowe między Lewantem a Indiami, Sumatrą, Jawą i Indochinami w poszukiwaniu egzotycznych przypraw. Zebrane przezeń informacje wraz

Żyrafa ofiarowana 20 września 1414 roku przez poselstwo bengalskie cesarzowi Yongle – malowidło na jedwabiu pędzla Shen Du

Wycinek mapy Fra Maura z 1459 roku przedstawiający dżonkę opływającą południowy kraniec Afryki

z opisami Marca Polo wenecki kartograf Fra Mauro wykorzystał do uatrakcyjnienia swoich map Wschodu.

Po szóstej i siódmej wyprawie, podczas których Zheng He zbadał brzeg wschodnioafrykański prawdopodobnie aż po Kanał Mozambicki, admirał powrócił do Chin już odmienionych. Za rządów piątego cesarza Ming, Xuande, główną troską Państwa Środka było rosnące na nowo zagrożenie mongolskie. Zrezygnowano z dalszej eksploracji morskiej, a zaoszczędzone środki przeznaczono na rozwój wewnętrzny*. Jak zanotował Zheng He w podsumowaniu podróży: „Przemierzyliśmy ponad 100 tys. li (około 50 tys. km) wodnego bezkresu i widzieliśmy fale oceaniczne wielkie jak góry i krainy barbarzyńskie skryte w błękitnej mgiełce, podczas gdy nasze żagle, dzień i noc pod niebo rozwinięte jak białe obłoki, niosły nas obranym kursem z szybkością gwiazdy, i przecinaliśmy owe bałwany ogromne, jakbyśmy kroczyli traktem publicznym".

Mapa Johna Seldena – anonimowa mapa Chin z początku XVII wieku – wyróżnia się tym, że oprócz Państwa Środka przedstawia też całą wschodnią i południowo-wschodnią Azję. Zaopatrzona w szkice tras żeglugowych z podanymi kursami kompasowymi jest najstarszym znanym dziełem chińskiej kartografii morskiej.

---

* Europa jeszcze przez dziesięciolecia pozostawała poza chińską świadomością. Kiedy w 1517 r. Portugalczycy wpłynęli do portu kantońskiego, minister spraw morskich Gu Yingxiang musiał obwieścić krajanom, że „Fulang chi (Portugalia) to nazwa kraju, a nie armaty, jak się powszechnie uważa".

1435–1488: PORTUGALCZYCY W AFRYCE ZWROTNIKOWEJ

*Książę luzytański, który z niebiańskiej inspiracji wyniósł
ludzkość do umiłowania chwały użytecznej.*

James Thomson o Henryku Żeglarzu w *Porach roku* (1730)

*Mapa zachodniej Afryki
z Senegalem, Gwineą, Mali
i Sierra Leone (Stefano
Bonsignori, 1580)*

Kiedy Chiny złomowały swą wspaniałą armadę i odwracały
się plecami do świata, dla Europy zaczynał się właśnie czas
największych morskich przygód. Epoka odkryć, trwająca mniej
więcej od schyłku XV do XVIII stulecia, przyniosła wielką trans-

oceaniczną ekspansję i bezlitosną rozbudowę imperiów, napędzane nienasyconą chciwością. Historia tego okresu tradycyjnie jest zdominowana przez (omówione tu w następnym rozdziale) wyprawy Genueńczyka Krzysztofa Kolumba, które firmowali Królowie Katoliccy. Wcześniejszym spiritus movens tego zwrotu w dziejach europejskich była jednak Portugalia, której wkład bywa często pomijany, a i wówczas nikt się tego po tym niewielkim królestwie nie spodziewał. Kto mógłby sobie wyobrazić, że w ciągu jednego stulecia to właśnie ono dorobi się najrozleglejszego morskiego imperium w historii, obejmującego akweny od północnego Atlantyku po Daleki Wschód.

W XV wieku żądza afrykańskiego złota oraz aspiracje do odkrycia drogi morskiej na Wschód i włączenia się do lukratywnego handlu orientalnymi przyprawami stały się zaczynem planów eksploracji zachodnich wybrzeży Czarnego Lądu. Wcześniej zapatrywano się na to pesymistycznie – na przeszkodzie stały bowiem liczne niebezpieczeństwa: silne prądy, jałowe brzegi, upalny klimat i wrogo nastawieni krajowcy. Poważny krok naprzód uczynił właśnie portugalski żeglarz Gil Eanes, kiedy w 1434 roku zdołał opłynąć owiany złą sławą przylądek Bojador (obecnie Ras Budżdur) – charakterystyczny punkt na północnym wybrzeżu Sahary Zachodniej (Arabowie nazywali go Abu Chatar – „ojciec niebezpieczeństwa"). Na południe od tego cypla rozpościerała się groźna strefa niezbadanego Atlantyku, przez geografów arabskich ochrzczona „Zielonym Morzem Ciemności", gdzie grasują potwory zdolne kruszyć kadłuby żaglowców, a równikowe słońce jest tak blisko Ziemi, że potrafi spalić statek wraz z załogą.

Za portugalską ekspansją na południe stał książę Henryk, którego determinacja w dążeniu do nowych odkryć zapewniła mu przydomek Żeglarz (choć sam nie wziął udziału w żadnym rejsie). W przeszłości sławiono go za motywację naukową, rzeczywistość jednak – jak zwykle – była znacznie bardziej przyziemna: pragnął stworzyć własne północnoafrykańskie imperium zbudowane na saharyjskim złocie i handlu niewolnikami; kiedy jednak ten zamysł spełzł na niczym, przerzucił się na penetrację rzek Senegalu i Gambii, licząc na znalezienie drogi w głąb złotonośnego interioru. Pod jego auspicjami w 1451 roku opracowano nowy typ statku – karawelę – który zastąpił niezgrabne i delikatniejsze jednomasztowce, balingery. Wyposażona w trójkątne (tzw. łacińskie) żagle karawela mogła halsować, czyli zygzakować pod wiatr; mając tak ulepszone jednostki, nawigatorzy spod Henrykowej bandery jeszcze przed śmiercią księcia (1460) dotarli aż do Sierra Leone i Zielonego Przylądka.

W 1469 roku kupiec Fernão Gomes uzyskał od króla Alfonsa V monopol na handel w Zatoce Gwinejskiej z klauzulą, że przez pięć lat ma zbadać rocznie po 100 lig (około 423 km[*]) afrykańskiego wybrzeża. To narzucone minimum Gomes i jego kapitanowie ochoczo przekroczyli. W 1471 roku założył na terenie dzisiejszej Ghany faktorię Elmina (Kopalnia), pierwszą europejską osadę w zachodniej Afryce. Trzy lata później odkrył leżące na zatoce wyspy i przeciął równik. Przywilejem cieszył się jeszcze rok; cofnięto mu go, kiedy kierowaniem dalszą eksploracją zajął się syn Alfonsa V, późniejszy (od 1481 roku) król Jan II. Natychmiast po wstąpieniu na tron wziął się do umacniania władzy monarszej i ukrócenia wpływów arystokracji, i wznowił próby odkrycia drogi morskiej na Wschód. Na miejscu faktorii wyrósł zamek São Jorge da Mina (1482); król zaangażował żeglarza Dioga Cão, aby korzystając z tej bazy, kontynuował penetrację wybrzeża Afryki na szlaku do Indii. Cão miał znaczyć przebytą drogę dużymi kamiennymi krzyżami z godłem Portugalii, zwanymi *padrões*. Badał ujście każdej napotkanej rzeki, zapuszczając się nimi w głąb lądu, by zbierać dane o topografii i miejscowej ludności – ze szczególnym uwzględnieniem lokalizacji mitycznego królestwa Księdza Jana (por. rozdział o Walterze Raleigh i El Dorado). Wypełniając poruczone mu zadanie, Cão jako pierwszy Europejczyk ujrzał i zbadał rzekę Kongo. Dotarł do (dzisiejszej) południowej Angoli i syty wrażeń zawrócił do ojczyzny. W drugiej ekspedycji, rozpoczętej w 1485 roku, dopłynął jeszcze dalej, aż do przylądka Cross (Kaap Kruis) na pustynnym brzegu Namibii, kontynuację podróży i opłynięcie południowego krańca kontynentu uniemożliwił mu jednak przeciwny Prąd Benguelski.

Podróże Cão wykazały, że najlepsze szanse powodzenia miałaby wyprawa złożona z większej liczby jednostek. W 1487 roku jego dzieło podjął Bartolomeu Dias, mając do dyspozycji trzy karawele i statek pomocniczy. Minąwszy Cross, flotylla zbliżyła się do ujścia rzeki Oranje, najdłuższej w południowej Afryce.

---

  * Przelicznik 1 ligi, jednostki długości dziś mającej znaczenie już tylko tradycyjne, nie jest jednoznacznie ustalony i może być mylący. W starożytnym Rzymie np. odpowiadała 1500 krokom marszowym legionisty. W strefie anglojęzycznej miewa różne wartości, najczęściej jednak przyjmuje się, że to 3 mile statutowe (4,83 km). Tu przyjąłem wartość ligi lądowej (bo istniała też *legua nautica*, liga morska) używanej podówczas w Hiszpanii (4,23 km) (przyp. tłum.).

Gwałtowny sztorm zepchnął ją na zachód, na otwarty ocean,
Dias ciągnął jednak na południe, dopóki nie natrafił na silne
wiatry antarktyczne i skręcił na północny wschód. Dopiero
później się zorientował, że właśnie okrążył – nie widząc go
z daleka – czubek Afryki. Po trzydziestu dniach żeglugi bez
widoku lądu zespół wpłynął (obserwowany przez tubylczych
pasterzy) do zatoki Mossel, a następnie dotarł do zatoki Algoa,
położonej ponad 680 km na wschód od Przylądka Dobrej Nadziei, i ustawił tam *padrão*. Wstrząśnięty przeżytym tak silnym
sztormem Dias pierwotnie nazwał go Cabo das Tormentas,
Przylądkiem Burz, jednakże po powrocie ekspedycji do Portugalii w 1488 roku uradowany Jan II wymyślił jego dzisiejszą,
bardziej optymistyczną nazwę – w końcu dla niego stał się
bramą do nowego etapu ekspansji i nadzwyczajnych zysków.
Teraz pozostało już tylko pokonać ostatni odcinek morskiej
drogi do Indii.

Portugalska mapa nawigacyjna
północnego Atlantyku –
Pedro Reinel (1504)

1492–1504: KRZYSZTOF KOLUMB PRZEPŁYWA ATLANTYK

Morze da każdemu człowiekowi nową nadzieję,
a sen przyniesie marzenia o domu. Krzysztof Kolumb

Rozkręcone powodzeniem portugalskiej eksploracji zachodniej Afryki poszukiwania drogi morskiej do Indii rychło się przeobraziły w szaloną rywalizację. Taka była ówczesna konieczność: upadek Konstantynopola w 1453 roku zachwiał też stabilizacją na Jedwabnym Szlaku i dla kupieckich karawan zrobiło się tam zbyt niebezpiecznie. Kiedy w 1487 roku Portugalczycy opłynęli Przylądek Dobrej Nadziei, wydawało się już oczywiste, że da się tamtędy dostać do skarbów Azji – choć na spektakularny sukces Vasco da Gamy trzeba było poczekać jeszcze dziesięć lat.

Krzysztof Kolumb, Genueńczyk wżeniony w portugalskie szlachectwo, wpadł na inne rozwiązanie. Pomysł kiełkował przez lata jego pływania po Europie, wzdłuż zachodnich brzegów Afryki, a być może także do Islandii, i słuchania marynarskich opowieści w tawernach Lizbony (gdzie mieszkał w latach 1477–1485), rozkwitł zaś dzięki korespondencji z matematykiem i astronomem Paolem dal Pozzo Toscanellim. Kolumb otrzymał od niego kopię listu i mapy wysłanych Alfonsowi V w 1474 roku, w których uczony przedstawił królowi projekt dotarcia do Indii kursem zachodnim. Jednakże, jak się miał wkrótce przekonać John Cabot (są nawet teorie, że obaj żeglarze mogli wspólnie pracować nad tym planem, lecz się poróżnili), przedsięwzięcie na taką skalę wymagałoby większych funduszy i zabezpieczeń, niż mogli zapewnić prywatni inwestorzy. Kolumb zdawał sobie sprawę, że ekspedycja może się udać tylko pod egidą mo-

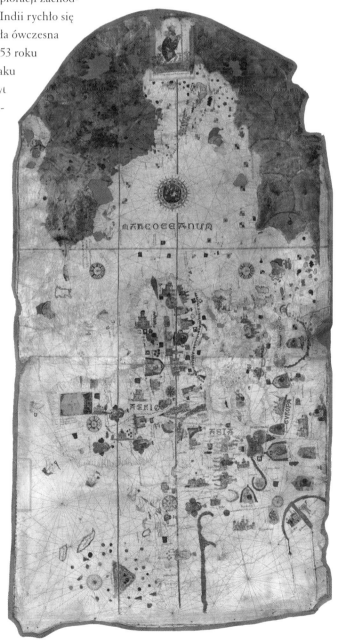

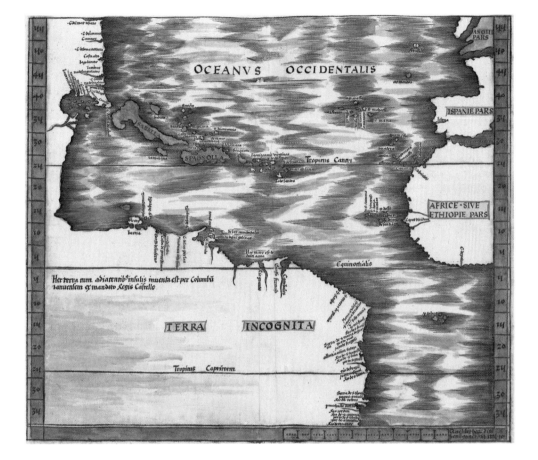

narchy – także dlatego, by zagwarantować sobie współwłasność potencjalnych odkryć i zysków. Próby przekonania rad królewskich o wykonalności projektu były jednak odrzucane. Korona portugalska odmówiła mu dwukrotnie (1485 i 1488), na próżno też ubiegał się o wsparcie dworów kastylijskiego, angielskiego i francuskiego. Wszyscy zajmowali to samo stanowisko: odkrycie Portugalczyków jest potwierdzone, nie ma więc sensu szukać alternatywy. W grę wchodziła też jakość obliczeń Kolumba. Wyprawę na zachód planował na podstawie pracy kosmograficznej Pierre'a d'Ailly *Imago mundi* (1410), ale przyjął błędny przelicznik długości 1° łuku szerokości geograficznej. D'Ailly podał, że wynosi on „56 2/3 mili" (91 km) – Genueńczyk jednak zakładał, że chodzi o milę rzymską, a nie dłuższą arabską, którą posłużył się autor. Ta prosta pomyłka sprawiła, że obwód Ziemi oszacował na 30 200 km – prawie o jedną czwartą mniej niż w rzeczywistości (40 075 km). Kolumb był też przekonany, że Europę od Azji (w kierunku zachodnim) dzieli nie więcej niż kilka tysięcy mil morskich. W ocenie doradców królewskich niemądre było-

Tabula Terre Nove *Martina Waldseemüllera, zwana też* Mapą admirała *(1513), jest jednym z najwcześniejszych drukowanych wyobrażeń Nowego Świata.*

<small>Na sąsiedniej stronie:</small> *Mapa nawigatora Juana de la Cosy (1500), najstarszy wizerunek obu Ameryk*

Portret mężczyzny uważany za podobiznę Krzysztofa Kolumba (1519)

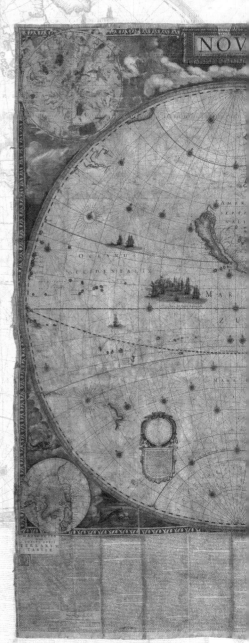

by oprzeć ekspedycję na tak niepewnym fundamencie. Na szczęście dla pomysłodawcy idea zaintrygowała Królów Katolickich – Ferdynanda II Aragońskiego i Izabelę I Kastylijską – i po dwuletnich deliberacjach wizjoner doczekał się błogosławieństwa Korony hiszpańskiej. W razie powodzenia miał otrzymać tytuł „Admirała Oceanu", urząd wicekróla i gubernatora wszystkich nowo odkrytych lądów oraz wieczystą dywidendę w wysokości dziesięciu procent uzyskiwanych z nich dochodów.

3 sierpnia 1492 roku ekspedycja Kolumba złożona z trzech statków – *Santa Marii*, *Pinty* i *Niñi* – wyruszyła do Indii z hiszpańskiego portu Palos de la Frontera, zaopatrzona w listy od „Ich Najbardziej Katolickich Królewskich Mości Ferdynanda i Izabeli" do Wielkiego Chana mongolskiej dynastii Yuan w Chinach oraz japońskich i indyjskich książąt, których bez wątpienia musiałaby napotkać. Pierwszym przystankiem były Wyspy Kanaryjskie, gdzie uzupełniono zaopatrzenie i wyremontowano ster *Pinty*, uszkodzony już trzeciego dnia rejsu, i po miesięcznym postoju otworzyły się przed śmiałkami niezbadane wody Atlantyku.

Zapiski Kolumba w dzienniku podróży są lakoniczne i ujawniają niewiele ponad to, że odmierzając przebytą drogę, skłonny był „zliczać mniej mil, niż rzeczywiście przepłynięto, aby nie budzić w załodze lęku, gdyby rejs się okazał długi", oraz że często musiał strofować marynarzy za „złe sterowanie". 11 października, płynąc „za ogromnym stadem ptactwa", zauważono niesioną przez fale zieloną trzcinę, a krótko potem „gałąź i patyk". Załoga wbijała wzrok w horyzont, każdy bowiem pragnął wygrać dożywotnią pensję 10 tys. maravedi (srebrne i miedziane monety hiszpańskie) przyobiecanych przez króla i królową temu, kto pierwszy

Jeden z dwóch znanych egzemplarzy trzymetrowej Nova totius terrarum orbis tabula *Joana Blaeu (1648). Nisko pośrodku pomiędzy dwiema półkulami widnieje świat, jaki znano w 1490 roku, tuż przed epoką wypraw oceanicznych zapoczątkowaną przez Kolumba.*

dostrzeże ląd. Na drugi dzień rano, pięć tygodni po opuszczeniu
Wysp Kanaryjskich, marynarz z *Pinty*, Rodrigo de Triana, zbudził
kolegów okrzykiem „Ziemia!". Kapitan Martin Alonso Pinzón
potwierdził odkrycie i dał ognia z armaty, by zaalarmować admirała. (Triana nie miał z tego ani grosza, gdyż Kolumb oświadczył
później, że sam ujrzał ląd wcześniej niż on, i zgarnął nagrodę dla
siebie. W jego dzienniku czytamy: „O dziesiątej wieczorem byłem
na pokładzie rufowym i zauważyłem światło. Zawołałem Pedra
Gutierreza, stolnika królewskiego (…), który też je zobaczył.
Powiedziałem o tym Rodrigowi Sanchezowi de Segovia (…), ten
jednak nic nie widział, stał bowiem w niewłaściwym miejscu").

Miejscem pierwszego europejskiego lądowania w Ameryce
Środkowej była jedna (do dzisiaj niezidentyfikowana) z wysp archipelagu Bahamów, której Kolumb nadał nazwę San Salvador.
Jej mieszkańcy nazywali ją Guanahani. „Mógłbym podbić ją
całą z pięćdziesięcioma tylko ludźmi i rządzić wedle woli", sko-

Obraz Johna Vanderlyna
przedstawiający lądowanie
Kolumba w Indiach Zachodnich
12 października 1492 roku

mentował admirał ich pokojowe nastawienie. Hiszpanie szybko
z niej odpłynęli, by spenetrować pięć innych pobliskich wysp,
a 28 października postawili stopę na północnym wybrzeżu Kuby.
Uznawszy, że to już opisany przez Marca Polo Kataj, Kolumb
wysłał Rodriga de Jerez i utalentowanego tłumacza Luisa
de Torres na poszukiwanie chińskiego cesarza. Pałacu nie znaleźli, zaobserwowali za to zwyczaj palenia tytoniu, który niezwłocznie przyjęli.

Z Kuby flotylla popłynęła na Hispaniolę w grupie Wielkich
Antyli, gdzie wylądowano 5 grudnia. Gdy w Boże Narodzenie
Santa Maria utknęła na mieliźnie, admirał zarządził opuszcze-
nie statku, wrak zaś wykorzystano jako cel ćwiczebny dla arty-
lerzystów, aby wywrzeć wrażenie na tubylcach. Kolumb zawarł
układ z lokalnym kacykiem Guacanagarim i zostawił na wyspie
trzydziestu dziewięciu ludzi, wśród nich tłumacza, aby założyli
kolonię. Sam przesiadł się na *Niñę*. Oba pozostałe statki spotkały
się 6 stycznia 1493 i razem ruszyły w drogę powrotną do Hiszpanii, wioząc dwudziestu pięciu jeńców z wrogiego plemienia
Cigüayos napotkanego na północnym zachodzie wyspy. Zespół
wpłynął do Palos de la Frontera 15 marca, po wymuszonym
sztormową pogodą tygodniowym postoju w Lizbonie.

Gdy wziąć pod uwagę radykalną zmianę dla świata, jaką
oznaczała ta pierwsza z czterech podróży Krzysztofa Kolumba,
aż dziw bierze na myśl, że pod wieloma względami poniósł
porażkę. Obiecał przecież, że wyznaczy drogę do Indii i wróci
obładowany przyprawami, jedwabiem i darami od wschodnich
władców. Żadnego z tych celów nie osiągnął, a najwartościowszą
częścią przywiezionego ładunku byli owi więźniowie, z których
tylko kilku przeżyło podróż przez ocean. Najciekawsze jednak,
że choć Kolumb po dziś dzień żyje w świadomości współczes-
nych Europejczyków jako odkrywca Nowego Świata, sam nawet
po dalszych trzech wyprawach (w ostatniej stanął wreszcie na
kontynencie południowoamerykańskim) nigdy nie uznał, że to,
co znalazł, jest nowym, nieznanym dotąd kontynentem. Przez
całe życie i niezłomnie utrzymywał, że trafił do Azji.

1497–1498: REJSY JOHNA CABOTA DO AMERYKI PÓŁNOCNEJ

Tego roku w dzień św. Jana Chrzciciela ląd Ameryki został odkryty przez kupców z Bristow.

ZAPIS Z XVI-WIECZNEJ KRONIKI BRISTOLSKIEJ POD DATĄ 24 CZERWCA 1497

Poważana brytyjska historyczka Alwyn Ruddock większość życia zawodowego aż do śmierci w 2005 roku spędziła na badaniach dziejów weneckiego odkrywcy Johna Cabota, który w 1497 roku – pięćset lat po wikingach – poprowadził pierwszą angielską wyprawę do Ameryki Północnej. Środowisko często elektryzowały pogłoski o dokonanych przez nią w zakamarkach europejskich archiwów rewolucyjnych odkryciach, ale potem słuch o nich ginął. Raz miała nawet gotowy maszynopis książki na ten temat, lecz, niezadowolona z rezultatu, spaliła go. Potem zaczęła pracę nad drugą publikacją, która – jak to badaczka ujęła w rozmowie z przyjacielem – miała całkowicie „postawić na głowie" historię Cabota. Nigdy jednak nie została ukończona. I wreszcie nastąpił szokujący zwrot. Krótko po śmierci uczonej jej bliski przyjaciel i wykonawca testamentu udał się do jej domu, by dopełnić wydanych instrukcji. Cały jej cenny dorobek – wszystkie fotokopie, mikrofilmy, kartoteki i notesy, owoc dziesięcioleci innowacyjnych badań – zostały pieczołowicie zebrane do siedemdziesięciu ośmiu sporych worków i zniszczone.

Nigdy się nie dowiemy na pewno, dlaczego Ruddock postanowiła zniszczyć efekty pracy całego życia. Na szczęście – głównie dzięki staraniom dra Evana T. Jonesa i Margaret Condon z „Projektu Cabot" prowadzonego przez ostatnie kilka lat na Uniwersytecie Bristolskim – udało się wytropić część odkrytych przez nią dokumentów i dzisiaj mamy już wyraźniejszy niż kiedykolwiek obraz i samego odkrywcy znanego pod nazwiskiem Johna Cabota, i jego niezwykłej podróży.

Pochodzenie Giovanniego Cabota jest niepewne; w liście z 1498 roku hiszpański poseł w Londynie wspomina o nim jako o „innym Genueńczyku, jak Kolumb". Później uzyskał obywatelstwo weneckie; według zapisu z miejskiego archiwum „Zuan Chabotto" był handlarzem futer. W 1483 roku przemierzał ziemie „sułtana Egiptu"; utrzymywał między innymi, że odwiedził Mekkę – co podówczas było dla chrześcijanina przedsięwzię-

ciem bardzo niebezpiecznym. Któryś z jego interesów musiał
być niezbyt uczciwy, albowiem 4 listopada 1488 roku rozesłano
za nim „listy sprawiedliwości" wzywające do jego aresztowania.
Cabot z żoną i trójką dzieci umknął do Walencji, gdzie jakiś czas
żył pod nazwiskiem „Juan Caboto de Montecalunya". Pracował
tam jako budowniczy mostów, bez wątpienia wykorzystując na-
bytą w Wenecji wiedzę o inżynierii podwodnej. Z pewnością był
podekscytowany, gdy po Hiszpanii rozeszła się wieść o odkryciu dokonanym przez Kolumba; przypuszczalnie ona właśnie
w 1495 roku natchnęła go do wyjazdu do Anglii, aby nakłonić
króla Henryka VII do powierzenia mu poszukiwań drogi na
opiewany przez Marca Polo Daleki Wschód, tylko zupełnie
innej. Pomysł Cabota sprowadzał się do trawersaty Atlantyku
na wyższych szerokościach, co znacznie skróciłoby odległość
i może nawet zaowocowałoby pobiciem Kolumba w wyścigu do
morskiego odkrycia Chin i Japonii.

Widząc w tym okazję do zagrania Hiszpanom na nosie, król
zaakceptował projekt i przyznał „Johnowi Cabotowi, obywa-
telowi Wenecji" patent uprawniający go „do żeglowania pod
naszymi znakiem, banderą i proporcem po wszystkich stronach,

Sporządzony przez Matthäusa Meriana szczegółowy plan Wenecji (1636), gdzie John Cabot pracował jako handlarz futer, zanim wyruszył w rejs do Ameryki Północnej

akwenach i wybrzeżach mórz wschodnich, zachodnich i północnych (…), aby poszukiwać, odkrywać i badać wszelkie wyspy, kraje, regiony i prowincje pogan i niewiernych". Patent przyznawał podróżnikowi prawo nie tylko do roszczeń względem odkrytych ziem, lecz i do swobody ruchów pod ochroną Korony brytyjskiej. Dwór miał nadzieję, że oprócz szlaku na Wschód ekspedycja przyniesie też odnalezienie wyspy Hy Brasil, mitycznego lądu przez stulecia bytującego w legendach, a nawet na mapach.

Fragment mapy Juana de la Cosy (całość przedstawia ryc. ze s. 52) ukazujący długi odcinek wybrzeża północnoamerykańskiego i pięć flag brytyjskich wraz z notatką, że jest to „morze odkryte przez Anglików"

Wzmianka w kronikach baskijskiego pisarza Lopego Garcii de Salazara z lat ok. 1471–1476 podaje pewne wyjaśnienie, dlaczego tak usilnie jej poszukiwano:

Któregoś ranka natrafił na nią statek z Bristolu i nie wiedząc, czym jest, zabrał stamtąd dużą partię opału, który wszystek był z brazilu (drzewa azjatyckiego), i zawiózł swemu armatorowi. Ten, rozpoznawszy towar, wielce się na nim wzbogacił. Później szukał owej wyspy i on, i inni, ale daremnie. Żeglarze czasem ją spostrzegali, lecz z powodu sztormów dotrzeć do niej nie mogli. Wiadomo tylko, że jest niewielka, krągła i płaska.

Istnieje tylko jedno znane źródło opisujące pierwszą, nieudaną próbę wyprawy Cabota za Atlantyk latem 1496 roku – krótkie podsumowanie w odkrytym dopiero w latach pięćdziesiątych XX wieku liście bristolskiego kupca Johna Daya do Krzysztofa Kolumba (1498): „Co się tyczy pierwszej podróży, o której Wasza Lordowska Mość wiedzieć chciałeś, prawda jest taka, że [Cabot] wyszedł w morze z jednym statkiem, źle zaopatrzonym i z niepewną załogą najętą, a że na przeciwne wichry trafił, zdecydował się zawrócić do portu". Ściągnął do Bristolu przygnębiony i następne osiem miesięcy spędził na przygotowaniach do kolejnego rejsu. Przydzielono mu pięćdziesięciotonowy statek *Matthew* i 2 maja 1497 roku Cabot ponownie wyruszył na północny Atlantyk.

I z tej podróży nie zachował się dziennik okrętowy (jeżeli w ogóle był prowadzony) ani żaden inny zapis, czy to autorstwa kapitana, czy kogokolwiek z załogi, musimy więc polegać wy-

łącznie na wzmiankach znalezionych w innych ówczesnych do-
kumentach. Ze wspomnianego wyżej listu Johna Daya, w którym
Anglik donosi zaniepokojonemu Kolumbowi o konkurencyjnej
ekspedycji, dowiadujemy się, że załoga *Matthew* liczyła dwadzieścia osób, w tym dwóch przyjaciół kapitana: jednego z Burgundii
(jak wówczas nazywano Niderlandy), drugiego „cyrulika z Ge-
nui", który przypuszczalnie pełnił funkcję lekarza wyprawy.

Day opisuje również trasę statku. Po minięciu Irlandii Cabot
żeglował „przez kilka dni" na północ, po czym skręcił na zachód,
na wody szlaku islandzkiego i dalej, gdzie żaden angielski statek
wcześniej się nie zapuszczał. Ten kurs trzymał przez trzydzieści
pięć dni, nim wreszcie przed dziobem ukazał się ląd. Pozycji jego lądowania nigdy dokładnie nie ustalono, większość badaczy przyjmuje
jednak, że musiała to być Nowa Fundlandia. Najwartościowsza jest
informacja Daya o szerokości geograficznej owego brzegu: jego północny skraj umiejscawia „1800 mil (angielskich, ok. 2900 km)

*Przełomowa mapa Ameryki
Północnej autorstwa Cornelisa
de Jode (1593) – z pierwszego
atlasu w formacie folio, w którym
ukazano nowy kontynent,
zaopatrzona w liczne adnotacje
o dokonanych na nim odkryciach,
w tym Johna Cabota*

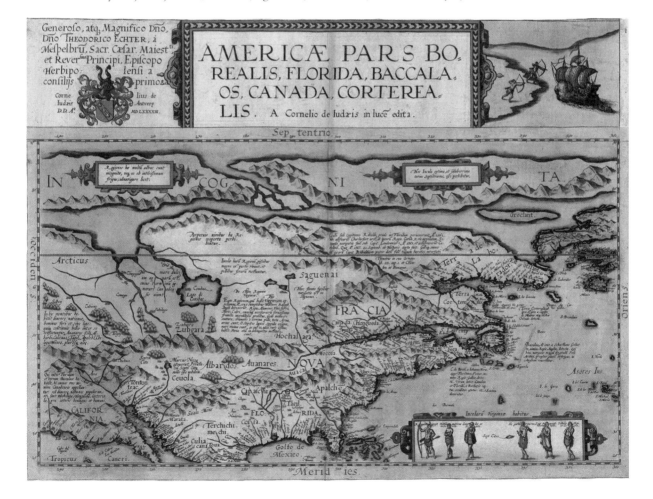

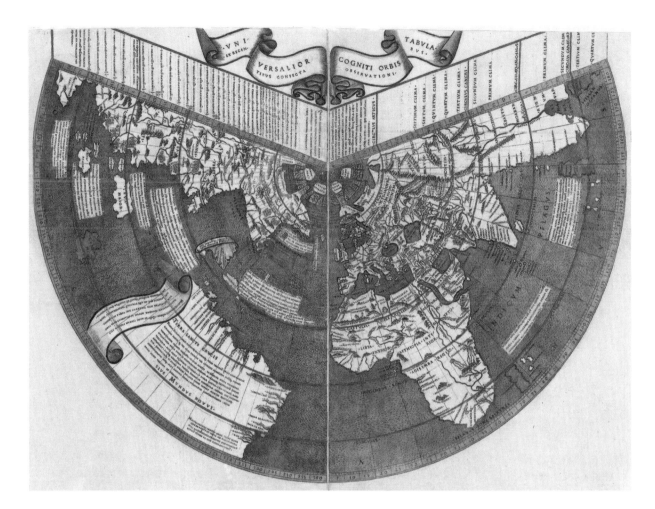

na zachód od Cabo Dursal" (przylądek Dursey Head w Irlandii), południowy zaś na równoleżniku „Rio de Burdeos" (Żyrondy).

Cabot z załogą ustawili na brzegu krzyż i „proporce z godłem Ojca Świętego i króla Anglii". Widzieli tam drzewa dość wysokie, by nadawały się na maszty, i żyzne łąki. Posuwając się ostrożnie w głąb lądu, trafili na ślady ogniska palonego przez nieznanych ludzi oraz ostrugany i pomalowany kij, co świadczyło, że ląd jest zamieszkany (najprawdopodobniej przez rdzenny nowofundlandzki lud Beothuków). Świadomi swej liczebnej słabości woleli wrócić na statek i popłynęli wzdłuż wybrzeża. „Zauważyli biegnące brzegiem dwa *bultos* [duże stworzenia], nie mogli jednak rozpoznać, czy to ludzie, czy zwierzęta; wydawało się im też, że widzą ziemię uprawną, gdzie mogły być wioski", pisał Day.

Po miesiącu badania wybrzeża ekspedycja skierowała się z powrotem do Anglii. Atlantyk pokonała tym razem zaledwie w piętnaście dni i 6 sierpnia dotarła do Bristolu. Cabot pojechał

Mapa Johannesa Ruyscha Universalior cogniti orbis tabula *przedstawiająca zakres europejskich odkryć w Ameryce do 1507 roku*

Herman Moll, mapa Nowej Fundlandii (ok. 1732), objętej w posiadanie przez Cabota na rzecz Anglii

stamtąd do królewskiej rezydencji w Woodstock, na północ od Oksfordu, aby zapoznać króla z wynikami. Notatka w księdze rachunkowej dworu mówi, że „temu, który znalazł nową wyspę" wypłacono dziesięć funtów nagrody. Dla italskiej opinii publicznej koncept wysławiania tego bankruta i uciekiniera jako angielskiego Kolumba był wprost komiczny. 23 sierpnia Lorenzo Pasqualigo napisał: „Owego Wenecjanina od nas nazwano Wielkim Admirałem" – jakby na szyderstwo z tytułu nadanego Kolumbowi – „i zaszczytami obsypano. Paraduje ci on w jedwabiach, Anglicy zaś biegają za nim jak obłąkańcy".

Po raz ostatni nazwisko Johna Cabota wymienia Robert Fabyan, autor szesnastowiecznej londyńskiej *Fabyan's Chronicle* [Kroniki Fabyana]. Odziany „w jedwabie" odkrywca, obsypany łaskami Henryka VII, mógłby już wprawdzie spocząć na laurach, niezwłocznie jednak zabrał się do zbierania funduszy na kolejną wyprawę do nowej ziemi. Na czele flotylli pięciu statków wyszedł w morze w maju 1498 roku, Atlantyk przywitał go jednak silnym sztormem. Tylko jedna, na pół roztrzaskana jednostka zdołała dobrnąć z powrotem do Irlandii. Reszty, wraz z flagowcem Johna Cabota, nikt już więcej nie zobaczył.

1497–1499: VASCO DA GAMA DOCIERA DO INDII

Dawni herosi i poeci mieli swój czas; dziś inny, wznioślejszy koncept męstwa nastał. Z PORTUGALSKIEGO EPOSU *LUZYTANIE* STWORZONEGO NA CZEŚĆ VASCO DA GAMY (1572)

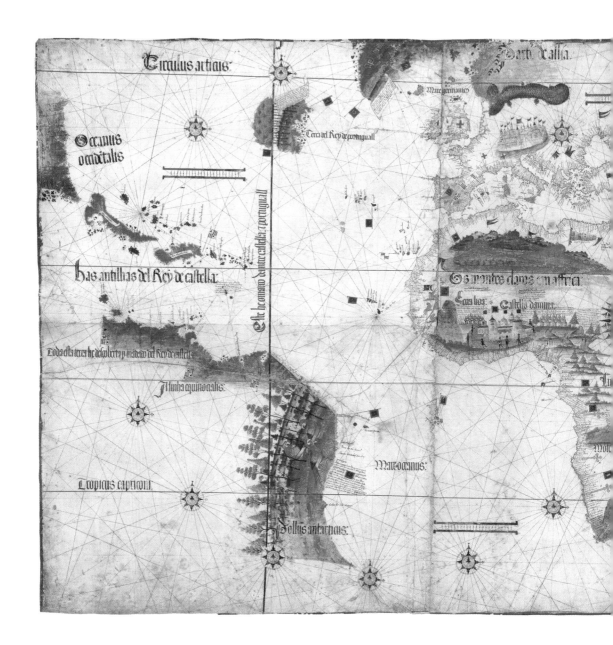

Dziesięć lat minęło od triumfalnego powrotu Bartolomeu Diasa po opłynięciu Przylądka Dobrej Nadziei, którym udowodnił, że można tamtędy dopłynąć z Europy do ośrodka handlu na indyjskim wybrzeżu Malabaru, a dwór portugalski wciąż zwlekał z kontynuacją poszukiwań. Wracając z Nowego Świata, Kolumb zatrzymał się w Lizbonie i opowiedział Janowi II o odkryciach, jakich dokonał na rzecz rywalizujących z nim monarchów hiszpańskich. Wzburzony król od razu napisał do Ferdynanda i Izabeli, przypominając im warunki podpisanego przez nich w 1479 roku traktatu z Alcáçovas, zgodnie z którym wszystkie

Planisfera Cantina to najwcześniejsza mapa świata obrazująca portugalskie odkrycia geograficzne. Nazwę zawdzięcza Albertowi Cantino, szpiegowi księcia Ferrary, który przemycił ją z Portugalii w 1502 roku.

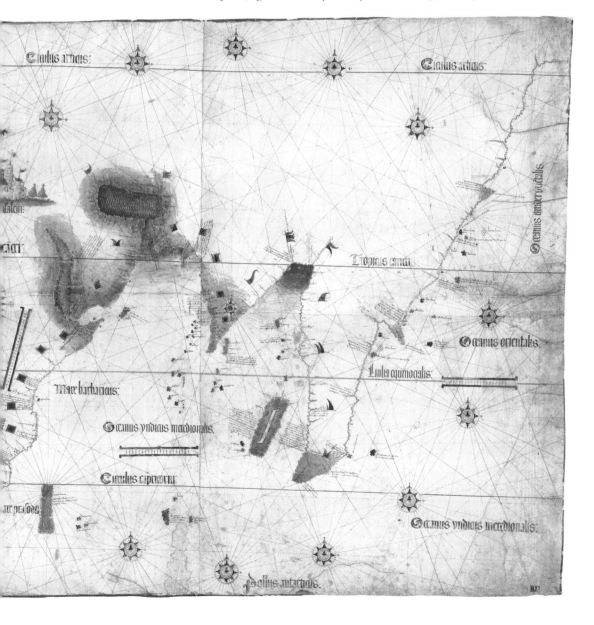

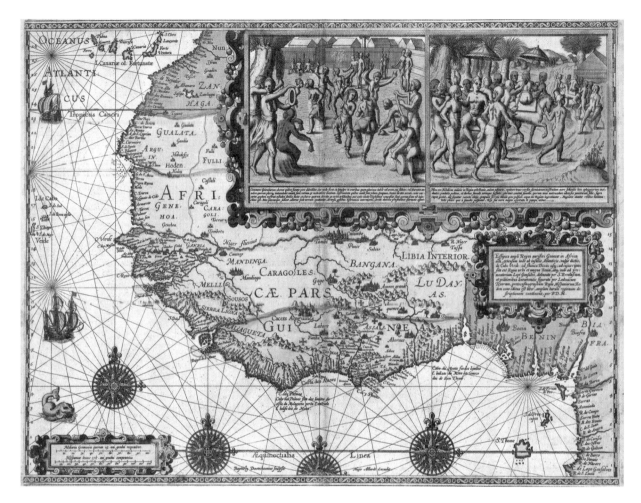

lądy znalezione na południe od Wysp Kanaryjskich (co w jego interpretacji dotyczyło również ziem odkrytych przez Kolumba) mają być własnością Portugalii. W 1494 roku strony przystały na podział niechrześcijańskiego świata na dwie strefy wpływów. Układ ten, nazwany traktatem z Tordesillas, ustalał linię demarkacyjną na południku przebiegającym przez zachodni Atlantyk (na planisferze Alberta Cantina widoczna w lewej trzeciej części mapy). Wszystko, co leżało po stronie zachodniej, przypisano Hiszpanii, Portugalia natomiast otrzymała swobodę eksploracji po stronie wschodniej, włącznie z zachodnią Afryką i drogą morską do Indii. Ostatecznie pierwszą europejską wyprawę do Indii dopiero w 1497 roku podjął Vasco da Gama na zlecenie króla Manuela I.

Dnia 8 lipca cztery wypełnione zapasami statki ze stu siedemdziesięcioma ludźmi na pokładach opuściły port w Lizbonie i skierowały się przetartym przez wcześniejszych odkrywców

Mapa zachodniego wybrzeża Afryki autorstwa Petrusa Planciusa, powstała w oparciu o dane od Luisa Teixeiry, nadwornego kartografa króla Portugalii (1660)

Portret Vasco da Gamy (ok. 1525)

szlakiem wzdłuż zachodniego wybrzeża Afryki. Na wysokości
Sierra Leone żeglarz zostawił ląd za rufą i popłynął na południowy zachód, szukając przeważających na południowym
Atlantyku wiatrów zachodnich. Za sprawą tego ciekawego
manewru, zwanego *volta do mar**(wokół morza), flotylla
niemal przez trzy miesiące płynęła, nie widząc lądu, i wreszcie
w listopadzie, okrążywszy Przylądek Dobrej Nadziei, zatrzymała się, jak dziesięć lat wcześniej Diogo Cão, nieopodal dzisiejszego Mosselbaai.

---

* Ten trik nawigacyjny Portugalczycy opracowali w drugiej połowie XV
wieku po odkryciu zjawiska północnoatlantyckiej cyrkulacji prądów i przeważających wiatrów. Stosowany pierwotnie dla ułatwienia powrotu z Wysp Kanaryjskich i Madery, polegał on na odbiciu daleko na północny zachód w celu unik-
nięcia przeciwnych wiatrów i Prądu Kanaryjskiego, a później wykorzystaniu
sprzyjających wiatrów południowo-zachodnich. Vasco da Gama trafnie założył,
że analogiczną sytuację zastanie także na półkuli południowej (przyp. tłum.).

Do tego momentu żeglarze przebyli ponad 5 tysięcy mil morskich (9260 km). Następny etap prowadził wzdłuż południowo-wschodnich brzegów kontynentu. 25 grudnia dostrzeżono niebezpieczny odcinek wybrzeża zwanego dziś Natalem (od portugalskiej nazwy Bożego Narodzenia), a w marcu zespół dotarł do wyspy Mozambik. Dowiedziawszy się, że ma do czynienia z chrześcijanami, tamtejszy władca zaatakował przybyszów, miejscowi piloci zaś, których Vasco da Gama najął, by przeprowadzili ich do bezpiecznej zatoczki, zdradziecko usiłowali rozbić statki na rafach. Portugalczycy stracili jedną jednostkę, lecz nie przeszkodziło to w kontynuowaniu ekspedycji. W porcie Malindi (dzisiejsza Kenia) spotkali się z bardziej przyjaznym powitaniem; tamtejszy kacyk przydzielił im doświadczonego żeglarza do pomocy; korzystając z jego znajomości monsunów, w zaledwie dwadzieścia trzy dni dopłynęli do Kalikatu. Wieść o sukcesie Vasco da Gamy wywołała szok w Europie. Początkowo nie dawano jej wiary: rok później wenecki pisarz Girolamo Priuli odnotował pogłoskę, jakoby „trzy karawele w służbie króla portugalskiego dotarły do Adenu i Kalikatu w Indiach. Wysłano je w celu odnalezienia wysp korzennych, a ich kapitanem był Kolumb. Nowina ta wielce mną wstrząsnęła, jeśli jest prawdziwa (…), aczkolwiek nie wydaje mi się wiarygodna".

Dla Hindusów pojawienie się europejskich żeglarzy nie miało większego znaczenia. Przywiezione przez nich tuzinkowe dary i towary na wymianę uznano za bezwartościowe świecidełka; na dobitkę rezydujący w Malabarze kupcy arabscy nakłonili lokalne władze do ignorowania Portugalczyków. W sierpniu 1498 roku, po nieudanych próbach usadowienia się na tamtejszym rynku, da Gama wyruszył w drogę powrotną. Na nieszczęście odrzucił rady pilotów, by zaczekać na sprzyjający monsun zimowy, i skierował się do Malindi. Rejs obfitował w sztormy, niemal połowę załogi zabrał szkorbut i inne choroby, i gdy w końcu po czterech miesiącach żeglugi dwa ocalałe statki dobrnęły do Lizbony, na pokładach pozostało już tylko czterdziestu czterech marynarzy. Mimo tak wysokich strat Manuel I nagrodził Vasco da Gamę nadaniem miasta Sines oraz tytułu „Admirała Mórz Arabii, Persji, Indii i całego Orientu", ewidentnie ukutego, by przebić kastylijską nominację Kolumba na „Admirała Oceanu". Nagroda w sam raz dla kierownika wyprawy, która ustaliła kształt Afryki na mapie, obaliła Ptolemejskie założenie, jakoby Atlantyk nie miał połączenia z Oceanem Indyjskim, i pierwszy raz od czasów Aleksandra Wielkiego doprowadziła do kontaktu między mieszkańcami Wschodu i Zachodu.

Portolan Jorge Aguiara z 1492 roku ilustrujący ówczesny stan portugalskiej wiedzy o Morzu Śródziemnym

1500: PEDRO CABRAL ODKRYWA BRAZYLIĘ

Jeden z nich zapatrzył się na złoty łańcuch admirała i jął wskazywać to w stronę lądu, to na ową ozdobę, jakby chciał dać do zrozumienia, że w ich kraju jest złoto.

Z LISTU JEDNEGO Z MARYNARZY CABRALA, PÊRA VAZA DE CAMINHI

Terra Brasilis *autorstwa Pedra Reinela i Lopego Homema; część* Atlasu Millera *ułożonego dla króla portugalskiego Manuela I w 1519 roku, niespełna dwadzieścia lat po lądowaniu Cabrala*

Wspaniała i niezwykle rzadka mapa Atlantyku Willema Blaeu (ok. 1695), przeznaczona dla statków europejskich w drodze za ocean

W świetle dostępnej wiedzy europejskie odkrycie Brazylii przez Pedra Álvaresa Cabrala, jedną z ważniejszych postaci epoki odkryć, było dziełem przypadku. Nie minął nawet rok od powrotu Vasco da Gamy i otwarcia trasy do Indii, a już intensywnie przygotowywano następną wyprawę. W owym czasie dwór portugalski miał w zwyczaju wybierać dowódców przedsięwzięć wojskowych i morskich spomiędzy faworyzowanych patrycjuszy – nie biorąc pod uwagę ich doświadczenia i kwalifikacji – ich załogi zaś obsadzać fachowcami. Z nieudokumentowanych powodów Manuel I komendę nad nową ekspedycją indyjską powierzył Cabralowi. 3 marca 1500 roku flotylla trzynastu statków z półtoratysięczną załogą wypłynęła z Lizbony. Do jej zadań należało krzewienie chrześcijaństwa wszędzie, gdzie

dotrze, kontynuowanie poszukiwań mitycznego królestwa Księdza Jana, a przede wszystkim umocnienie portugalskiej obec-
ności w zachodnioafrykańskim handlu złotem i niewolnikami
tudzież założenie faktorii handlowej w Indiach.

*Obraz Oscara Pereiry da Silvy
przedstawiający lądowanie
Pedra Cabrala w Brazylii*

W tym czasie portugalscy żeglarze byli już dobrze zaznajo-
mieni z techniką nawigacyjną zwaną *volta do mar*. Cabral po dopłynięciu do Wysp Zielonego Przylądka również ją zastosował,
kierując się najpierw na zachód, by znaleźć się w strefie wiatrów
zachodnich, z którymi chciał pożeglować na wschód, ku Przylądkowi Dobrej Nadziei. Już na drugi dzień jednak wydarzyło
się nieszczęście: jeden ze statków, dowodzony przez kapitana
Vasco de Ataide, ze stu pięćdziesięcioma ludźmi na pokładzie,
zaginął bez śladu, „mimo że wiatr nie był dość silny, by to spra-
wić", jak zapisał w kronice wyprawy Pêro Vaz de Caminha, ry-
cerz portugalski towarzyszący Cabralowi w roli sekretarza przyszłej faktorii królewskiej w Indiach, dodając, że „kapitan zrobił
wszystko, by go odnaleźć, więcej ich jednak nie ujrzano".

Relacja de Caminhi (w liście do króla Manuela I) jest jedynym źródłem pisanym z tej ekspedycji. Dwunastego dnia po
przekroczeniu równika (21 kwietnia) zauważono dryfujące wo-
dorosty, co oznaczało bliskość brzegu. Nazajutrz oczom obser-
watorów ukazał się ląd i wkrótce potem Cabral polecił zakotwi-

czyć w pobliżu góry, której nadał nazwę Wielkanocnej (Monte Pascoal). Tak odkryto dzisiejszą Brazylię. Wykonując *volta do mar*, Portugalczycy odbili w poszukiwaniu wiatrów zachodnich tak daleko na południowy zachód, że bezwiednie przecięli cały Atlantyk w najwęższym miejscu między Afryką i Ameryką Południową.

Niewielka grupa marynarzy pod wodzą Nicolau Coelha udała się na brzeg, by nawiązać kontakt z gromadzącymi się na plaży tubylcami. We wspomnianym liście do króla (dziś powszechnie nazywanym „metryką urodzenia Brazylii") de Caminha pisze, że ci mezolityczni ludzie „byli ciemnoskórzy i zupełnie nadzy, bez jakiegokolwiek okrycia ich wstydu. Mieli ze sobą łuki i strzały. Śmiało podeszli do łodzi. Coelho dał im znak, by odłożyli broń, i posłuchali go". Marynarze wymienili z nimi kilka przedmiotów, między innymi czerwoną czapkę, na kapelusz ozdobiony długimi piórami.

Na drugi dzień Portugalczycy znów popłynęli na ląd i ustawili duży drewniany krzyż. Uklękli przed nim i zachęcali krajowców, by ich naśladowali. Odprawiono pierwszą na tej nowej ziemi chrześcijańską mszę. Cabral z radością skonstatował, że choć kraj ów leży po zachodniej stronie Atlantyku, to znajduje się jeszcze po portugalskiej stronie linii granicznej ustalonej w traktacie z Tordesillas („370 lig na zachód od Wysp Zielonego Przylądka"), i objął go w posiadanie w imieniu króla Manuela I. Odesłał zaraz jeden ze statków do Lizbony, aby powiadomić o tym dwór. Reszta flotylli po tym nieoczekiwanym postoju i uzupełnieniu zapasów ruszyła w dalszą drogę do Indii, najpierw jednak przez dwa dni płynęła wzdłuż wybrzeża. To wystarczyło, żeby Cabral nabrał przekonania, iż odkryty ląd jest w istocie kontynentem. 5 maja statki położyły się na kurs wschodni ku Afryce. Trawersata południowego Atlantyku nie była łatwa: nękana sztormami ekspedycja straciła cztery jednostki.

Rok później kolejna wyprawa dowodzona przez Gonçala Coelha i opisana przez Ameriga Vespucciego (od którego imienia Martin Waldseemüller na mapie z 1507 roku błędnie nazwał siostrzane kontynenty Nowego Świata Amerykami) przeprowadziła dokładne pomiary kartograficzne ponad 3200 km wybrzeża brazylijskiego, lecz zasługę otwarcia drogi dla przyszłej portugalskiej kolonizacji nowych terytoriów jednomyślnie przypisuje się Pedrowi Cabralowi – pierwszemu człowiekowi, który w jednej podróży zaliczył cztery kontynenty.

Na następnych stronach:
Jedyny zachowany egzemplarz Universalis cosmographia *Martina Waldseemüllera (1507) uwzględniający najnowsze odkrycia w Ameryce Południowej, w tym dokonane przez Cabrala. Jest to pierwsza mapa w historii, w której kontynenty Nowego Świata na cześć Ameriga Vespucciego nazwano Amerykami. Biblioteka Kongresu USA zakupiła ją w 2003 roku za sumę 10 mln dolarów.*

AMERICI VESPUCII
CECIAS
AQUILO
SUBSOLANUS
CHATAY
SERICA REGIO
SCITHIA EXTRA IMAUM
ASIA
INDIA MERIDIONALIS
INDIA SUPERIOR
CYAMBA PROVINCIA MAGNA
INDIA EXTRA GANGEM
SINUS GANGETICUS
TAPROBANA INSULA
EQUINOCTIALIS
OCCEANUS INDICUS MERIDIONALIS
TROPICUS CAPRICORNI
MADAGASCAR
SEYLAM
JAVA MAJOR
JAVA MINOR
EURONOTUS
VULTURNUS EURUS
AUSTER
ET AMERICI VESPUCII ALIORUQUE LUSTRATIONES

1513: JUAN PONCE DE LEÓN ODKRYWA FLORYDĘ

Jeśli Bóg zechce, aby została zasiedlona (…), to zdołam tego dokonać. JUAN PONCE DE LEÓN W LIŚCIE DO CESARZA KAROLA V

W 1492 roku, po szeregu kampanii wojennych trwających w sumie dziesięć lat, Królom Katolickim udało się zająć Grenadę, ostatnią enklawę muzułmańską na Półwyspie Iberyjskim. Zakończywszy tym samym rekonkwistę, Hiszpanie mogli się skupić na wykorzystywaniu pojawiających się możliwości, których najwięcej dostarczył Nowy Świat. Wyruszając w 1493 roku na drugą wyprawę za Atlantyk, Kolumb zabrał już tysiąc czterystu ludzi, którym marzyło się zdobycie złotej fortuny. Należał do nich były żołnierz, niejaki Juan Ponce de León.

Często naśladowana dwustronicowa sercokształtna mapa świata Oronce'a Finé z 1531 roku, uwzględniająca odkrycia w Nowym Świecie

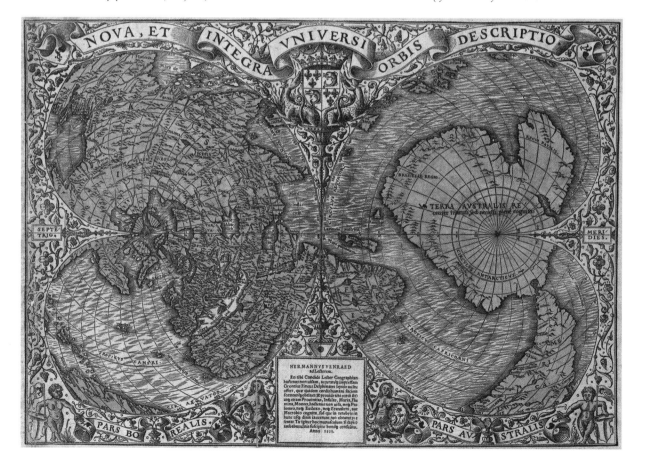

Ważna mapa Florydy autorstwa Orteliusa (1608) zawierała szczegóły topografii interioru podane przez Gonzala de Ovieda y Valdésa i dane o odkryciach Hernanda de Soto

Pod koniec roku, po przybyciu na Hispaniolę (dziś podzieloną na francuskojęzyczne Haiti i hiszpańskojęzyczną Dominikanę), człowiek ów szybko dał się poznać jako niezastąpiony dla udanej (czytaj: brutalnej) kolonizacji. Kiedy miejscowe plemię Tainów zaatakowało niewielki garnizon hiszpański we wschodniej prowincji Higüey, nowo mianowany gubernator Nicolás de Ovando polecił mu stłumić rebelię. Rezultatem była masakra tubylców, a skutecznemu dowódcy powierzono zarządzanie prowincją.

W 1508 roku Ponce de León był już – z nadania króla Ferdynanda II – gubernatorem Portoryko i zainteresował się pogłoskami o innych zasobnych w złoto wyspach, jakie miały leżeć tuż za horyzontem, na północny zachód od Hispanioli. Dodatkową motywacją była chęć wyprzedzenia syna Kolumba, Diega, w cennym odkryciu. Diego walczył z Koroną hiszpańską o prawa do tytułów i przywilejów obiecanych jego ojcu i po wylądowaniu na Hispanioli robił wszystko, by wygryźć ze stanowisk lokalną elitę.

W dniu 4 marca 1513 roku Ponce de León wyprawił się z dwustoma ludźmi na trzech statkach na poszukiwanie „Wysp Benimy". Wykosztował się na samodzielne sfinansowanie ekspedycji, ale za to w razie sukcesu mógł liczyć na wyłączne prawa do eksploatacji odkrytych ziem przez trzy lata. Z Portoryko skierował się na północny zachód, wzdłuż łańcucha Bahamów, zwanych podówczas Lucayos. 27 marca natrafił na nieznaną wyspę, popłynął jednak dalej przez otwarte morze, aż spostrzegł kolejny ląd. Ponieważ był to okres wielkanocny, Pascua Florida (święto kwiatów), ochrzcił go La Florida. Pozostaje kwestią sporną, w którym miejscu wylądował – mogło to być dzisiejsze miasto St Augustine lub Ponce de Leon; najprawdopodobniej jednak nastąpiło to jeszcze dalej na południe, w okolicy Melbourne. Eskadra zatrzymała się tam na pięć spokojnych dni, po czym ruszyła w rejs wzdłuż wybrzeża. Wkrótce spotkało ich coś dziwnego – jak napisał w 1615 roku Antonio de Herrera y Tordesillas, „wszystkie trzy statki trafiły na taki prąd, że mimo silnego wiatru nie mogły posuwać się naprzód, lecz raczej się cofały (…). Dwa płynące bliżej brzegu rzuciły kotwice, trzeci jednak albo nie znalazł dna, albo też nie zdawał sobie sprawy z siły prądu i zdryfował tak daleko od lądu, że towarzysze stracili go z oczu, choć dzień był jasny i pogoda dobra".

Indianie florydzcy z Grand voyages *Theodora de Bry*

Było to pierwsze udokumentowane spotkanie z Prądem Za-
tokowym, zwanym też Golfsztromem. (Później wykorzystywano
go w drodze powrotnej do Europy). Flotylla Ponce de Leóna
wymknęła się z jego zasięgu i trzymając się blisko brzegu, popłynęła na południe, dotarła do zatoki Biscayne na czubku Florydy
i kontynuowała rejs wzdłuż archipelagu Florida Keys. Wysepki
skojarzyły się kapitanowi z cierpiącymi ludźmi, nazwał je więc
Los Martires (Męczennikami). Na stałym lądzie Hiszpanie
stoczyli bój z krajowcami, potem przenieśli się na wyspy Dry
Tortugas, gdzie łowili i jedli wielkie żółwie morskie i foki oraz
zaobserwowali wielkie stada ptactwa wodnego. Po ośmiu miesiącach Ponce de León wrócił w końcu na Portoryko. Po drodze raz
jeszcze natknęli się na silny prąd, który znosił ich w stronę Kuby.

Podstawową motywacją Ponce de Leóna, jak zresztą wszystkich konkwistadorów w Nowym Świecie, była żądza złota.
To dla niego z mieczem w ręku przeczesywali coraz to dalsze
ziemie i zniewalali tubylcze społeczności w systemie pracy
przymusowej nazywanym *encomiendas*. Dopiero po jego śmierci
powiązano z nim starożytny mit o źródle młodości. Herodot
lokował je w Etiopii, inni wskazywali na Indie. Pierwszy z nazwiskiem gubernatora Portoryko połączył go kronikarz Gonzalo
Fernández de Oviedo y Valdés. W wydanej w 1535 roku *Historia
general y natural de las Indias* stwierdził, że Ponce de León szukał
rajskiej krainy Bimini, gdzie spodziewał się trafić na magiczną
krynicę, która miała odwrócić proces starzenia się. Hernando de
Escalante Fontaneda, rozbitek, który siedemnaście lat przeżył
wśród florydzkich tubylców, również wspomina w pamiętniku
z 1575 roku, że odkrywca naprawdę poszukiwał odmładzającej
wody w tym regionie. Trudno się dziwić, że ta historia żyje do
dzisiaj. Park narodowy Fountain of Youth (Źródło Młodości)
w St Augustine jest jedną z najpopularniejszych atrakcji tury-
stycznych w okolicy. Zwiedzający mogą obejrzeć rekonstrukcję
oryginalnej wsi indiańskiej, ale przede wszystkim pragną się
napić wody z pobliskiego zdroju.

NA NASTĘPNYCH STRONACH:
Fontanna młodości *Lucasa
Cranacha Starszego (1546)*

1519–1521: WOKÓŁZIEMSKA WYPRAWA FERDYNANDA MAGELLANA

Chwała, jaką okrył się Magellan, jego samego przeżyje.

Antonio Pigafetta

W 1517 roku Koronę kastylijską interesował przede wszystkim jeden cel: znaleźć zachodni szlak do bajecznych Wysp Korzennych (Moluków), indonezyjskiego archipelagu przebogatego w goździki, gałkę muszkatołową i inne przyprawy – dla Europejczyków skarby na wagę złota. Ich położenie znano – problem tkwił w tym, jak się tam dostać. Zgodziwszy się na warunki traktatu z Tordesillas, przyznającego Portugalii wyłączność na kierunki wschodnie, Hiszpanie nie mogli korzystać z jedynego znanego wówczas szlaku do Indii. Z konieczności obrócili uwagę na zachód, z nadzieją na odkrycie innej drogi morskiej przez Nowy Świat lub wokół niego. W tym celu zorganizowano ekspedycję złożoną z pięciu statków; ku konsternacji poddanych król Karol I na jej dowódcę wybrał… Portugalczyka.

Człowiek, którego dziś znamy pod nazwiskiem Magellana, przyszedł na świat jako Fernão de Magalhães w portugalskiej rodzinie szlacheckiej z koneksjami dającymi wstęp na dwór królewski. Magellan, choć usilnie pracował ku chwale ojczyzny – w 1513 roku brał udział w dwudniowej bitwie pod Azammurem w Maroku z armią muzułmańskiej dynastii Wattasydów – popadł w niełaskę. Bezpodstawnie oczerniony za nielegalne transakcje handlowe z Maurami stracił widoki na karierę we własnym kraju. Zrzekł się obywatelstwa portugalskiego i w 1517 roku przeszedł na służbę króla Hiszpanii Karola I, zmienił też nazwisko na Fernando de Magallanes. Już po roku został nominowany na dowódcę wspomnianej wyprawy na zachód. Wraz ze wspólnikiem, Ruim Faleirem, uzyskali obietnicę dziesięcioletniego monopolu na odkrytą trasę, stanowisk gubernatorskich i pięcioprocentowego udziału w dochodach netto z wszelkich znalezionych terytoriów, mieli też otrzymać własną wyspę. Flotylla postawiła żagle we wrześniu 1519 roku.

W drodze przez Atlantyk i wzdłuż dopiero co zmapowanych wschodnich brzegów Ameryki Południowej Magellan zrozumiał, że większym zagrożeniem dla powodzenia przedsięwzięcia nie będą zdradliwe pogody, lecz jego właśni ludzie. Załogę stanowiła wybuchowa mieszanka Hiszpanów, Portugalczyków, Anglików,

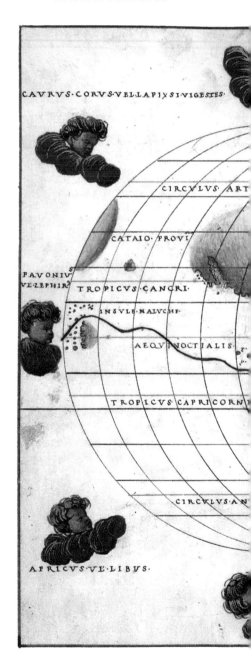

Mapa świata z atlasu portolanów z 1544 roku, dedykowanego
Hieronimowi Ruffault, opatowi z Saint-Vaast (Francja), ukazująca
wokółziemski rejs Magellana. Jaśniejsza brązowa linia oznacza szlak
Peru–Kadyks z odcinkiem lądowym na Przesmyku Panamskim –
tą drogą transportowano z Nowego Świata do Hiszpanii wielkie
ilości srebra.

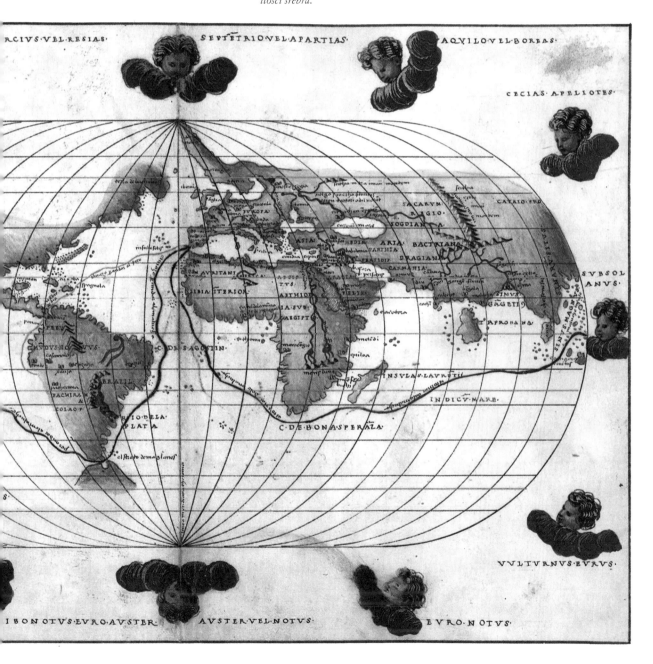

Włochów, Niemców i innych nacji. Wielu marynarzy od razu znienawidziło kapitana za wczesne wprowadzenie drakońskiego racjonowania wody i żywności. W grudniu ekspedycja dotarła do Brazylii, jednakże musiała posuwać się dalej na południe, ponieważ było to terytorium portugalskie. O istnieniu Pacyfiku już wiedziano – Vasco Nuñez de Balboa ujrzał go w 1513 roku po przemarszu przez Przesmyk Panamski – potrzebna jednak była droga morska. Żeglarze drobiazgowo badali każdą napotykaną zatokę i rzekę, licząc na znalezienie przejścia wodnego przez kontynent. Zajmowało to mnóstwo czasu, zapasy więc szybko topniały. W marcu 1520 roku Magellan zatrzymał się w Patagonii, by uzupełnić prowiant, dokonać niezbędnych napraw i przeczekać zimę. Miejsce kotwiczenia nazwano Puerto San Julián. Racje zostały jeszcze bardziej zmniejszone, a gdy kapitan dowiedział się o grożącym buncie, kazał dla przykładu uśmiercić dowódców *Victorii* (Luisa Mendozę) i *Concepcion* (Gaspara de Quesadę). Około czterdziestu ludzi podjęło próbę zawładnięcia statkami i powrotu do domu, uniemożliwiono im to jednak i zapowiedziano karę śmierci – ostatecznie skończyło się na ciężkich robotach.

Późny portret Magellana pędzla Nicolasa de Larmessin

W październiku rejs kontynuowały już tylko cztery statki, *Santiago* rozbił się bowiem podczas jednego z wypadów poszukiwawczych. Kolejny bunt podniósł Juan de Cartagena; prowodyra za karę wysadzono na ląd ze zwłokami straconych buntowników. (Ich kości po latach odkrył Francis Drake). W końcu 21 października 1520 roku żeglarze trafili na słonowodne, głębokie przejście w kierunku zachodnim. Nazwali je Estrecho de Todos los Santos (Cieśniną Wszystkich Świętych) – dziś nosi ono nazwę Cieśniny Magellana.

Pomimo przełomowego sukcesu niezadowolenie załogi nie ustępowało. Kapitan *San Antonia*, Estevão Gomes, samowolnie zawrócił i popłynął do Hiszpanii. Pozostałe trzy jednostki 28 listopada wynurzyły się z cieśniny na otwarte wody Mar Pacifico (Morza Spokojnego), jak je nazwał Magellan. Dziewięćdziesiąt sześć dni płynęły na północny zachód przez ocean większy, niż przedstawiała to którakolwiek z ówczesnych map. Nietrudno się domyślić, że prawie cały prowiant się skończył i marynarzom pozostało żywić się „sproszkowanymi starymi sucharami, pełnymi robactwa i śmierdzącymi szczurzą uryną, wodę zaś piliśmy nieczystą i żółtą", jak zanotował kronikarz wyprawy, Antonio Pigafetta. Ponure żniwo zaczął zbierać szkorbut, choroba o nieznanej wówczas etiologii. „Ta przypadłość była najgorsza. Dziąsła ludziom puchły tak, że jeść nie mogli i przez

to umierali. W sumie skonało dwudziestu dziewięciu (…). Sądzę, że nikt już nigdy nie odważy się wyruszyć w taką podróż".

Choć zdziesiątkowani i osłabieni, żeglarze uparcie płynęli naprzód i w końcu jako pierwsi Europejczycy trafili na Guam i Rotę w archipelagu Marianów. Tam napełnili magazyny świeżą żywnością i wodą, najadłszy się zaś do syta, ruszyli dalej i wkrótce wylądowali na Filipinach. Magellanowi zależało na nawiązywaniu sojuszów z napotykanymi kulturami; z tą myślą zapoznawał tubylców z wiarą chrześcijańską i wspierał ich przeciwko nieprzyjaciołom. (Tej „dyplomacji stosowanej" nauczył się jeszcze w Portugalii). Na sprzymierzeńca wybrał przywódcę mieszkańców wyspy Cebu, radżę Humabona, którego ochrzcił i nazwał don Carlosem. W geście dobrej woli zgodził się poprowadzić niewielki oddział na sąsiednią wyspę Mactan i obalić zaprzysięgłego wroga Humabona, Lapu Lapu, który odmówił przyjęcia chrześcijaństwa. Kapitan nie spodziewał się większego oporu, lecz ku swemu zaskoczeniu stanął oko w oko z półtoratysięczną armią. Wraz z ośmioma ludźmi w mig został powalony i rozsieczony. W kronice Pigafetty czytamy: „Rzucili się nań

Mapa świata z 1482 roku skonstruowana w systemie ptolemejskim. Z podobnych musiał korzystać Magellan, mimo że nie podawały praktycznie żadnych informacji o Pacyfiku.

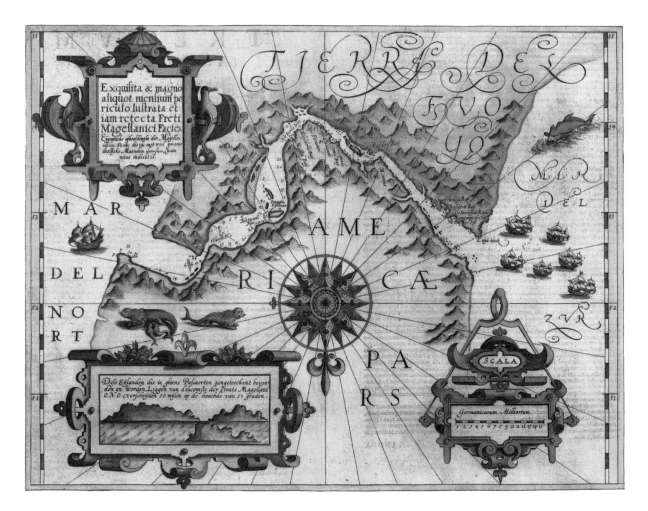

hurmą. Jeden wbił mu oszczep w lewą nogę, przez co [kapitan] upadł twarzą na ziemię. Wtedy wszyscy naraz jęli kłuć go włóczniami z bambusa i żelaza. Tak z ich rąk zginął nasz prawdziwy przewodnik, zwierciadło nasze, światłość i pociecha".

Po śmierci dowódcy komendę nad ekspedycją przejął Juan Sebastián Elcaño. Z dwustu siedemdziesięciu ludzi, którzy wyruszyli z Hiszpanii, zostało już tylko stu piętnastu. Zapadła decyzja o porzuceniu *Concepcion*. Po opuszczeniu Filipin dwa pozostałe statki dotarły w końcu na Wyspy Korzenne, gdzie załadowano wielką partię goździków. Pora była wracać do domu. Za sprawą kiepskiego planowania znów zabrakło prowiantu i nim eskadra dopłynęła do Przylądka Dobrej Nadziei, na pokładach było już tylko sześćdziesięciu marynarzy, dręczonych przez głód i choroby. Dnia 10 września 1522 roku do portu hiszpańskiego dobiła już tylko ledwo trzymająca się na wodzie *Victoria*. Rejs przeżyło jedynie osiemnastu ludzi.

Mapa Cieśniny Magellana sporządzona przez Merkatora – pierwsza, która pojawiła się w komercyjnym atlasie

Przywieziony ładunek przypraw miał jednak tak kolosalną wartość, że po sprzedaniu nie tylko pokrył koszty wyprawy, lecz nawet przyniósł zysk. O wiele większe znaczenie miały jednak dokonane odkrycia. Monumentalna podróż wokółziemska udowodniła przede wszystkim, że Ziemia jest kulą, a jej rzeczywisty obwód – około 40 tys. km – przewyższa dotychczasowe oszacowania. Poza tym odnalezienie cieśniny nazwanej później imieniem odkrywcy – mimo że była to droga morderczo trudna i niewielu śmiałków garnęło się do powtórzenia jego wyczynu – zapewniło Hiszpanom własny szlak z Atlantyku na Pacyfik. Magellan wprawdzie nie dożył końca ekspedycji, ale dziedzictwo jego nacechowanego wyjątkową determinacją przedsięwzięcia miało zaowocować przeobrażeniem Europy.

Pierwsza drukowana mapa Pacyfiku – Maris Pacifici *Orteliusa (1590), ozdobiona wizerunkiem statku Magellana,* Victorii

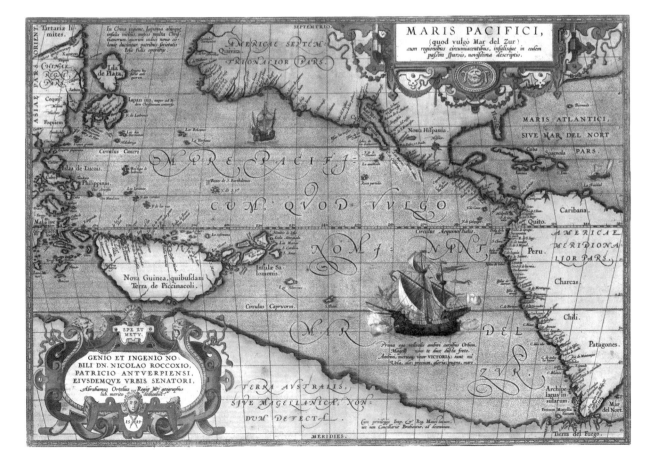

1524: REJS VERRAZANA WZDŁUŻ WSCHODNIEGO WYBRZEŻA AMERYKI PÓŁNOCNEJ

*Nie spodziewałem się natknąć na taką przeszkodę
w postaci nowego lądu, jaką tam zastałem.* GIOVANNI DA VERRAZANO

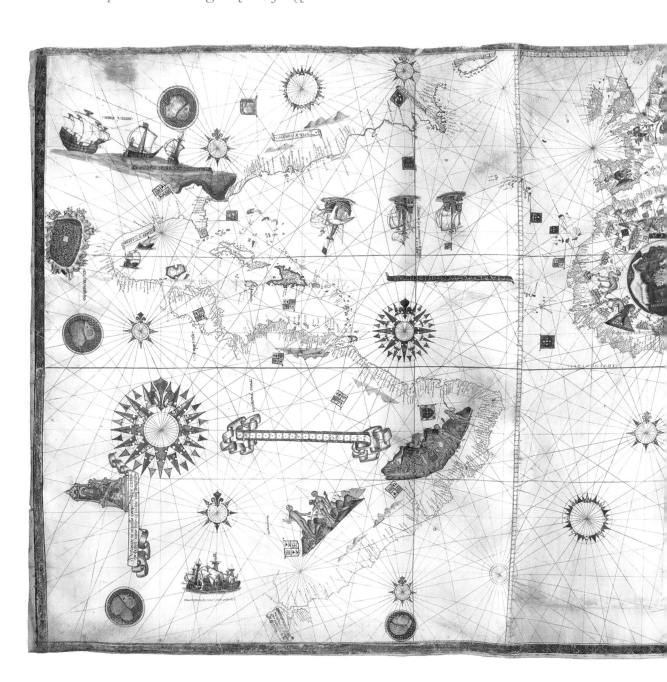

W 1524 roku, gdy już nowo odkryte lądy trafiły na mapy, pełny obraz świata zaczynał nabierać realnego kształtu. Szczególnie rozkwitał wizerunek obu Ameryk: Pigafetta i niedobitki załogi Magellana powrócili z zasobem danych o najdalszej części wybrzeży południowych i potwierdzeniem, że Pacyfik, czyli Morze Południowe, które po drugiej stronie kontynentu ujrzał w Panamie Vasco Nuñez de Balboa, jest w istocie całym nowym oceanem. Na północy doszło odkrycie Juana Ponce de Leóna –

Planisfera portolanowa Vescontego Maggiola (1531) o wymiarach 2m na 0,9 m, malowana na sześciu kozich skórach, wyceniona dziś na 10 mln dolarów, z naniesionym mitycznym „Morzem Verrazana" oraz odkryciami Magellana i innych żeglarzy. Była pierwszą mapą ukazującą wschodnie wybrzeże dzisiejszych Stanów Zjednoczonych.

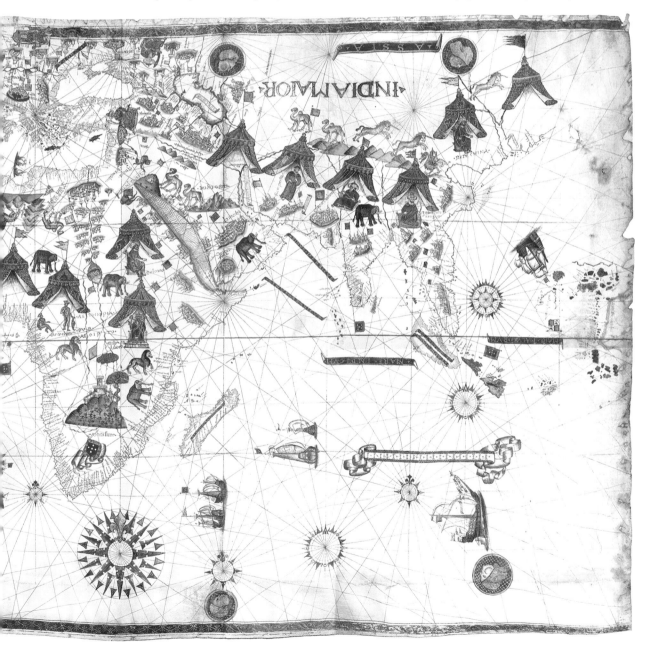

Portret Giovanniego da Verrazano

„wyspa" La Florida – i dalej na zachód Meksyk, dokąd Hernán
Cortés dotarł w 1517 roku i w cztery lata dokonał jego podboju,
rozbijając imperium Azteków. Hiszpański odkrywca i kartograf
Alonso Álvarez de Pineda w poszukiwaniu przejścia na Pacyfik
opłynął w 1519 roku całe północne wybrzeże Zatoki Meksy-
kańskiej, a daleko na północy John Cabot wylądował na Nowej
Fundlandii.

Do zbadania pozostawała zatem większość wschodniego
wybrzeża Ameryki Północnej – około 3 tys. km – z kuszącą
możliwością, że gdzieś tam istnieje droga wodna na Pacyfik i do
chińskich bogactw. Jak wielu kolegów po fachu, florentyńskie-
go żeglarza Giovanniego da Verrazano niewiele obchodziło,
pod jaką pływa banderą, byle to on dowodził ekspedycją. Dla
kupców jedwabnych z Lyonu (w XVI wieku ważnego ośrodka
gospodarczego, w którym siedziby miało sto sześćdziesiąt dziewięć spośród dwustu dziewięciu największych firm handlowych
Francji) szansa znalezienia dogodnego szlaku na Daleki
Wschód – i to w strefie umiarkowanej – warta była inwestycji.
Gildia zdołała nakłonić króla Franciszka I do sponsorowania
Florentyńczyka i włączenia kraju do wyścigu o nowe ziemie.

Verrazano z pięćdziesięcioma ludźmi wyruszył z Madery
w styczniu 1524 roku, zostawiając w porcie niegotową jeszcze

La Normande, drugi statek, który miał im towarzyszyć w wyprawie. Po ośmiotygodniowej trawersacie Atlantyku znaleźli się w okolicy przylądka Fear (Karolina Północna). Po krótkim postoju skierowali się na północ, by uniknąć spotkania z jednostkami hiszpańskimi operującymi na południu. Natrafili na mierzeję, gdzie Verrazano popełnił błąd, z którego najbardziej zasłynął: ujrzawszy po drugiej stronie połyskliwe wody sporego akwenu, wziął go za ocean i uznał, że ma przed sobą najwęższą

Ręcznie malowana mapa Alonsa de Santa Cruz, dedykowana cesarzowi Karolowi V, przedstawiająca aztecką stolicę Tenochtitlán przed jej zdobyciem przez Hiszpanów i przemianowaniem na Meksyk

część kontynentu amerykańskiego. W rzeczywistości patrzył na Pamlico Sound, największą lagunę na wschodnim wybrzeżu Ameryki Północnej. W liście do króla pochwalił się jednak, że widział Pacyfik:

Dostrzeżono ze statku wschodnie morze w kierunku północno-
-zachodnim, bez wątpienia to samo, nad którym leżą Indie, Chiny
i Kataj. Pożeglowaliśmy wzdłuż dzielącego je od nas przesmyku, nie
ustając w nadziei, że znajdziemy jakąś cieśninę lub cypel na północ-
nym krańcu, którędy dałoby się przedostać ku tym błogosławionym
brzegom katajskim. Mierzei owej jako odkrywca nadałem nazwę
Verrazano; podobnie cały tutejszy ląd otrzymał miano Francisco na
cześć naszego [pana] Franciszka.

To Morze Verrazana, jak je później zwano, przez najbliższe stulecie miało zwodzić kartografów i nawigatorów.

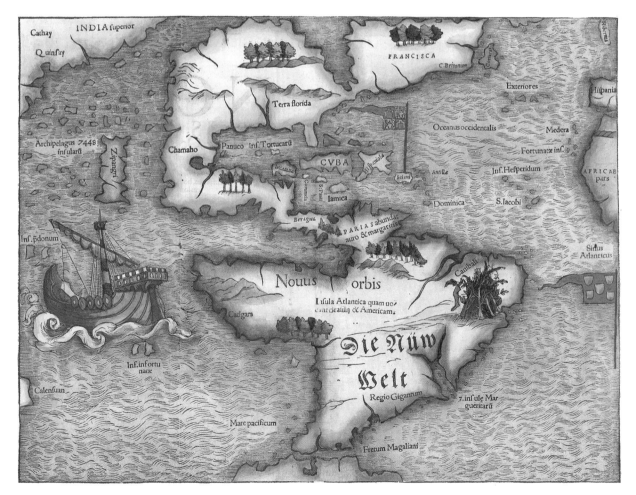

Tabula novarum insularum (1554) niemieckiego kartografa Sebastiana Münstera – pierwsza drukowana mapa kontynentu amerykańskiego. Ameryka Północna jest tu mocno „ściśnięta w pasie" dla zachowania zgodności z doniesieniem Verrazana o rzekomym spostrzeżeniu Pacyfiku za wąskim pasem lądu.

Nie mogąc znaleźć drogi na Pamlico (chociaż musieli minąć ich kilka), posuwali się dalej na północ, badając i mapując wybrzeże. Przeoczyli też wejścia na zatoki Chesapeake i Delaware, za to jako pierwsi Europejczycy wpłynęli na Zatokę Nowojorską i rzekę Hudson, a po ich dokładnym opisaniu odkryli zatokę Narragansett w dzisiejszym stanie Rhode Island. Dotarłszy do Nowej Szkocji, znaleźli się znów na znanych już wodach i Verrazano wyznaczył kurs powrotny do Francji. Wyprawa zakończyła się w Dieppe dwa miesiące później, na początku lipca 1524 roku.

Niepowodzenie poszukiwań drogi morskiej do Kataju w niczym nie umniejsza znaczenia podróży Florentyńczyka. Jego listy do Franciszka I obfitują w szczegółowe opisy spotkań z tubylcami oraz miejscowej fauny, flory i minerałów. Fałszywe utożsamienie zamkniętej laguny z Pacyfikiem było tylko odosobnionym potknięciem w sprawnej poza tym nawigacji. Usprawiedliwione może być nawet podejrzenie, że był to błąd zamierzony, obliczony na zaintrygowanie bogatych sponsorów ekspedycji i osłodzenie goryczy porażki.

Los Verrazana pozostaje tajemnicą, gdyż relacje są rozbieżne. W drugim rejsie skierował się dużo dalej na południe (co znów budzi wątpliwości: czy raczej nie próbowałby raz jeszcze poszukać przejścia na ów rzekomy Pacyfik, gdyby naprawdę wierzył, że to ocean?); trzeciego, poświęconego na badanie Florydy, Bahamów i Małych Antyli, już nie dokończył. Według jednych doniesień został ujęty przez Hiszpanów za piractwo i stracony w Puerto del Pico w Hiszpanii. Inne źródła wskazują na jeszcze makabryczniejszy koniec: po wylądowaniu na Gwadelupie miał wpaść w ręce tubylców, którzy zabili go na miejscu, upiekli i zjedli.

1526–1533: FRANCISCO PIZARRO PODBIJA PERU

Tam jest Peru i jego bogactwa; tu Panama ze swą biedą. Niech każdy sam wybierze, co najlepiej pasuje dzielnemu Kastylijczykowi. Francisco Pizarro

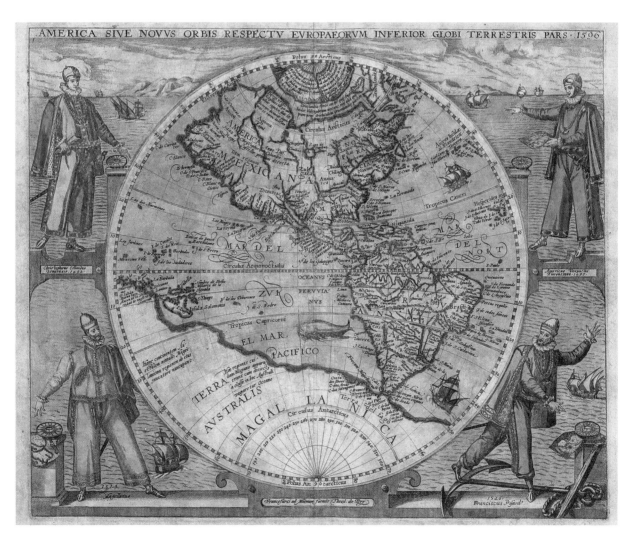

Mapa Nowego Świata Theodora de Bry (1596). W rogach podobizny Kolumba, Vespucciego, Magellana i (w dolnym prawym) Pizarra

W latach dwudziestych XVI wieku pogłoski o złotych miastach ukrytych w tajemniczym „zielonym piekle" dżungli Nowego Świata rosły w szybkim crescendo. W 1527 roku Sebastian Cabot, syn Johna, przybył na szeroką zatokę Rio de la Plata (oddzielającą Argentynę od Urugwaju), jedenaście lat wcześniej ochrzczoną przez jej odkrywcę Juana Diaza de Solís „Mar Dulce" (Morze Słodkie). Cabot pracował dla Hiszpanów i jego zadaniem była kontynuacja poszukiwań drogi wodnej do Azji, rozpoczętych przez de Solísa, który podczas rekonesansu w górę rzeki Urugwaj niefortunnie wylądował z grupą marynarzy na terenach tubylczego plemienia ludożerców i karierę zakończył w ich kotle, czemu ze zgrozą przypatrywała się ze statku reszta załogi.

Od wykonywania misji oderwały jednak Cabota plotki o „białym królu" żyjącym w „Górach Srebrnych" (nieznanych jeszcze wówczas Europejczykom Andach). Omamiony nimi popłynął Paraną daleko w głąb interioru i dotarł w rejon dzisiejszej stolicy Paragwaju, Asunción. Sam nie zobaczył legendarnego miasta skarbów, jednakże wysłany dalej na zachód zakonnik Francisco César powrócił z ładunkiem złota i srebra. Tak powstał mit „Miasta Cezarów", który miał rozpalać umysły odkrywców i wieść widmowy żywot na mapach przez następne dwieście pięćdziesiąt lat.

O szczególne podniecenie przyprawiała hiszpańskich poszukiwaczy fortuny wieść od współzałożyciela osady w Panamie, Pascuala de Andagoi, który doniósł, że podczas rejsu na południe wzdłuż pacyficznego wybrzeża Kolumbii natknął się na bogate w złoto tereny zarządzane przez tubylczego wodza Birú. (Imię to zostało potem przekręcone na Peru i przyjęło się jako ogólna nazwa wszystkich hiszpańskich kolonii na zachodnim wybrzeżu Ameryki Południowej). De Andagoya zachorował i musiał wrócić do Panamy, nim zdążył cokolwiek zrobić z tym odkryciem, ale jego relacja, podobnie jak wszelkie inne pogłoski o złocie, niczym krew w wodzie przyciągnęła najokrutniejsze rekiny z całej Europy. Był wśród nich niejaki Francisco Pizarro, nieślubny syn hiszpańskiego hidalga, który w 1513 roku towarzyszył Vasco Nuñezowi de Balboa w przeprawie przez góry Przesmyku Panamskiego. Podekscytowany sukcesem Cortésa w podboju Meksyku i rozbiciu imperium azteckiego, żądny podobnego triumfu Pizarro rozglądał się za podobnym celem. W gorączkowej rywalizacji z innymi konkwistadorami dokonał serii wypadów w mroczne, niezbadane rejony Peru.

Pierwsza ekspedycja, na którą wyruszył w 1524 roku statkiem zbudowanym na wybrzeżu Pacyfiku, błyskawicznie obróciła się w porażkę: ledwo Pizarro ze wspólnikiem Diegiem de Almagro

i osiemdziesięcioma ludźmi dotarli do brzegów dzisiejszej Kolumbii, trafili na sztormową pogodę, a krótko potem, w starciu z wrogimi tubylcami, de Almagro stracił oko od indiańskiej strzały. Nazwy, jakie konkwistadorzy nadali miejscom lądowania, świadczą o ich nastrojach: Puerto del Hambre (Głodowy Port) i Punta Quemado (Przylądek Spalony). Pizarro jak niepyszny zawrócił do Panamy i dwa lata przygotowywał się do następnej wyprawy, na którą wyruszył w 1526 roku, tym razem z dwukrotnie większą załogą.

On sam wylądował z kilkudziesięcioosobowym oddziałem nad kolumbijską rzeką San Juan i zaczął się przedzierać przez zarośla namorzynowe i gęstą dżunglę, jego nawigator zaś, Bartolomé Ruiz, z drugą częścią załogi pożeglował dalej na południe. Po drodze zagarnął indiańską tratwę wyładowaną złotem i klejnotami, płynącą z Tumbes w północno-zachodnim Peru. Wieść o tym sukcesie dodała skrzydeł wyczerpanemu mozolną drogą Pizarrowi, kiedy jednak, dołączywszy do Ruiza, popłynął zbadać źródło owego cennego ładunku, w okolicy Atacames (dzisiejszy Ekwador) natknął się na opór wojowniczego plemienia pod zwierzchnictwem Inków. Nie mogąc nic wskórać, a jednocześnie nie chcąc rezygnować z wyprawy, konkwistador wycofał się na leżącą u brzegów Kolumbii Isla de Gallo. Załodze zaczęły się dawać we znaki choroby i inne przeciwności na tej bezludnej

NA SĄSIEDNIEJ STRONIE: Tworząc tę mapę Ameryki Południowej (1588), Diogo Homem korzystał z relacji Pizarra oraz ludzi jego brata Gonzala, którzy spłynęli Amazonką.

Rycina z 1706 roku przedstawiająca podział Peru dokonany przez Francisca Pizarra, Diega de Almagro i Hernanda de Luque

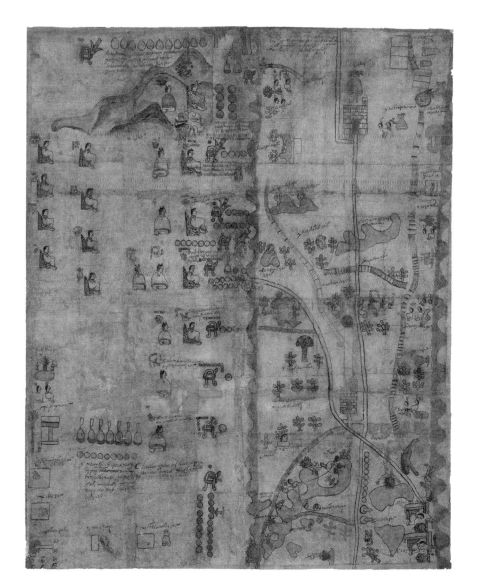

wyspie i wystąpiła do gubernatora Peru z prośbą o ratunek przed dowódcą, „szalonym rzeźnikiem". Kiedy władze udzieliły im zgody na wypowiedzenie służby, Pizarro nakreślił na plaży linię i obiecał nagrodę w złocie wszystkim, którzy zostaną z nim na trzecią próbę spenetrowania wybrzeża dalej na południu. Dołączyła do niego zaledwie garstka mężczyzn, o których później mówiono Los Trece de la Fama (Sławna Trzynastka).

W kwietniu 1528 roku Pizarro dotarł do peruwiańskiego regionu Tumbes i wrócił stamtąd do Panamy oszołomiony ilością złotych i srebrnych ozdób noszonych przez tubylców i widocznych na budynkach. Od razu zaczął planować kolejną wyprawę; wybrał się też do Hiszpanii, by donieść królowi o bogactwach,

Codex Quetzalecatzin (1593) – jeden z bardzo nielicznych zachowanych manuskryptów mezoamerykańskich z XVI wieku, wykonany w czasie, kiedy Hiszpanie badali zasoby ludzkie i społeczne nowych kolonii założonych przez Pizarra i innych konkwistadorów

których się naoglądał. Cesarz Karol V i królowa Izabela Portugalska przyznali mu Capitulación de Toledo, oficjalną licencję
na podbój Peru dla Korony kastylijskiej.

Na początku 1532 roku Francisco Pizarro z załogą wzmoc-
nioną posiłkami przybyłymi pod komendą Sebastiána de Belal-
cázara wylądował w Tumbes – i ku bezgranicznemu zdumieniu
zastał miasto w zgliszczach. Okazało się, że akurat w tym czasie
państwo Inków rozdarte było wojną domową między Atahualpą
i Huáscarem, synami ostatniego władcy imperium. Zwycięski
Atahualpa pomaszerował z wielotysięczną armią na koronację
do Cuzco. Konkwistador w lot pojął, jaka nadarza mu się okazja,
i zdecydował się pociągnąć za nim w głąb kraju. Zostawiwszy za
sobą wybrzeże (i wszelkie szanse na ucieczkę w razie porażki),
wyruszył na czele oddziału liczącego stu osiemdziesięciu pięciu
żołnierzy. Nie mając praktycznie żadnych informacji o trudnym
terenie, przez jaki miał się przedzierać, uparcie brnął przez nad-
brzeżne równiny i zdradliwe andyjskie przełęcze, aż wreszcie
dotarł do miasta Cajamarca, gdzie zastał Atahualpę z tak liczną
siłą, że ich ogniska „błyszczały nocą jak rozgwieżdżone niebo”.

Następnego dnia władca udzielił Pizarrowi audiencji na
głównym placu twierdzy. Pojawił się od stóp do głów okryty
złotem i klejnotami, niesiony we wspaniałej lektyce przez osiemdziesięciu mężczyzn, otoczony eskortą i tłumem mieszkańców.
Wysłuchawszy, co przybysz miał do powiedzenia, Atahualpa
dumnie odmówił poddania się Karolowi V, wyraźnie podkreśla-
jąc, że „nie będzie niczyim lennikiem”. W tym momencie Pizarro podjął swą najbardziej szaloną decyzję: niezwłocznie dał
rozkaz ataku, nie bacząc na piętnastokrotną przewagę liczebną
przeciwnika. Prymitywna broń Inków nie mogła jednak sprostać
stali hiszpańskich mieczy. Nastąpiła masakra, która przeszła do
historii pod nazwą bitwy o Cajamarcę. Ludzie Pizarra wycięli
w pień gwardię honorową władcy, a jego samego wzięli do
niewoli. Świadomy ich obsesyjnej żądzy złota Atahualpa zaoferował za siebie wykup: tyle „potu słońca”, ile się zmieści po sufit
w izbie o powierzchni ponad 36 m^2, na co Hiszpanie ochoczo
przystali. Inka wywiązał się z umowy, życia jednak nie uratował.
Został naprędce osądzony i skazany na uduszenie garotą. (Wiadomość o tym zbulwersowała cesarza). Konkwistadorom nie
było jednak dosyć. Pizarro poprowadził oddział do Cuzco. Dnia
15 listopada 1533 roku złupił miasto, ocalałych przywódców
zmusił do ucieczki i tym samym przypieczętował podbój Peru.
Taki był początek rychłego końca imperium inkaskiego – jednej
z największych cywilizacji w historii naszej planety.

1577–1580: SIR FRANCIS DRAKE OPŁYWA ŚWIAT

Każda wielka sprawa musi mieć swój początek, ale prawdziwa chwała w tym, by doprowadzić ją do końca. Francis Drake

Jednym z najciekawszych okresów w historii Anglii jest epoka Francisa Drake'a, kiedy wieloletnią dominację hiszpańską w Nowym Świecie przełamały wyczyny tego awanturnika, handlarza niewolników i żołnierza, który napadał i łupił iberyjskie statki oraz miasta z tak zdumiewającym powodzeniem, że wystraszeni Hiszpanie nadali mu przezwisko El Draque (Smok). O tym, jak niespotykane były to dokonania, może świadczyć wyznaczona przez króla Filipa II nagroda za jego głowę w wysokości 4 mln funtów (według dzisiejszej wartości) oraz szlachectwo nadane mu przez Elżbietę I. Drake odniósł wiele znaczących zwycięstw na pacyficznym wybrzeżu Ameryki Południowej i w 1580 roku został pierwszym kapitanem, który okrążył glob ziemski.

Był rok 1517, kiedy ekspedycja konkwistadora Francisca Hernándeza de Cordoba opuściła Kubę, odkryła półwysep Jukatan i pierwsze poznane przez Europejczyków miasto prekolumbijskie – a wraz z nim wskazówkę, jakie bogactwa mogą na nich czekać na nowym kontynencie. (Hernández porównał ujrzane tam piramidy do egipskich, nazwał je meczetami, a cały region „El Gran Cairo" (Wielkim Kairem). Od tamtej pory miecz hiszpański uporczywie siekł kraje i ludy Nowego Świata, by zagarnąć wszystkie jego skarby. Przetransportowanie tego ogromu zdobyczy – złota, srebra, klejnotów, skór, twardego drewna i innych cennych towarów – do Hiszpanii wymagało równie gigantycznej organizacji logistycznej. Żeby nie ryzykować żeglugi wokół południowego krańca kontynentu przez niebezpieczną Cieśninę Magellana, skarby najpierw zwożono z całego zachodniego wybrzeża do Panamy, skąd karawany mułów i lam przenosiły ładunek na brzeg atlantycki. Całe El Reino de Tierra Firme (Królestwo Stałego Lądu, w literaturze anglojęzycznej Spanish Main) – takie zbiorowe miano nosiły hiszpańskie posiadłości kontynentalne od Florydy przez Zatokę Meksykańską i Mezoamerykę aż po Przesmyk Panamski i północne wybrzeże Ameryki Południowej – służyło za punkt startowy dla galeonów płynących z tym bogactwem za ocean.

Portret Francisa Drake'a przypisywany Jocodusowi Hondiusowi (ok. 1583)

Hiszpanie zbierali to złote żniwo przez dziesięciolecia, za-
zdrośnie strzegąc swej hegemonii nad południowoamerykański-
mi terytoriami wyrąbanymi dla Korony przez konkwistadorów.
Francuzi skupiali uwagę na koloniach w Ameryce Północnej,
Portugalczycy zaś na odkryciach we wschodniej części kontynentu, które nazwali Santa Cruz i Brazylią. Dość nieoczeki-
wanie do tego grona dołączyli w latach 1528–1544 odkrywcy
niemieccy, którzy przez równiny wenezuelskie zapuszczali się
aż w góry Kolumbii, skąd jednak zostali wyparci. W Nowym
Świecie zdecydowanie dominowała Hiszpania – a potem zjawili
się Anglicy.

Francis Drake zapoznał się ze skomplikowaną siecią operacji
w Spanish Main, kiedy kilkakrotnie pojawiał się w tym regionie,
aby uwalniać Hiszpanów od złotego ciężaru. Podczas jednego
z wypadów przeszedł przez Panamę na brzeg Pacyfiku, ujrzawszy
zaś wody oceanu, upadł na kolana i „prosił boskiej pomocy, aby

*Jeden z mniej znanych
kartografów, Giovanni Battista
Boazio, tak przedstawił na mapie
podróż Francisa Drake'a do
Nowego Świata (1589).*

NA NASTĘPNYCH STRONACH:
*Świat, jaki znał Drake przed
swoimi wielkimi podróżami:
ręcznie rysowana planisfera
Pierre'a Desceliersa z 1550 roku
z herbami króla Francji Henryka II
(w lewym dolnym rogu) i księcia
de Montmorency (w prawym
dolnym)*

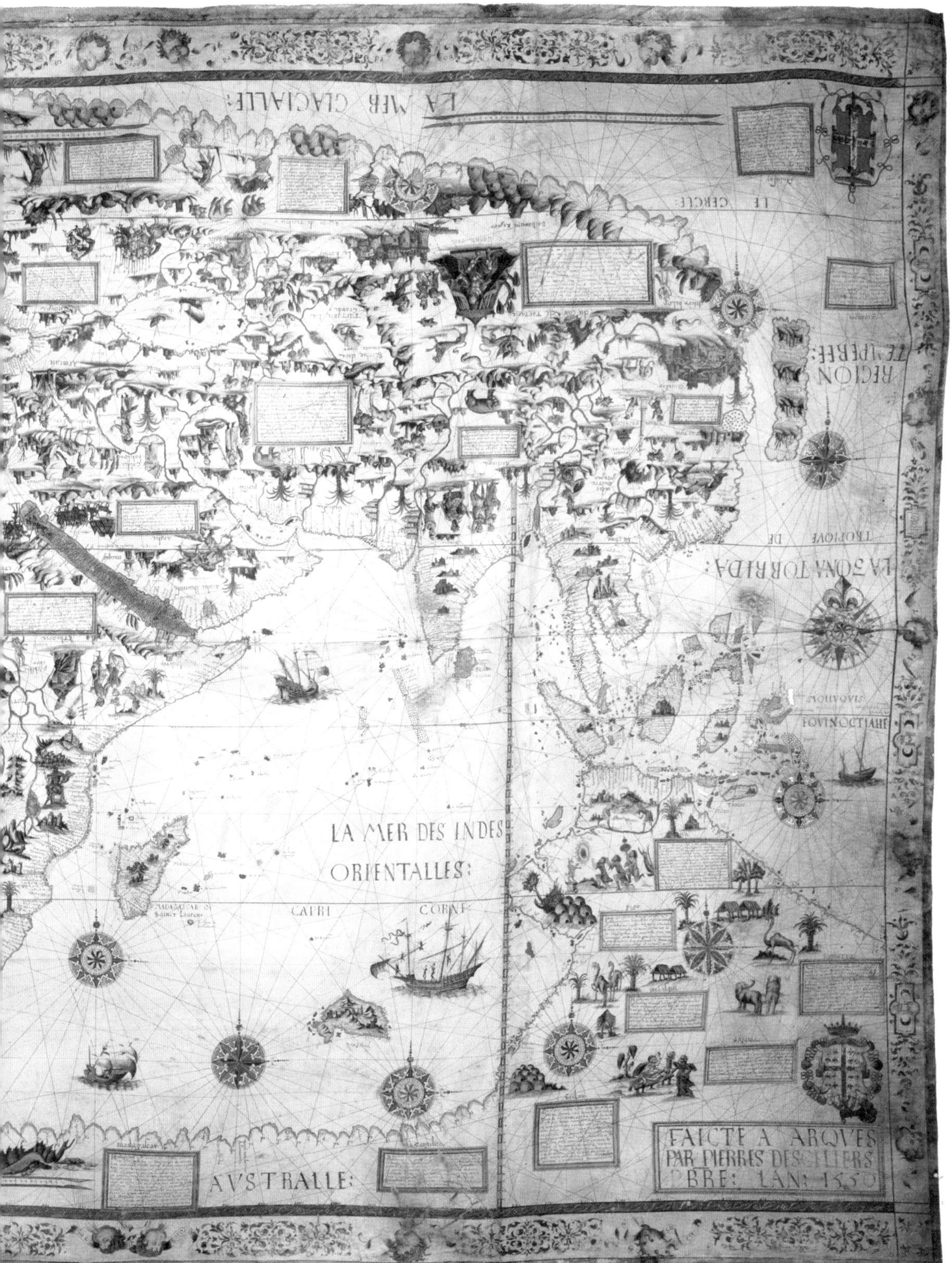
LA MER DES INDES
ORIENTALLES:
CAPRI
CORNE
AVSTRALLE:
FAICTE A ARQVES
PAR PIERRES DESCELIERS
PBRE: LAN: 1550

dane mu było kiedyś tam dopłynąć". Marzenie ziściło się
w 1577 roku. Królowa Elżbieta powierzyła mu komendę nad
złożoną z pięciu statków (flagowcem był studwudziestotonowy,
osiemnastodziałowy *Pelican*) ściśle tajną ekspedycją. Oficjalnie
celem wyprawy była Aleksandria; w rzeczywistości Drake miał
poprowadzić swą niczego niepodejrzewającą załogę śladami
Magellana, na południowe dno świata, i przedostać się na Ocean
Spokojny. Zadanie otrzymał dwojakie: po pierwsze, zaskoczyć
Hiszpanów z kolonii pacyficznych i łupić, co się da na morzu i lądzie, po drugie – szukać żeglownego szlaku w poprzek Ameryki
Południowej z powrotem na Atlantyk, ale na dogodniejszej szerokości geograficznej. Innymi słowy, chodziło o tę samą niebezpieczną trasę, o której wyczerpany kronikarz Magellana, Pigafetta, napisał, że „nikt już nigdy nie odważy się wyruszyć w taką podróż".

Z pewnością na wczesnych etapach rejsu wyprawę Drake'a
trapiły podobne przeciwności jak jego wielkiego poprzednika. Po
drodze przyłączył wprawdzie do swej flotylli zdobyczny statek
Santa Maria (przemianowany przezeń na *Mary*), lecz po przepły-

*Rzadka dwustronicowa
mapa Roberta Vaughana
z* The World Encompassed
*(1628), pierwszej pełnej relacji
z wokółziemskiego rejsu
Drake'a*

nięciu oceanu musiał zatopić dwa mniejsze, *Christophera* i *Swana*, z powodu braku ludzi. Kiedy eskadra stanęła w argentyńskim Puerto San Julián, gdzie Magellan krwawo rozprawił się z buntownikami, do kapitana dotarła wieść o grożącej także jemu rebelii na pokładzie. Prowodyr, szlachcic Thomas Doughty, został oskarżony o zdradę i uprawianie czarów, osądzony (Drake był w tym procesie prokuratorem i sędzią zarazem) i uznany za winnego. Sędzia i podsądny spożyli razem wieczerzę "tak pogodnie i w trzeźwości, jak to zawsze robili wcześniej", zanotował kapelan okrętowy Francis Fletcher. Potem Doughty'ego ścięto i wyprawa ruszyła dalej.

Mary została porzucona, gdy wyszło na jaw, że jej kadłub jest przegniły. W Cieśninę Magellana wpłynęły już tylko trzy jednostki. (*Pelicana* Drake przechrzcił na *Golden Hind* (Złotą Łanię), być może dla uhonorowania lorda kanclerza Christophera Hattona, który miał łanię w herbie). Przeprawa mocno jednak dała się żeglarzom we znaki: trafili na wyjątkowo sztormową pogodę, w której zatonął *Marigold*, uszkodzona *Elizabeth* zaś musiała zawrócić do Anglii. *Golden Hind* uparcie brnęła jednak naprzód, pięćdziesiąt dwa dni zmagając się z najburzliwszymi wodami na świecie. Kiedy pierwsza angielska wyprawa wypłynęła wreszcie na Pacyfik, był to już tylko jeden statek – w tym wypadku niepozorny rozmiar miał się jednak okazać zaletą.

Drake nie zwlekał z wypełnianiem rozkazów królowej. *Golden Hind* z załogą poniżej stu ludzi pożeglowała wzdłuż wybrzeża na północ, atakując po drodze hiszpańskie porty i kolonie. Opór napotykali słaby, gdyż Hiszpanie byli rozproszeni i kompletnie zaszokowani pojawieniem się angielskiego okrętu na ich wodach. Przy każdym udanym napadzie Drake skrzętnie zbierał wszelkie znalezione mapy regionu, a rosnąca baza danych wywiadowczych ułatwiała mu kolejne zwycięstwa. Port Valparaiso zajął bez większego trudu, a jego łupem padł między innymi duży zapas lokalnego wina. Zbliżając się do brzegów Peru, splądrowali prawie bezbronny statek (na Pacyfiku mało która jednostka hiszpańska była dobrze uzbrojona) wiozący 25 tys. peruwiańskich peso (dziś byłyby warte około 7 mln funtów); cenniejsza okazała się jednak zdobyta informacja, że aktualnie na tym akwenie znajduje się zmierzający do Manili wyładowany skarbami galeon *Nuestra Señora de la Concepción* (przezywany przez marynarzy *Cacafuego*, dosł. ogniem srający). Drake dogonił go szybko, po części dlatego, że hiszpan obciążony był dwudziestoma sześcioma tonami srebra i trzynastoma skrzyniami rozmaitych kosztowności. Przenoszenie łupu do ładowni, a nawet zęz *Golden Hind* zajęło Anglikom bite sześć dni. Z hiszpańskiej załogi nie tylko nikt nie zginął, ale jeszcze każdemu Drake kazał wypłacić po 40 peso gratyfikacji.

Korsarz stanął teraz przed problemem, jak wrócić do Anglii. O przedarciu się przez Przesmyk Panamski nie miał co marzyć; nie chciał też na przeładowanym statku po raz drugi pchać się w paszczę Cieśniny Magellana. (Co było dobrą decyzją, albowiem Hiszpanie wysłali tam eskadrę, żeby go przechwycili). Wybrał wariant zupełnie inny: popłynął najpierw na północ, aż pod dzisiejsze Vancouver, potem zawrócił na południe na cieplejsze wody Kalifornii (którą nazwał Nowym Albionem), gdzie poświęcił miesiąc na przegląd i remont kadłuba i takielunku.

Dnia 23 lipca 1579 roku Drake skierował się na otwarty ocean. Po ponadtrzymiesięcznej względnie spokojnej żegludze dotarł do celu wszystkich wcześniejszych badaczy Pacyfiku: Wysp Korzennych. Zabawił tam krótko, czasu wystarczyło jednak na

Unikatowa mapa Wrighta--Molyneux (jedyna w rękach prywatnych), występująca tylko w kilku egzemplarzach Wypraw morskich… *Richarda Hakluyta, przedstawiająca odkrycia Drake'a. W przeciwieństwie do innych ówczesnych map powstała wyłącznie w oparciu o zweryfikowane informacje; obszary, co do których brakowało danych geograficznych, pozostawiono puste.*

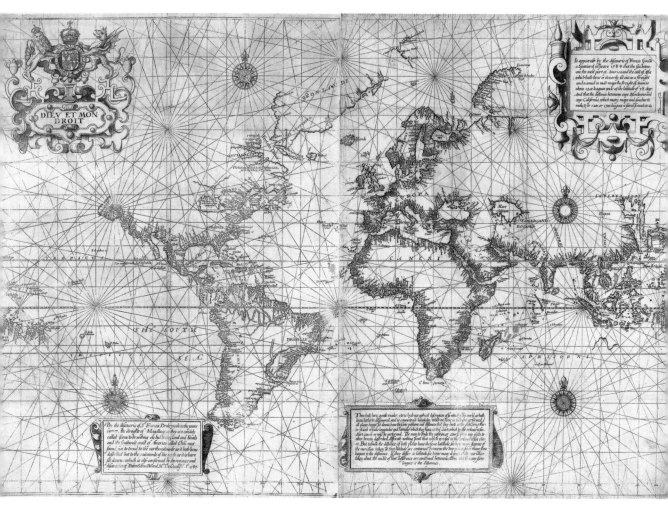

Drake atakuje Cacafuego –
obraz Levinusa Hulsiusa
z 1626 roku

zakup i załadunek 6 ton goździków. Priorytetem był jak naj-
szybszy powrót do domu. Z Moluków *Golden Hind* popłynęła na
zachód, z krótkim postojem na Jawie, urozmaiconym spotkaniami
z pięcioma miejscowymi radżami. 18 czerwca 1580 roku minęła
Przylądek Dobrej Nadziei, „najprzyjemniejszy na całym obwodzie
Ziemi", 22 lipca dotarła do Sierra Leone i ostatecznie zacumowała
w Plymouth 26 września 1580 roku. Z pierwotnej załogi zostało
pięćdziesięciu dziewięciu ludzi. Połowa cennego ładunku nale-
żała się królowej – i był to przychód, który zaćmił wszystkie inne
wpływy tego roku. Elżbieta odwiedziła Drake'a na *Golden Hind*
w kwietniu następnego roku i nadała mu tytuł szlachecki. Notatki
nawigacyjne oraz opisy trasy i spotkań statku z jednostkami przeciwnika, jak również zebrane informacje kartograficzne studiowa-
no w Londynie z pełną fascynacją – jak przystało w wypadku człowieka, który złamał hiszpańską hegemonię na Pacyfiku i w pięk-
nym stylu udowodnił, że nie ma na świecie rejonu niedostępnego
dla Anglii i bezpiecznego od ognistego oddechu jej „Smoka".

1582–1610: MATTEO RICCI I JEZUICCY MISJONARZE W CHINACH

Idźcie więc i nauczajcie wszystkie narody, udzielając im chrztu w imię Ojca i Syna, i Ducha Świętego. Mt 28,19

Po śmierci cesarza Yongle w 1424 roku Chiny na ponad sto trzydzieści lat wyzbyły się wszelkich ambicji odkrywania świata na rzecz polityki izolacjonizmu i skupienia się na sprawach we-

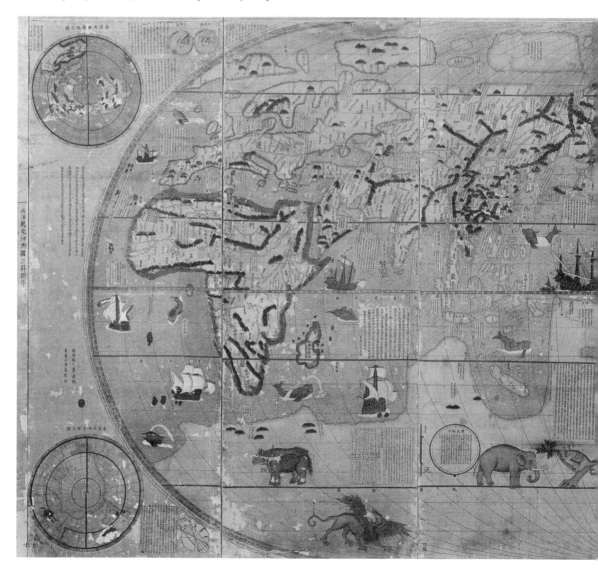

wnętrznych. Chińskie mapy z tego okresu przedstawiają prawie wyłącznie Państwo Środka; przy piętnastu cesarskich prowincjach reszta świata po prostu ginie, ledwie zaznaczona w postaci kilku zamorskich wysp na marginesach. Kupcy europejscy całe dziesięciolecia próbowali tam przeniknąć, ale uniemożliwiała to wroga wobec cudzoziemców postawa Chińczyków. Zwrot nastąpił dopiero w 1557 roku, kiedy Portugalczykom udało się założyć faktorię w Makau, u ujścia Rzeki Perłowej do Morza Południowochińskiego. Ten prężny ośrodek handlowy miał się też stać bazą dla odmiennego rodzaju przybyszów z Europy: misjonarzy jezuickich, wysyłanych przez Kościół katolicki, aby nieśli słowo Boże taoistyczno-konfucjańsko-buddyjskim gospodarzom.

Koreańska kopia Mapy niezliczonych krajów świata *Mattea Ricciego, zwana też „Niemożliwym czarnym tulipanem kartografii". Świat ukazany jest na niej zgodnie ze stanem wiedzy z początku XVII wieku, z centralnie położonym „Królestwem Środka", czyli Chinami.*

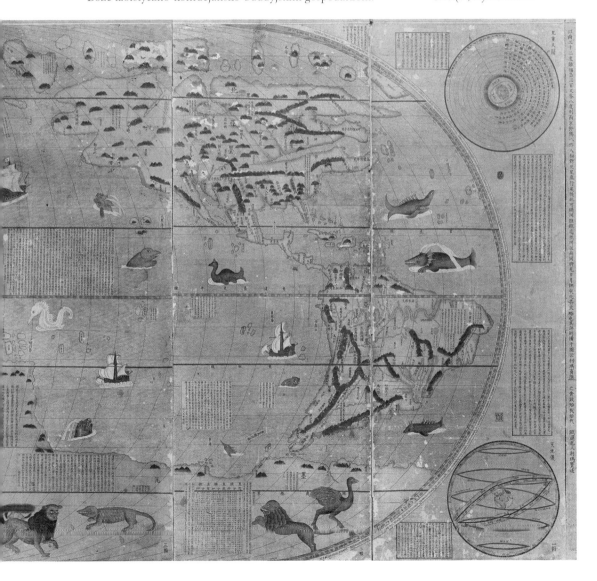

Mapa Chin autorstwa Cornelisa
de Jode (1593) z narożnymi
winietami ilustrującymi
europejskie wyobrażenia
o życiu codziennym na
tajemniczym Wschodzie
(w prawym dolnym rogu
żeglowanie jachtami lądowymi)

Najwybitniejszym z tych wędrownych uczonych w Piśmie
był Matteo Ricci, który na ochotnika zgłosił się do misji daleko-
wschodniej, zainspirowany sukcesami współzałożyciela zakonu
Franciszka Ksawerego (Francisca de Jasa y Azpilicueta). Ojciec
Ksawery skutecznie zasiał ziarno wiary w tysiącach dusz na
całym świecie, nigdy jednak nie zdołał odwiedzić Państwa
Środka. Ricci, zdolny matematyk i kartograf, przybył do Makau
w 1582 roku, zdecydowany przełamać antycudzoziemski mur
wokół miasta portowego. Poświęcił się studiom nad językiem
i kulturą Chin i wkrótce jako jeden z pierwszych Europejczyków opanował chiński w mowie i piśmie. Wraz z innym jezuitą,
Michelem Ruggierim, przemierzył prowincję Guangdong, za-
trzymując się najpierw w Kantonie, potem w Zhaoqing, gdzie
na zaproszenie gubernatora Wang Pana się osiedlili.

P.MAT THEVS RICCIVS MACERATENSIS QVI PRIMVS F SOCIETAE
IESV EVANGELIVM IN SINAS INVEXIT OBH V L LVTIS
1610 ÆTATIS 60

Matteo Ricci (1610)

Praca misjonarska była delikatną operacją dyplomatyczną.
Jawne nawracanie i krzewienie zachodniej wiedzy sprzecznej
z chińskim postrzeganiem świata mogły zostać przyjęte jako
zniewaga – czego konsekwencje byłyby śmiertelnie niebezpieczne. Ricci działał inteligentnie; zręcznie podsycał zainteresowanie audytorium, demonstrując zachodnie ciekawostki w rodzaju
zegarów mechanicznych, obrazów olejnych czy pięknie opraw-
nych ksiąg. Aby pielęgnować wymianę kulturalną, przełożył na
chiński *Elementy* Euklidesa, opracował transkrypcję chińskich
słów w oparciu o alfabet łaciński i wspólne metody mnemotech-
niczne; najskuteczniejszym bodaj jego narzędziem była jednak
kartografia.

Mapa niezliczonych krajów świata (por. s. 108–109), czasem
nazywana „Niemożliwym czarnym tulipanem kartografii", to
ogromna mapa świata sporządzona przez Ricciego i jego miejscowych współpracowników, mandaryna Zhonga Wentao oraz
matematyka i astronoma Li Zhizao, z wykorzystaniem zarówno
zachodnich, jak i wschodnich źródeł, aby stworzyć wizualną

fuzję współczesnego stanu wiedzy. Dziś, nabyta w 2010 roku za milion dolarów, stanowi własność Biblioteki Kongresu USA.

Wyryta na sześciu dużych blokach drewnianych, dających łączne wymiary 1,52 na 3,66 m, została zaprojektowana do ustawiania na sześciu pionowych stelażach, aby olśnić widza chwałą dzieła Stwórcy. Pokrywają ją komentarze jezuity w języku chińskim. Tuż na południe od zwrotnika Koziorożca zapisał, że „przepełnia mnie podziw dla wielkiego cesarstwa Chin", w którym traktowano go „z przyjazną gościnnością daleko ponad moje zasługi". W innym miejscu zapewnia, że „Królestwo Środka słynie z wielkości swej cywilizacji". Takimi komplementami osładzał szok przemiany w chińskim rozumieniu geografii, albowiem przedstawiony przezeń świat „barbarzyński" był o wiele większy, niż dotychczas to sobie tam wyobrażano. Brak też na jego mapie

Pierwsza drukowana mapa Chin z opisami angielskimi i pierwsza uwzględniająca w druku prace Mattea Ricciego, autorstwa Samuela Purchasa (1625). Czarny pas w lewym górnym rogu oznacza pustynię Gobi; poniżej Wielki Mur Chiński.

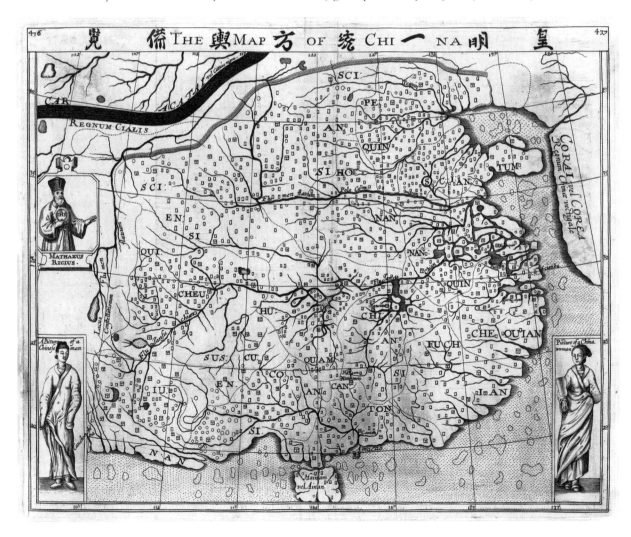

Typowo dekoracyjna mapa Azji Vincenza Coronellego, poświęcona pracy eksploracyjnej misjonarzy

artystyczno-mitologicznych upiększeń, typowych dla ówczesnej kartografii europejskiej. Próżno by na niej szukać chociażby hipotetycznej Terra Australis – mapa była bowiem pomyślana jako instrument czysto naukowy, mający z szacunkiem dla adresatów zapoznać ich ze znanymi faktami z geografii świata. Autor wprowadził ponadto inne elementy zachodniej wiedzy: w adnotacjach przedstawia koncepcję południków i równoleżników, wykazuje, że Słońce jest większe od Księżyca, i przedstawia mapkę długości dnia i nocy. W jego własnej opinii *Mapa niezliczonych krajów świata* była „najużyteczniejszym dziełem ze wszystkich, jakie powstały, aby nakłonić Chiny do uznania wiarygodności naszej świętej religii".

Ricci dziewięć lat – do końca życia – niestrudzenie podróżował po Państwie Środka, zapoznając gospodarzy ze zdobyczami zachodniej matematyki, astronomii i geodezji, co w końcu dało mu wyjątkowy przywilej: został pierwszym Europejczykiem zaproszonym do Zakazanego Miasta, cesarskiego kompleksu pałacowego w centrum Pekinu. Jeszcze ponad sto lat po jego śmierci jezuiccy podróżnicy i uczeni byli w Chinach mile widziani.

1594–1611: WILLEM BARENTS, HENRY HUDSON I POSZUKIWANIA PRZEJŚCIA ARKTYCZNEGO

Ta ziemia może przynieść zyski tym,
którzy zechcą się z nią zmierzyć. HENRY HUDSON

Podczas gdy katolickich zakonników przyciągał do Azji potencjał misyjny tego kontynentu, kupcy po staremu kierowali się chęcią zysku. Europejska obsesja dobrania się do zasobów Orientu – która po części popchnęła Drake'a na drugą stronę Ameryki Południowej, by tam nękać Hiszpanów – miała też inny wektor: północny. Żeglowny szlak z Atlantyku na Pacyfik był tylko hipotetyczny, lecz wiara w jego istnienie trwała niezachwianie – ewentualne korzyści finansowe i polityczne, jakie przyniósłby odkrywcom, byłyby tak wielkie, że po prostu „musiał" gdzieś tam być. To przekonanie wzmacniały ówczesne błędne założenia: że zbiornik wodny o dużej głębokości i energii nie może zamarzać; że północne słońce na szczycie świata świeci tak intensywnie, iż za zewnętrznym pierścieniem lodu musi czekać na żeglarzy morze od niego wolne. Kartografowie chwytali się każdej pogłoski i legendy, żeby przedstawiać takie transkontynentalne przejście w różnych naukowo nieuzasadnionych formach, jak „Cieśnina Anian" czy „Wielkie Morze Zachodnie". Największe postacie w historii europejskich odkryć zdobywały sławę, penetrując morza Arktyki w nadziei, że w końcu któraś zatoka czy cieśnina okaże się upragnionym kanałem prowadzącym na lśniące wody Oceanu Spokojnego.

Pierwszą poważną ekspedycję w poszukiwaniu Przejścia Północno-Zachodniego poprowadził w czerwcu 1576 roku sir Martin Frobisher. Sponsorowało ją konsorcjum handlowe Kompania Moskiewska, projekt zatwierdziła zaś sama królowa Elżbieta I. Kiedy w pierwszym rejsie kapitan wpłynął na zatokę (nazwaną później jego imieniem) w dzisiejszym kanadyjskim regionie Nunavut, naprzeciwko zachodniego wybrzeża Grenlandii, sprawy przybrały dziwny obrót. Znalezioną tam bryłę czarnej substancji „wielkości bochenka za półpensa" badało potem w Londynie czterech specjalistów. Trzech uznało ją za bezwartościową, czwarty jednak stwierdził, że próbka jest bogata w złoto. To zapewniło zielone światło kolejnej, większej wyprawie, dla której ważniejsza była eksploatacja owej złotonośnej ziemi niż poszukiwanie drogi na Pacyfik. Frobisher triumfalnie powrócił z ładunkiem dwustu ton minerału, popłynął tam jeszcze raz i przywiózł drugie tyle. Ostatecznie towar okazał się praktycznie bezwartościowym pirytem (nadsiarczkiem żelaza).

W 1596 roku holenderski żeglarz Willem Barents (hol. Barentsz) miał już za sobą dwie nieudane ekspedycje, podczas których próbował znaleźć Przejście Północno-Wschodnie (wzdłuż północnego wybrzeża Syberii). W pierwszej dotarł aż do archipelagu Nowej Ziemi, lecz napór gór lodowych oraz atak niedź-

NA SĄSIEDNIEJ STRONIE: *Arktyka według Merkatora – pierwsza mapa tego regionu (1569), która przedstawiała biegun północny. Powstała przed jakimikolwiek badaniami, oparta głównie na domysłach i mitologii. Pośrodku widnieje „Rupes nigra et altissima", mityczna czarna góra magnetyczna na szczycie świata, której istnieniem tłumaczono działanie kompasu.*

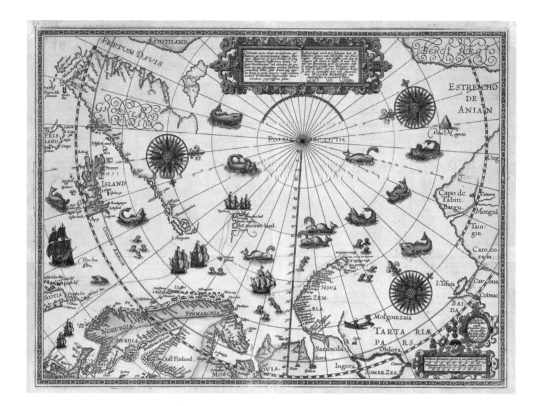

wiedzia polarnego (marynarze wdali się z nim w pojedynek na
pokładzie, chcąc zabrać zwierzę do domu jako trofeum) zmusił
go do zawrócenia do Niderlandów. W drugim rejsie powtórzył
wyczyn i choć białe niedźwiedzie znów dawały się załodze
we znaki (dwóch ludzi zginęło), udało mu się wpłynąć przez
Karskie Wrota na Morze Karskie. Niestety, okazało się solidnie
zamarznięte i wyprawę trzeba było przerwać.

Trzecia próba zakończyła się jednym z największych do-
konań w historii eksploracji Arktyki. W drodze na północ
żeglarze odkryli Wyspę Niedźwiedzią, a później Spitsbergen.
Mieli zamiar przedostać się na wschód od Nowej Ziemi, lecz
tym razem Barents chciał opłynąć archipelag od północy. Plan
się nie powiódł – statek uwiązł w lodach i uległ rozbiciu. Szes-
nastoosobowa załoga zmuszona była go opuścić i przeczekać
zimę. Było to pierwsze udokumentowane zimowanie arktyczne.
Z pozyskanego z wraku drewna Holendrzy zbudowali chatę,
którą nazwali Het Behouden Huys (dom ocalony). W usta-
wicznej ciemności nocy polarnej, przy średnich temperaturach
rzędu -30°C, ratowali się prowizorycznymi metodami w rodzaju
ogrzewania posłań prażonymi w ogniu kulami armatnimi. Do
czerwca skończyły się im zapasy i trzeba było podjąć desperacką

*Przełomowa mapa Arktyki
Willema Barentsa z 1598 roku,
sporządzona na podstawie jego
obserwacji z podróży zakończonej
dwa lata wcześniej. Zaznaczone
są nowo odkryte Bjørnøya (Wyspa
Niedźwiedzia) i Spitsbergen.*

próbę dotarcia dwiema szalupami na Półwysep Kolski. Po siedmiu dniach Barents zmarł, lecz pozostali – trzynastu osłabionych szkorbutem rozbitków – przeżyli ten dramatyczny rejs przez 2400 km, uratował ich statek rosyjski.

Podobną determinacją wykazał się Henry Hudson, angielski odkrywca, o którym pierwsze zapiski pojawiły się w 1607 roku, kiedy z ramienia Kompanii Moskiewskiej wyruszył na północną wyprawę do Azji. Zamiar był śmiały: kurs wytyczono wprost przez biegun północny, o którym wówczas sądzono, że znajduje się na niezamarzniętym morzu. Ekspedycja dotarła aż na Spitsbergen, osiągając (według własnych obliczeń) równoleżnik 80°N, co stanowiło nowy rekord. Dalszą drogę na północ zagrodził stały lód i żeglarze musieli zawrócić, jednak rok później Kompania Moskiewska wysłała Hudsona w nowy rejs, tym razem wzdłuż północnego wybrzeża Rosji. Podobnie jak wcześniej Barents, kapitan dopłynął do Nowej Ziemi, lecz i tam lody zmusiły go do odwrotu.

Żeglarze holenderscy z ekspedycji Barentsa odpędzają zbliżającego się niedźwiedzia. Na drugim planie dwa inne misie dobierają się do moczonego w wodzie mięsa (rysunek z dziennika Gerrita de Veera pod datą 15.09.1596).

Na kolejną wyprawę Hudson wyruszył w 1609 roku w służbie głównego rywala Anglii, holenderskiej Kompanii Wschodnioindyjskiej, z tym samym zadaniem: znaleźć Przejście Północno-Wschodnie. Już na Morzu Barentsa napotkał pokrywę lodową i po raz trzeci przyszło mu wracać z kwitkiem. Najwyraźniej miał tego dosyć, bo zamiast popłynąć do portu wyjścia, zdecydował się na improwizację i skierował na zachód, by szukać drogi przez kontynent północnoamerykański. Po dotarciu do Nowej Fundlandii z powodu uszkodzeń kadłuba musiał obrać kurs południowy. Miesiąc później jego statek wpłynął na Zatokę Nowojorską i dalej w górę rzeki – nazwanej później imieniem kapitana – aż po dzisiejsze Albany, licząc, że może to być upragniony szlak na drugą stronę Ameryki. Tamtejsze ziemie Hudson objął w posiadanie na rzecz Niderlandów, co później umożliwiło Holendrom założenie faktorii handlowej na wyspie Manhattan, która w dziesięć lat miała się rozrosnąć w osadę Nowy Amsterdam – dziś znaną jako Nowy Jork.

Pracą dla konkurencji Hudson naraził się władzom angielskim (dziennik wyprawy musiał przemycić do ambasady nider-

landzkiej), nie na tyle jednak, by w uznaniu jego doświadczenia
nie dano mu odkupić winy przez poprowadzenie w 1610 roku
czwartej ekspedycji, znów pod auspicjami Londynu. Optymi-
stycznie nazwana *Discovery* (Odkrycie) jednostka pomocnicza
o długości zaledwie 12 m i wyporności 20 t okrążyła południowy
kraniec Grenlandii i weszła w odkrytą przez Frobishera „Cieśninę Pomyłki" (sir Martin czuł bowiem, że Przejścia Północno
-Zachodniego tam nie znajdzie; dziś nosi ona miano Hudsona).
Z wielką ekscytacją wpłynięto na bezkresną, zdawałoby się, Zatokę Hudsona na północno-wschodnim wybrzeżu Kanady. Je-
sień minęła żeglarzom na mapowaniu jej wschodnich brzegów,
dali się jednak zaskoczyć zimie: w listopadzie *Discovery* uwiązł
w lodach na Zatoce Jamesa i załoga była zmuszona szukać
schronienia na lądzie. Z nadejściem wiosny 1611 roku kapitan
nakazał powrót na pokład i kontynuację misji poszukiwawczej.

Mapa Dalekiej Północy
z 1601 roku, pochodząca
z dziennika jednego
z uczestników, Jana Huyghena
van Linschotena, uwzględniająca
odkrycia wyprawy Barentsa

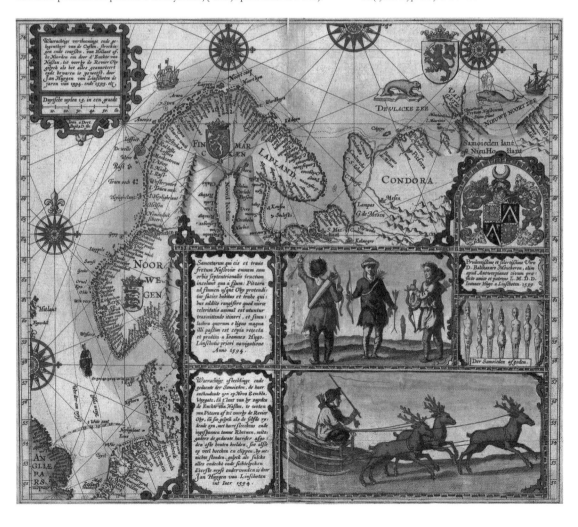

Przy całym entuzjazmie i doświadczeniu żeglarskim zabrakło mu jednak umiejętności odczytywania nastrojów. Nękani przez szkorbut i odmrożenia, przerażeni perspektywą dalszych wielomiesięcznych zmagań z tym zamarzniętym piekłem marynarze wszczęli bunt, przejęli statek, Hudsona zaś wraz z synem Johnem i siedmioma lojalnymi załogantami wsadzili do szalupy i pozostawili na pastwę losu. *Discovery* dotarł do Anglii, gdzie buntowników wprawdzie aresztowano, lecz – być może z powodu posiadanej cennej wiedzy – nie ponieśli żadnej kary. Henry'ego Hudsona i jego grupy nikt już więcej nie zobaczył.

Poli Arctici *Jana Janssona, uaktualniona przez Fredericka de Wita, ukazująca postęp w mapowaniu regionu polarnego (ok. 1715)*

1595–1617: SIR WALTER RALEIGH I EL DORADO

Ktokolwiek bowiem panuje na morzu, ten i nad handlem panuje; kto handel kontroluje, otworem stoją przed nim bogactwa świata, a przez to i sam świat. WALTER RALEIGH

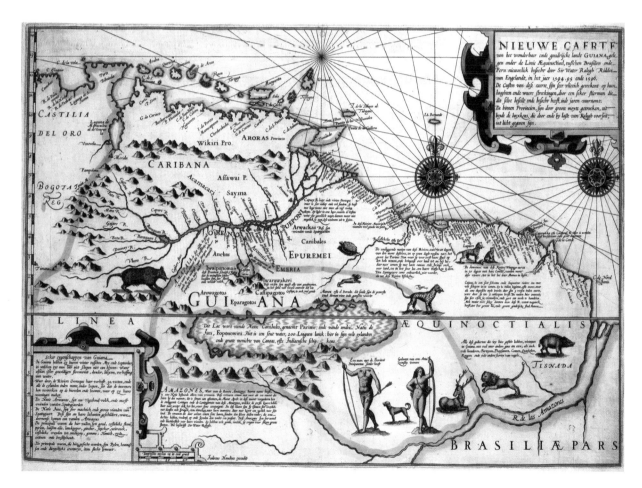

Mapa regionu zwanego dziś Gujaną Francuską autorstwa Hondiusa (1598). Pośrodku mityczne jezioro Parime – nad nim miało leżeć zaginione miasto Manoa, inaczej El Dorado, którego tak usilnie poszukiwał sir Walter Raleigh. Poniżej równie fantastyczne wizerunki „Blemmjów" (bezgłowych ludzi) oraz Amazonek

Z pogłoskami, szczególnie tymi z gatunku geograficznych, kłopot jest taki, że mają dużą zdolność przetrwania. Na przykład XII-wieczna legenda o Księdzu Janie, wspomniana tu wcześniej w kontekście pierwszych wypraw portugalskich (por. s. 48–51), opowiadała o bajecznie bogatym nestoriańskim władcy; niezmierne zasoby czyniłyby go cennym sprzymierzeńcem krzyżowców, podówczas (1144) wstrząśniętych utratą hrabstwa Edessy na rzecz Saracenów. Gdzie jednak miało leżeć owo królestwo? Kronikarz Otton, biskup Fryzyngi, lokował je „na dalekim wschodzie, za Persją i Armenią", nigdy jednak nie natrafiono tam na żadne oznaki jego istnienia. Poszukiwania „zagubionego" króla-kapłana ekscytowały Europę jeszcze przez pięćset lat. W XIII wieku brano pod uwagę Mongolię, dopóki nie upadło tamtejsze imperium. Potem uwagę skupiono na Afryce, ze wskazaniem na Etiopię (tak uważał Ortelius, który w 1573 roku przedstawił to mityczne królestwo na mapie zatytułowanej *Opisanie cesarstwa Księdza Jana albo Abisyńczyków*).

Jednakże najbardziej nieuchwytną z legendarnych krain było El Dorado. W języku hiszpańskim oznacza to „Pozłacany" i wywodzi się z indiańskiej ceremonii koronacyjnej, podczas której nowy władca obsypywał się złotym pyłem i przeobrażał w żywy posąg, a złoto i klejnoty w dużej ilości wrzucano do jeziora dla przebłagania wodnego demona. Konkwistadorzy zasłyszeli o niej w Ekwadorze w 1535 roku. Zwyczaj ów zanikł jeszcze przed ich przybyciem, historia jednak nadal krążyła, i to tak często, że w końcu nazwę zaczęto łączyć nie z pojedynczą osobą, lecz z całym złotym miastem, utopią umiejscawianą gdzieś w Andach, na wenezuelskich *llanos* (równinach), w dżungli amazońskiej bądź w tajemniczym kraju „Gujana" za wschodnimi kresami Peru.

Mało kogo drożej kosztowało uganianie się za plotką niż sir Waltera Raleigh, angielskiego szlachcica, faworyta królowej Elżbiety I. O micie miasta ze złota dowiedział się z hiszpańskiego listu przechwyconego przez osadnika George'a Pophama. Autor połączył El Dorado z nie mniej legendarnym „złotym miastem Manoa", położonym jakoby nad – również nieistniejącym – „jeziorem Parime" i tylko czekającym, żeby ktoś je odkrył. Zachęcony taką perspektywą sir Walter 6 lutego 1595 roku wypłynął z Plymouth i 22 marca dotarł pod Trynidad. Bez trudu zdobył hiszpańskie miasto San José de Oruña i wziął do niewoli gubernatora Antonia de Berrio; dla ratowania własnej skóry dygnitarz podał się za eksperta od żeglugi po Orinoko.

Zabrawszy go jako pilota, Raleigh popłynął w górę tej krętej wenezuelskiej rzeki, jednej z najdłuższych w Ameryce Połu-

Tam Marti,   Quam Mercurio.

The true and lively Portraiture of the Ho.ble and learned Knight S.r Walter-Ralegh.

Sir Walter Raleigh (1650)

dniowej. Skutek był do przewidzenia: Anglicy zabłądzili i musieli wrócić na wybrzeże, a potem do Anglii, gdzie zjawili się 5 września, nie mając się czym pochwalić.

Raleigh próbował osłodzić porażkę, publikując jeszcze przed końcem roku mocno przesadzoną relację z wyprawy, *The Discovery of Guiana* [Odkrycie Gujany], która jednak spotkała się ze słusznym sceptycyzmem i do dziś pozostaje barwnym przykładem rozprzestrzeniania mitu. Fiasko ekspedycji nie zachwiało wiarą autora w istnienie złotego miasta. W swym dzienniku zapisał: „Zapewniali mnie Hiszpanie, co widzieli Manoa, cesarskie miasto Gujany, zwane przez nich El Dorado, że wspaniałością, bogactwem i doskonałym położeniem przewyższa wszelkie inne miasta świata – w każdym razie te, które znane są ich nacji".

Zanim jednak zdążył pomyśleć o nowej wyprawie, pojawiły się kłopoty. Po śmierci Elżbiety I w 1603 roku jej następca Jakub I Stuart kazał go aresztować za domniemany udział w tzw. Spisku Głównym (Main Plot) przeciwko nowemu monarsze. Sąd uznał go za winnego, lecz król darował mu życie, zamieniając karę na trzynaście lat więzienia w Tower. Sir Walter odsiedział prawie

Walter Raleigh spotyka tubylców w Gujanie (rysunek Theodora de Bry, 1599)

cały wyrok, nim w 1616 roku doczekał się ułaskawienia. Skarbiec świecił wówczas pustkami i król bardzo potrzebował zastrzyku gotówki; przypomniał sobie widać o „górze złota", jaką Raleigh rzekomo ujrzał z daleka podczas pierwszej podróży, zwolnił go z ciemnicy i powierzył mu dowództwo kolejnej ekspedycji poszukiwawczej.

Nad wyprawą od początku ciążyło fatum. Kaprysy pogody rozproszyły liczącą dziesięć jednostek flotyllę, a po dopłynięciu do Wenezueli w listopadzie 1617 roku część załogi, w tym samego kapitana, zmogła ostra choroba. Podczas jego niedyspozycji oddany przyjaciel i zastępca Lawrence Keymis poprowadził wypad w głąb lądu, na który zabrał syna i imiennika sir Waltera. Oddział trzy tygodnie płynął w górę Orinoko i zapuścił się na jej prawy dopływ, Caroni. Dnia 12 stycznia 1618 roku Anglicy zaatakowali hiszpańską osadę San Thomé, przekonani, że znajdą tam kopalnię złota. Po krwawym szturmie fort został zdobyty, skarbu nie znaleziono, a Keymis z przerażeniem stwierdził, że w boju poległ młody Raleigh.

Oddziałek wrócił na Trynidad, wioząc dowódcy wyprawy hiobową wieść. Sir Walter, zdruzgotany śmiercią syna i rozjuszony tak zuchwałym naruszeniem jego rozkazu, by nie wdawać się w utarczki z Hiszpanami (król Jakub wyraźnie postawił taki warunek, aby utrzymać kruchy powojenny pokój), odmówił Keymisowi przebaczenia, ten zaś popełnił samobójstwo.

Po powrocie do Anglii 21 lipca 1618 roku Raleigh został ponownie aresztowany i ponad trzy miesiące później (na żądanie ambasadora Hiszpanii) stracony na dziedzińcu Pałacu Westminsterskiego za zdradę stanu. Opinia publiczna, wciąż nastawiona antyhiszpańsko, uznała go jednak za bohatera.

„Ditchleyowski" portret królowej Elżbiety I (ok. 1592)

1606–1629: HOLENDERSKA KOMPANIA WSCHODNIOINDYJSKA I EUROPEJSKIE ODKRYCIE AUSTRALII

*W jedności rzeczy małe
na wielkie wyrastają.*

MOTTO HOLENDERSKIEJ
KOMPANII WSCHODNIOINDYJSKIEJ

Jedną z najpiękniejszych map kiedykolwiek wydanych jest bez wątpienia prezentacja Niderlandów – dzisiejszego Beneluksu – chronionych przez majestatycznego *leo belgicus* (lwa belgijskiego) autorstwa Claesa Janszoona Visschera; tu w rzadko przedstawianej postawie siedzącej. Kartograf Michael Eytzinger wpadł na ten pomysł w 1583 roku, kiedy kraj toczył z Hiszpanią wieloletnią (1568–1648) wojnę o niepodległość: wykorzystując heraldyczne godło Holandii, stworzył wizualny slogan patriotyczny.

Dumny i piękny lew Visschera świetnie sprawdziłby się w roli stróża bramy do historii wczesnych europejskich kontaktów z Australią – powstał bowiem w czasie, kiedy światowy handel zdominowała Holenderska Kompania Wschodnioindyjska (VOC), założona w 1602 roku w celu uregulowania żeglugi niderlandzkiej, wtedy już utrzymującej częste połączenia z Orientem. Nie da się przecenić rozmiaru, potęgi i bogactwa tej spółki, która szybko rozwinęła się w pierwszą ponadnarodową korporację, pierwsza na

POWYŻEJ: *Potężna spółka VOC biła własną monetę w brązie, srebrze i złocie do użytku na swoich terytoriach dalekowschodnich.*

PO PRAWEJ: *Siedzący* leo belgicus *(1611) holenderskiego kartografa Claesa Janszoona Visschera. Znane są tylko dwa egzemplarze tej mapy, jednej z najrzadszych i najpiękniejszych z XVII wieku.*

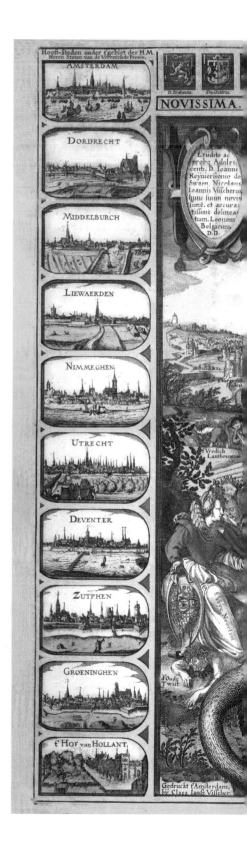

świecie wyemitowała akcje i do dzisiaj jest najwyżej wycenioną firmą w dziejach światowego biznesu. Poprzez agresywny monopol na działalność handlową i kolonizacyjną w Azji, podsycany drapieżną zachłannością, VOC wybiła się na pozycję równą królestwom: emitowała własną walutę, mogła wypowiadać wojnę i kolonizować nowe ziemie. Ponieważ pod jej banderą pływali jedni z największych odkrywców w historii, a istotną grupę na liście płac stanowili kartografowie, dokonywane pod jej auspicjami odkrycia dały solidną podstawę do europejskiego rozumienia geografii Azji i innych regionów. W latach 1602–1796 prawie milion ludzi przewinęło się przez pokłady statków VOC na jej sekretnych szlakach korzennych do Indii, a import towarów azjatyckich osiągnął 2,5 mln ton. (Dla porównania: jej największa rywalka, Brytyjska Kompania Wschodnioindyjska, mogła się pochwalić tylko jedną piątą tej wartości).

Jednym z katalizatorów tej hossy stał się w 1611 roku holenderski żeglarz Hendrik Brouwer, który na nowo opracował trasę na Wschód. Rejsy starym szlakiem portugalskim były uciążliwe i niebezpieczne – u Przylądka Dobrej Nadziei trzeba było się zmagać ze sztormami i nieprzewidywalnością układów barycznych w tropiku, potem przedzierać się przez zdradliwe rafy Zatoki Bengalskiej, a na dobitkę zawsze można było się natknąć na wrogie jednostki portugalskie i angielskie. Podróż trwała zazwyczaj około roku lub więcej. Droga wytyczona przez Brouwera pozwoliła skrócić ten czas o połowę dzięki zmyślnemu wykorzystaniu „ryczących czterdziestek" – pasa stałych silnych wiatrów zachodnich między równoleżnikami 40°S i 50°S. Złożona z trzech statków flotylla VOC pod jego dowództwem jak na skrzydłach pokonała południowy Ocean Indyjski, a potem skręciła na północ i z Prądem Zachodnioaustralijskim sprawnie dotarła na Jawę. Ta szybka i zdrowsza (w chłodnym klimacie na południu łatwiej było przechowywać żywność) trasa szybko zaczęła obowiązywać wszystkich nawigatorów kompanii.

Jednego z najdonioślejszych odkryć dokonał nieświadomie inny z kapitanów VOC, Willem Janszoon. Zawdzięczamy mu pierwsze udokumentowane zaobserwowanie Australii. Dowodząc niewielkim żaglowcem *Duyfken* (Gołąbek), 18 listopada 1605 roku wypłynął z Bantamu na Jawie z rozkazem zbadania wybrzeży Nowej Gwinei. Oryginalny dziennik rejsu wprawdzie zaginął, ale zachowały się kopie map, na których zaznaczone są pierwsze odcinki linii brzegowej kontynentu australijskiego. Janszoon przeoczył jednak Cieśninę Torresa i kiedy wpłynął na zatokę Karpentaria, uznał, że tamtejsze ziemie (zachodni brzeg

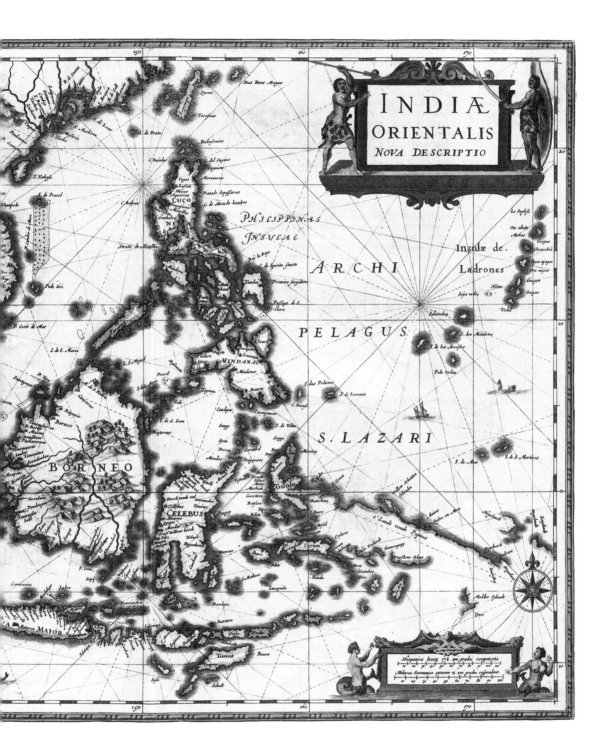

Mapa Indii Wschodnich Indiae orientalis
nova descriptio *Jana Janssona, pierwsze
wydanie ok. 1630 roku. W lewym dolnym rogu
widać „Duyfkens Eyland" – najwcześniejsze
przedstawienie Australii na mapie drukowanej.*

półwyspu Jork w stanie Queensland) są przedłużeniem Nowej Gwinei. Czystym przypadkiem zaledwie siedem miesięcy później hiszpański żeglarz Luis Váez de Torres miał przepłynąć całą tę cieśninę, nazwaną później jego imieniem, i również nawet nie podejrzewał, że kilka mil za horyzontem leży niezbadany kontynent.

Lądowanie Janszoona u ujścia rzeki Pennefather na półwyspie Jork było pierwszym odnotowanym śladem bytności Europejczyków na Terra Australis. Dla kapitana nie było to jednak szczególnie przyjemne odkrycie. Ląd był bagnisty, a krajowcy przywitali ich wrogo – w ciągu całej wyprawy w potyczkach z nimi zginęło dziesięciu członków załogi. W punkcie nazwanym później przylądkiem Keerweer (po holendersku Zwrot) Janszoon zdecydował się przerwać misję i zawrócić do Bantamu, dokąd dotarł w czerwcu 1606 roku, przywożąc opis lądu, który ochrzcił Nieuw-Zeeland, od holenderskiej prowincji Zelandia. (Oczywiście nazwa ta się nie przyjęła; dopiero Abel Tasman wykorzystał ją potem dla zupełnie innego kraju).

Zarząd VOC skrupulatnie odnotowywał wszystkie nowe odkrycia i dane nawigacyjne w swych prywatnych atlasach *Zee-fakkel* (Morska Pochodnia), trzymał je jednak w tajemnicy, pilnie strzegąc przed kradzieżą i przeciekami, i przez blisko sto pięćdziesiąt lat ugruntowywał holenderską hegemonię w handlu korzennym. Kartografowie mieli ścisły zakaz ujawniania tego rodzaju informacji; wiele lat musiało upłynąć, zanim odkrycia Janszoona pojawiły się na mapach.

Zaskakującym przypadkiem rozdarcia tej zasłony milczenia była mapa Indii Wschodnich, wydana pierwszy raz w 1630 roku przez holenderskiego kartografa Jana Janssona, który jakimś sposobem zdobył dane z podróży *Duyfkena* i włączył je do publikacji, zaznaczając na południe od Nowej Gwinei ląd, który nazwał Duyfkens Eyland. Zatriumfował tym samym nad swoim rywalem Willemem Blaeu, który jako pracownik VOC związany był klauzulą tajności i nie mógł publikować opracowywanych przez siebie map. Wraz z mapami z *Duyfkena* i mapą Pacyfiku Hessela Gerritsza to dzieło Janszoona stanowi pierwszy kartograficzny opis Australii.

NA SĄSIEDNIEJ STRONIE: *Pierwsza drukowana mapa części Australii w wykonaniu Cornelisa de Jode. Dolny segment przedstawia terytorium dzisiejszego stanu Queensland z syrenami rodzaju męskiego, potworami morskimi, smokami i lwami. Jest unikatowa także dlatego, że Nową Gwineę ukazuje jako samodzielną wyspę – późniejsi kartografowie zaczęli ją łączyć z Australią.*

NA NASTĘPNYCH STRONACH: Nova totius terrarum orbis… tabula *(1607), wspaniała mapa świata Willema Blaeu, oficjalnego kartografa VOC, uwzględniająca dane z najświeższych odkryć kompanii*

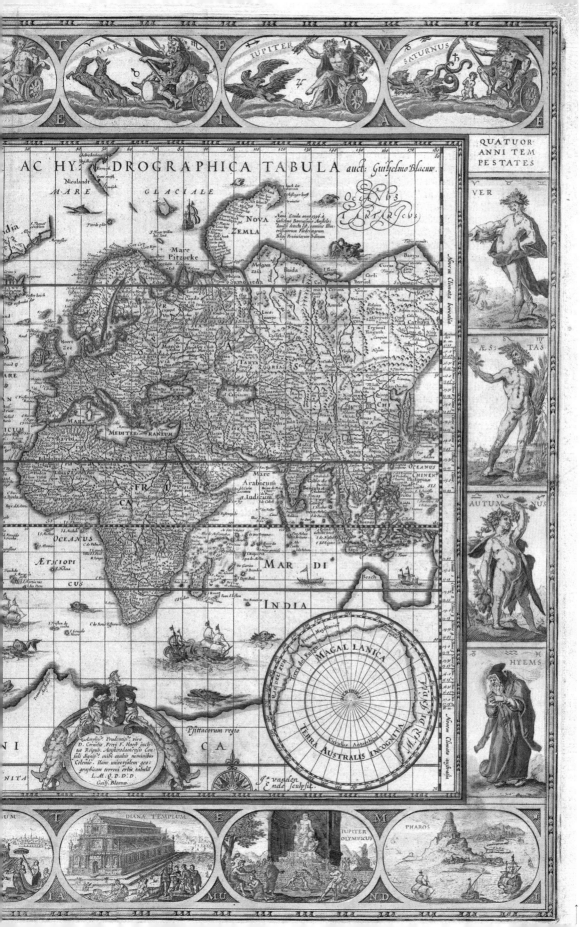

1642–1644: ABEL TASMAN ODKRYWA NOWĄ ZELANDIĘ

Dziś po południu około czwartej (...) ujrzeliśmy pierwszy ląd na Morzu Południowym (...) wysoki bardzo (...) i nieznany żadnej nacji europejskiej. ZAPIS W DZIENNIKU ABLA TASMANA Z 24.11.1642

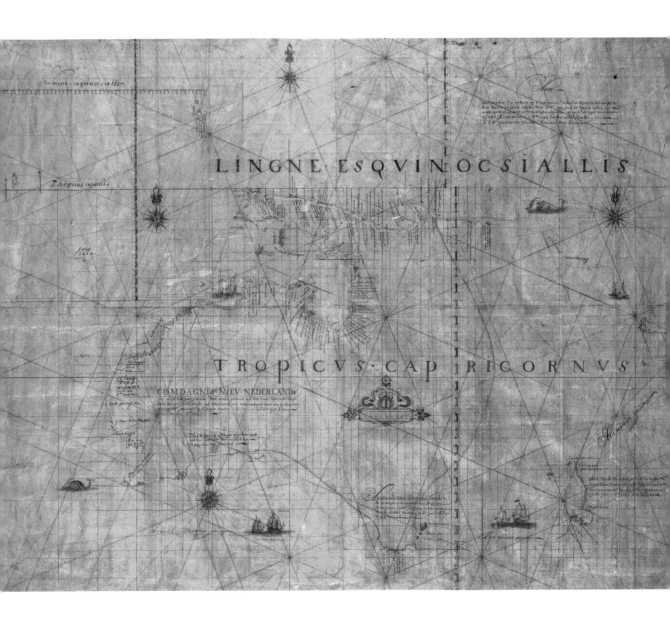

W połowie XVII wieku Holenderska Kompania Wschodnioindyjska była niekwestionowanym monopolistą w handlu z całym
Orientem, działającym w oparciu o sieć faktorii gęsto rozsianych
od Iranu po Japonię i chronionym przez silną marynarkę wojenną.
Doktryna ciągłej ekspansji od początku stanowiła jądro statutu
spółki, ale prawdziwą eksplozję wypraw badawczych odnotowano
w latach 1636–1645, za kadencji gubernatora Anthoniego van Diemena. Ośrodkiem tych operacji stała się Batawia (obecnie Dżakar-
ta), założona w 1611 roku i pełniąca funkcję stolicy imperium VOC.

Van Diemenowi szczególnie zależało na odnalezieniu dwóch
wysp, o których pierwsze doniesienia pojawiły się w 1584 roku.
Pewien hiszpański żeglarz rozgłosił wtedy zasłyszaną na Wschodzie
pogłoskę o Portugalczyku i Ormianinie, których statek został znie-
siony daleko od kursu i trafił na parę obfitujących w kruszce wysp
znanych wówczas Japończykom. Nadano im kuszące nazwy Rica
de Plata (Bogata w srebro) i Rica de Oro (Bogata w złoto) – mimo
że w oryginalnej wiadomości nie było mowy o złocie. Van Diemen
wyprawił na północny Pacyfik najpierw Matthijsa Quasta, a po jego
porażce Maartena Vriesa, aby odszukali to wyspiarskie eldorado.
Quast, dowodzący zespołem dwóch statków (kapitanem drugiego
z nich był Abel Tasman), wypłynął z Batawii 2 czerwca 1639 roku.
Tak się przejął zadaniem, że w trosce o porządną służbę na „oku"
narzucił załodze surowy reżim: każdego przyłapanego na spaniu
podczas wachty czekała grzywna w wysokości miesięcznej pensji
i pięćdziesiąt batów; przy drugiej przewinie groziła podwójna kara,
a za trzecią można było zawisnąć na rei. Nie dziwota, że podczas
pięciomiesięcznego rejsu odkryto wiele nieznanych przedtem lądów,
żaden jednak nie był ową bajeczną krainą drogocennych metali.

Ambicje gubernatora sięgały o wiele dalej niż Japonia i jej mityczne wyspy skarbów. W 1642 roku obrócił uwagę na południowy
Pacyfik. Nowa ekspedycja, której kierownictwo powierzył Ablowi
Janszoonowi Tasmanowi, przyniosła
poważny sukces. Jej celem było poszukiwanie znanych z hiszpańskich
zapisków Wysp Salomona, odnalezienie hipotetycznego wielkiego lądu
Terra Australis oraz zbadanie możliwości dotarcia do Chile od zachodu,
z pominięciem tradycyjnego szlaku
Hiszpanów.

Dwa statki Tasmana, *Heemskerck*
i *Zeehaen*, opuściły Batawię 14 sierpnia
1642 roku, kierując się na Mauritius,

NA SĄSIEDNIEJ STRONIE: *Mapa
Tasmana z 1644 roku oparta
na jego własnych obserwacjach
ukazuje z dużą dokładnością
fragmenty zachodniego
i północnego wybrzeża Australii.
Przez ponad sto dwadzieścia
pięć lat była podstawowym
zobrazowaniem tego kontynentu,
dopóki w 1770 roku James Cook
nie zmapował jego wschodniej
części.*

PONIŻEJ: *Widok Zatoki
Morderców (1642) to pierwszy
europejski rysunek ludu
Maorysów, wykonany przez
artystę z załogi Tasmana,
Isaaca Gilsemansa, po starciu
Holendrów z tubylcami. Dziś to
miejsce nosi nazwę Zatoki Złotej.*

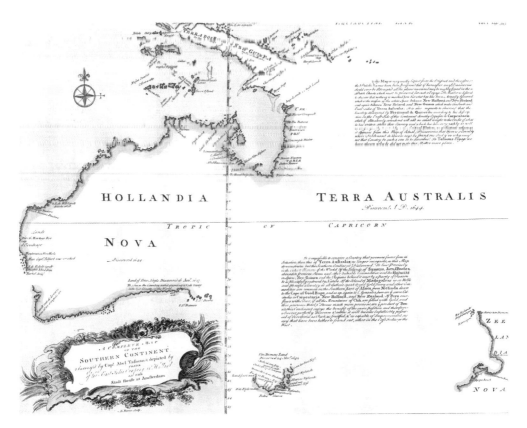

aby tam złapać dobre wiatry ku południowi. Zamiar się powiódł, lecz choć w planie było dotarcie na rekordową szerokość geograficzną 54°S, już na 42. równoleżniku zespół trafił w gęstą mgłę i musiał skręcić na wschód. Holendrzy bezwiednie opłynęli od południa całą Australię i dopiero 24 listopada obserwator zameldował, że widzi ląd – tak po raz pierwszy Europejczycy ujrzeli Tasmanię. Choć morze było wzburzone, na rozkaz kapitana cieśla okrętowy dostał się wpław na brzeg i zatknął flagę holenderską. Nie ruszywszy się z pokładu, Tasman odczytał akt objęcia wyspy w posiadanie przez Niderlandy i VOC oraz przypochlebnie nazwał ją Ziemią van Diemena na cześć „naszego jaśnie wielmożnego pana, który wysłał nas, abyśmy ją odkryli".

Ochrzciwszy jeszcze pobliskie góry Mount Heemskerck i Mount Zeehaen, Holendrzy popłynęli na wschód, by dalej szukać Wysp Salomona. Zamiast tego dokonali drugiego epokowego odkrycia, trafiwszy na zachodni brzeg dzisiejszej Nowej Zelandii, a ściślej mówiąc, jej Wyspy Południowej. Posuwając się wzdłuż wybrzeża na północ, Tasman zakotwiczył w zatoce dziś zwanej Złotą, której on jednak nadał nazwę Morderców (Moordenaarsbaai), gdyż lądujących marynarzy zaskoczyli tam Maorysi i czterech z nich zabili.

Kompletna mapa Kontynentu Południowego. Sporządzona według pomiarów kpt. Abla Tasmana na zlecenie Kompanii Wschodnioindyjskiej, *Emanuel Bowen (1744)*

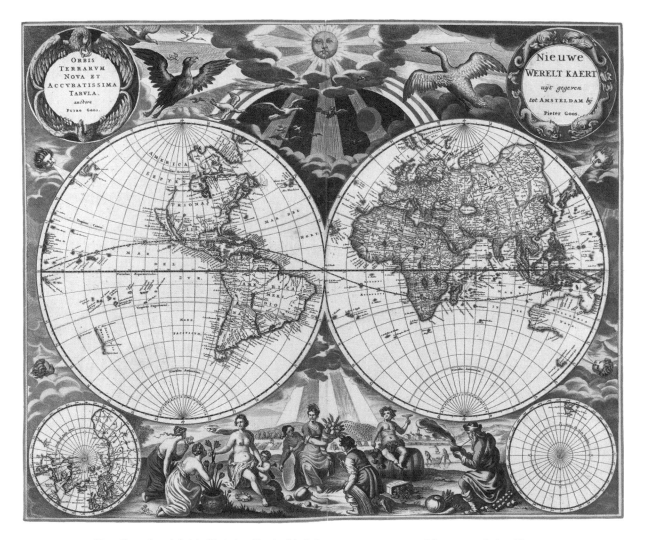

Zespół popłynął dalej. Cieśninę Cooka błędnie uznano za wąską zatokę, przyjmując, że wyspa nie jest podzielona i że musi to być „Statenland" odkryta w 1616 roku na zachód od Ameryki Południowej przez ich rodaków Jacoba Le Maire i Willema Corneliszoona Schoutena.

Holendrom tymczasem kończył się zapas słodkiej wody. Nie zdoławszy wylądować na Wyspie Północnej, postanowili skierować się na północny zachód i trafili na wschodnią część archipelagu Fidżi. Tam także niebezpieczne warunki nie pozwoliły udać się na ląd, popłynęli więc z powrotem do portu wyjścia. W Batawii znaleźli się 15 czerwca 1643 roku, przebywszy ponad 8 tys. km niezbadanych wcześniej wód, nie mając pojęcia, że dokonali czegoś niesamowitego: pierwszego w dziejach opłynięcia Australii.

Nowa mapa świata *Pietera Goosa (1666) stworzona na podstawie odkryć Tasmana. Pozostawała niezmieniona w dwudziestu kolejnych wydaniach jego atlasu, do śmierci autora w 1675 roku.*

1683–1711: WYKSZTAŁCONY PIRAT. PRZYGODY WILLIAMA DAMPIERA

Świat skłonny jest osądzać wszystko wedle powodzenia; komu los nie sprzyja, dobrego imienia się nie doczeka. William Dampier

Kiedy zebrać osiągnięcia tego żeglarza, którego poeta Samuel Taylor Coleridge nazwał „człowiekiem wybitnego umysłu", aż

William Dampier

dziw bierze, że jego nazwisko nie jest szerzej znane. William Dampier, rodem z East Coker w hrabstwie Somerset, był pierwszym żeglarzem, który trzykrotnie opłynął świat, a także pierwszym Anglikiem, który postawił stopę na kontynencie australijskim i dokonał pierwszych jego badań. Opisami tamtejszej fauny i flory zaskarbił sobie ponadto miano prekursora nowoczesnego przyrodoznawstwa. Relacja z jego wyprawy, *A New Voyage Round*

Mapa autorstwa Hermana Molla z naniesioną częścią trasy pierwszej podróży wokółziemskiej Dampiera z lat osiemdziesiątych XVII wieku, zamieszczona w A New Voyage Round the World *(1697)*

the World [Nowa podróż dookoła świata] (1697), nowatorskie połączenie morskiej przygody z historią naturalną, zapoczątkowała w Anglii gatunek książek podróżniczych i od razu stała się bestsellerem. Następna, *Voyages and Descriptions* [Podróże i opisy] (1699), zawierała „Rozprawę o pasatach, bryzach, sztormach, pływach i prądach", zilustrowaną pierwszą na świecie mapą układu wiatrów na wszystkich oceanach, sporządzoną na podstawie danych osobiście zgromadzonych przez autora.

Popularny słownik *Oxford English Dictionary* wymienia jego nazwisko ponad tysiąc razy jako tego, który wprowadził do angielszczyzny nowe słowa, jak awokado, *barbecue* (pieczenie na ruszcie), chlebowiec, *caress* (pieścić), *cashew* (orzech nerkowca), katamaran, *chopsticks* (pałeczki chińskie), *posse* (obywatelska grupa z polecenia szeryfa ścigająca przestępcę), *settlement* (osada), *snapper* (ryba z gat. lucjanowatych), sos sojowy, *stilts* (pale jako podpory domu), *subsistence farming* (uprawy na własne potrzeby), *subspecies* (podgatunek), *swampy* (bagnisty), *thundercloud* (chmura burzowa), *snug* (przytulny) i tortilla. Umiejscowiona w czasie pomiędzy Francisem Drakiem i kapitanem Cookiem historia Dampiera reprezentuje przemianę charakteru europejskiej eksploracji od przygód żądnych łupu bukanierów do misji naukowo-badawczych – zawiera bowiem elementy obu tych podejść. Bohater tego rozdziału był zarazem poszukiwaczem wiedzy i piratem.

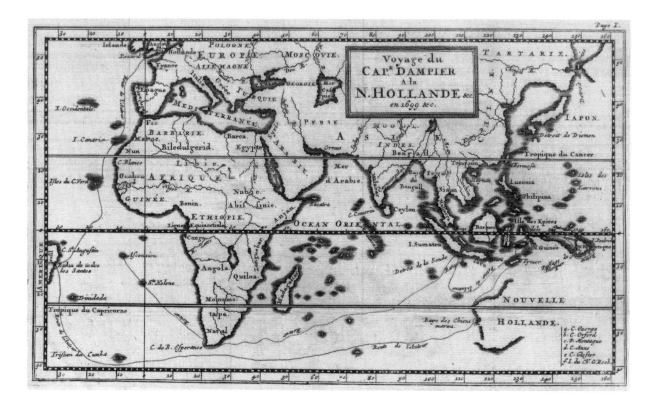

Trasa rejsu Dampiera do Nowej Holandii (Australii), 1699 rok

Na morze wyruszył jako osiemnastolatek. Pracował najpierw przy uprawie trzciny cukrowej na Jamajce, potem jako drwal w Meksyku, by wreszcie w 1679 roku zamustrować na piracki statek kapitana Bartholomew Sharpa, podówczas trudniącego się plądrowaniem hiszpańskich kolonii na kontynencie amerykańskim. Dampier brał udział w wypadzie przez Przesmyk Panamski, łupieniu statków hiszpańskich na Pacyfiku i miast w Peru. To był początek jego pierwszej, chaotycznej podróży wokółziemskiej, którą odbył, przenosząc się z jednego korsarskiego statku na drugi, aż ostatecznie w 1686 roku trafił na *Cygnet* kapitana Charlesa Swana. (Po powrocie do względnej normalności Londynu miał się potem zarzekać, że nie uczestniczył w żadnej akcji pirackiej, są jednak zapisy świadczące, że objął dowództwo hiszpańskiego pryzu zdobytego przez *Cygneta* w 1687 roku nieopodal Manili).

Właśnie pod komendą Swana 5 stycznia 1688 roku Dampier pierwszy raz ujrzał północno-zachodni brzeg Australii, w okolicy King Sound. Niedługo potem wraz z dwoma towarzyszami został wysadzony na jednej z wysp archipelagu Nikobarów (Zat. Bengalska); zdołali jednak przystosować niewielkie kanu do żeglugi morskiej i – po walce z groźnym sztormem – dowiosłować na odległą o około 100 Mm (185 km) Sumatrę. Do Anglii powrócił trzy lata później, bez grosza przy duszy, za to z komple-

Dampier & his Companions in their Canoe, overtaken by a dreadfull Storm.

tem dzienników i wytatuowanym indonezyjskim niewolnikiem
o imieniu Książę Jeoly (lub Giolo), którego wykorzystał jako
żywy eksponat do reklamy swojej książki.

Nowa podróż dookoła świata zwróciła na Dampiera uwagę
nie tylko publiczności, lecz również Admiralicji. Na początku
1699 roku został powołany do służby przez króla Wilhelma III
Orańskiego z zadaniem pożeglowania wokół przylądka Horn
do Nowej Holandii (Australii) na poszukiwania wciąż oficjalnie
nieodkrytej Terra Australis. Kapitan poprosił o dwa najlepsze
okręty z doświadczonymi załogami, otrzymał jednak mocno
zaniedbaną łupinkę *Roebuck* (sklasyfikowaną jako *fifth-rate* –
jednostka piątej kategorii z sześciu występujących w Royal Navy),
obsadzoną przez niesubordynowaną zbieraninę, mającą w po-
gardzie dowódcę bez stażu we flocie. W morze wyszli 14 stycznia
1700 roku. Dampier wybrał trasę przez Przylądek Dobrej Nadziei, chcąc uniknąć sezonowych sztormów w rejonie Hornu.
Roebuck był w opłakanym stanie, przeżarty przez świdraki, Anglicy jednak zdołali dopłynąć na zachodnie wybrzeże Australii
i 6 sierpnia stanęli w Zatoce Rekina. Spędzili tam kilka tygodni,
badając teren i miejscową faunę. We wrześniu ruszyli na Timor
z zamiarem okrążenia Nowej Gwinei od północy. Nadeszła jednak chwila, gdy dalej płynąć się po prostu nie dało – statek zaczynał się sypać i choć od Australii dzieliło ich zaledwie osiemdziesiąt kilka mil morskich, zapadła decyzja o powrocie do Anglii. Na
południowym Atlantyku stało się jasne, że *Roebuck* lada dzień

*Dampier z towarzyszami
w kanu, miotani strasznym
sztormem. Ilustracja z* An
Historical Account of All the
Voyages Round the World
Davida Henry'ego (1773)

zatonie. W akcie desperacji kapitan wprowadził go na mieliznę przy samotnej Wyspie Wniebowstąpienia. Rozbitkowie spędzili tam pięć nerwowych tygodni, póki nie zabrał ich na pokład wracający do Londynu statek Kompanii Wschodnioindyjskiej.

Tym razem Dampiera zamiast sławy czekała rozprawa w sądzie marynarki wojennej. Postawiono mu trzy zarzuty; z dwóch został oczyszczony, przy trzecim – wtrącenia swego zastępcy, porucznika George'a Fishera, do brazylijskiego więzienia – uznano go za winnego. Karą było pozbawienie należnej zapłaty za rejs i usunięcie ze służby. Dyshonor ten nie przeszkodził mu jednak w dalszej karierze morskiej.

Druga podróż wokółziemska, rozpoczęta w 1703 roku, miała na celu obsługę interesów angielskich u zachodnich wybrzeży

Książę Jeoly, wytatuowany niewolnik przywieziony przez Dampiera do Londynu: „Ów słynny Malowany Książę jest istnym cudem epoki".

*Mapa Emanuela Bowena
z 1745 roku przedstawiająca
część odkryć Dampiera na
Roebucku z trasą przez Timor,
wokół Nowej Gwinei i do
„Nowej Brytanii"*

Ameryki Południowej – innymi słowy, działanie wbrew interesom francuskim i hiszpańskim. Dowodząc *St George'em* ze studwudziestoosobową załogą, Dampier zagarnął kilka statków hiszpańskich na wodach peruwiańskich i dokonał nieudanego szturmu na miasto Santa Maria nad Zatoką Panamską.

W maju 1704 roku marynarz ze statku *Cinque Ports*, Alexander Selkirk, naraził się kapitanowi narzekaniem na przecieki kadłuba i został wysadzony na bezludnej wyspie w archipelagu Juan Fernández na południowym Pacyfiku. Pięć lat później, gdy Dampier na korsarskim statku *Duke* domykał swój trzeci krąg wokół Ziemi, zabrał go na pokład. Historia Selkirka stała się kanwą powieści Daniela Defoe *Przypadki Robinsona Kruzoe*.

William Dampier powrócił do Anglii z łupem wycenionym na 147 975 funtów (równowartość dzisiejszych ok. 20 mln), z czego większość pochodziła z hiszpańskiego galeonu *Nuestra Señora de la Encarnación y Desengaño*, zdobytego w grudniu 1709 roku u brzegów Meksyku. Nie dane mu było jednak nacieszyć się owocami pirackiego procederu. Sześć lat później zmarł, pozostawiając prawie dwa tysiące funtów długu, i został pochowany w nieoznakowanym grobie.

1725–1741: WYPRAWY VITUSA BERINGA NA DALEKĄ PÓŁNOC

Chwałę osiągniemy poprzez sztukę i naukę. W poszukiwaniach drogi odniesiemy większy sukces niż Holendrzy i Anglicy.

Piotr I Wielki w instrukcji dla wyprawy Beringa

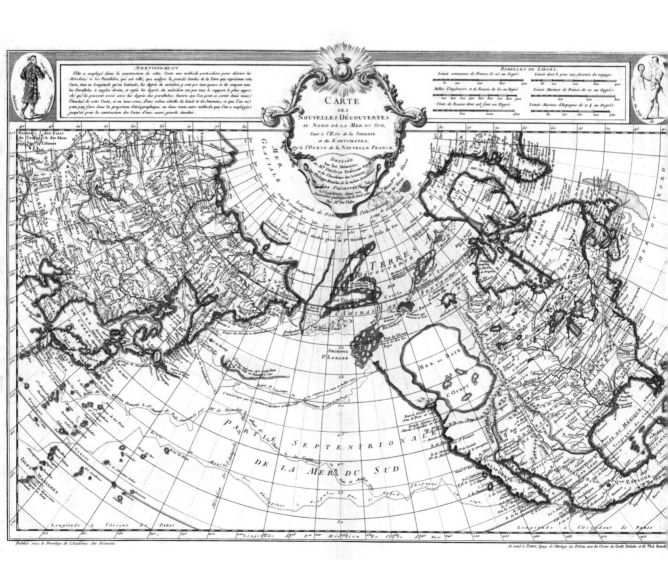

Podczas gdy zachodnioeuropejscy żeglarze, jak Dampier, penetrowali i poznawali coraz dalsze i bardziej egzotyczne lądy i cywilizacje, bliżej domu wciąż pozostawały nierozwiązane zagadki. Kompletną tajemnicą była geografia północno-wschodniej Rosji, tysiące kilometrów od Sankt Petersburga przez dziką Syberię. Czy gdzieś tam, na białej plamie w górnym prawym rogu mapy cesarstwa, mógł istnieć jakiś lądowy most łączący kraj z Ameryką Północną? A jeśli oba kontynenty rozdziela morze, to jak szerokie?

W 1724 roku car Piotr I Wielki podupadł na zdrowiu; musiał przejść operację pęcherza i wiele miesięcy był przykuty do łóżka. Jego imperium za to wręcz kwitło. Pod nowoczesnymi rządami rosło w potęgę, rozwijało kulturę, przechodziło rewolucję filozoficzną zainspirowaną wpływami Oświecenia. Piotrowi pozostał jeszcze jeden ambitny cel, który chciał osiągnąć, nim umrze: odkryć prawdziwe rozmiary swojego kraju. Czasu, jak się okazało, miał niewiele; w pole operacyjne wdała się gangrena i car pożył jeszcze tylko do 28 stycznia 1725 roku.

Zadanie powierzył doświadczonemu żeglarzowi duńskiemu, który służył w marynarce rosyjskiej. Vitus Jonassen Bering niedawno zrezygnował po dwudziestu latach służby, wstyd mu bowiem było wobec żony, że nie może się doczekać awansu, tym chętniej więc przyjął prestiżową funkcję i wynikające z niej poważne wyzwanie logistyczne. Pierwsza Wyprawa Kamczacka, jak nazwano zamierzone przedsięwzięcie, zapowiadała się na wyjątkowo uciążliwą. Z powodu nieuniknionego zalodzenia nie było szans na dotarcie na Daleki Wschód drogą morską wzdłuż północnego wybrzeża – wybrano zatem podróż lądem. W styczniu 1725 roku Bering z trzydziestoma czterema ludźmi wyruszył z Petersburga na gigantyczną wędrówkę do Ochocka nad Pacyfikiem: ponad 5600 km przez jeden z najmniej przyjaznych regionów świata.

Do lutego podróżnicy pokonali niecałe 650 km do Wołogdy, w następnym etapie przekroczyli Ural i 16 marca dotarli do Tobolska, zaliczywszy w ten sposób połowę trasy: 2816 km. Na prośbę kierownika do ekspedycji dołączyło trzydziestu dziewięciu żołnierzy z miejscowego garnizonu. Wiosną 1726 roku Bering kontynuował marsz z Ust'-Kut, portu nad Leną, dobierając nowych uczestników, choć – jak sam twierdził – „mało kto się nadawał". Tak duża grupa nigdy jeszcze nie podróżowała przez te dzikie tereny; nierzadko musieli sami sobie budować potrzebne drogi. W każdym odwiedzanym miasteczku spotykali się z wrogim przyjęciem – pojawienie się tylu ludzi naraz stanowiło poważne obciążenie dla lokalnych zasobów. Nim w czerwcu dobrnęli wreszcie do celu, czterdziestu sześciu członków wypra-

Na sąsiedniej stronie:
Mapa Guillaume'a Delisle'a i Philippe'a Buache'a ukazująca najnowsze odkrycia na północnym Pacyfiku. Oko przyciąga wprawdzie „Mer de Ouest" – błędne wyobrażenie kartografów o wielkim morzu śródziemnym w Ameryce Północnej – można tam jednak znaleźć także trasy dwóch ekspedycji „Capitaine Beeringa".

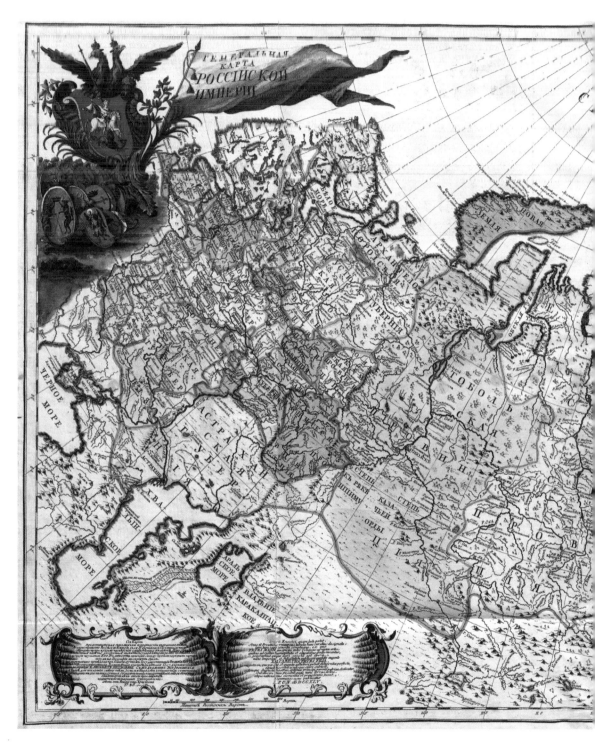

Mapa generalna Cesarstwa Rosyjskiego (1745)
nieznanego autora, sporządzona w oparciu o informacje
zebrane podczas Drugiej Wyprawy Kamczackiej

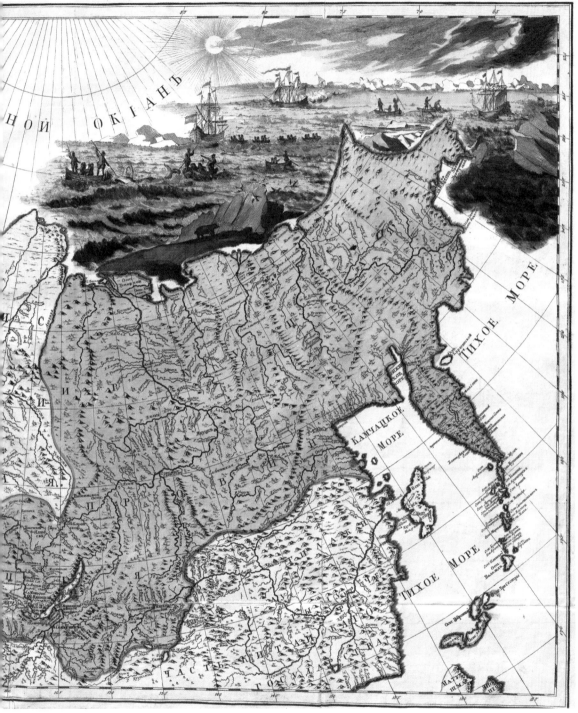

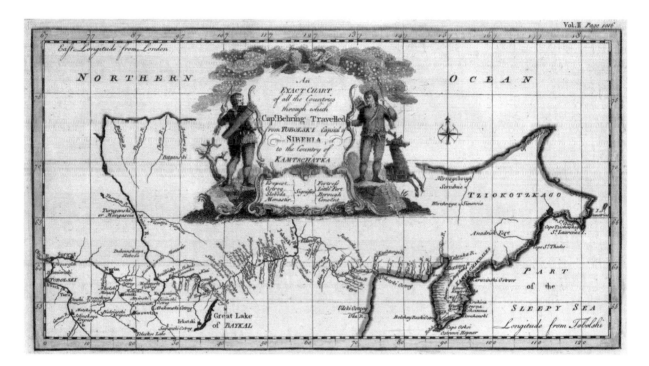

wy zdezerterowało, kilku zaś zmarło, Bering jednak niezrażony parł dalej: następnym etapem była przeprawa morska na Kamczatkę. W Ochocku czekał już na nich zbudowany na miejscu dwudziestometrowy statek *Wostok*; pospiesznie skonstruowano drugi, *Fortunę* – ekspedycja zabrała bowiem ze sobą (i taszczyła całą drogę) konieczny sprzęt szkutniczy.

Po dopłynięciu na półwysep zbudowano trzecią jednostkę, *Archanioła Gabriela*, i w lipcu 1728 roku cały zespół popłynął wzdłuż wschodniego wybrzeża Rosji na północ. Wkrótce bezwiednie przebył cieśninę między Azją i Ameryką Północną (w najwęższym miejscu mającą tylko 82 km), nazwaną później nazwiskiem dowódcy. Przy panującej wtedy kiepskiej widoczności żeglarze nie mogli dostrzec brzegu Alaski. Podążając wzdłuż skręcającej tam ku zachodowi linii wybrzeża, Bering wkrótce natknął się na pole lodowe i zdecydował się na odwrót. 28 lutego 1729 roku, ponad cztery lata po wyruszeniu, ekspedycja wróciła do Sankt Petersburga. Przez ten czas życie straciło piętnastu ludzi z załogi.

Pod nieobecność Beringa w Rosji zaszły zmiany. Piotr Wielki umarł i na tronie zasiadła (po krótkich rządach dziewięciorga regentów) jego bratanica, Anna Iwanowna Romanowa. Po stryju odziedziczyła ducha ekspansji i w 1732 roku z jej rozkazu zorganizowano drugą wyprawę na Kamczatkę – tym razem na niespotykaną przy takich przedsięwzięciach skalę. Początkowo

Dokładna mapa wszystkich krajów, przez które podróżował kpt. Behring, od Tobolska, stolicy Syberii, do kraju Kamczatka, *Emanuel Bowen (1744)*

ustalony na dwa lata projekt dotarcia przez Pacyfik na kontynent amerykański rozrósł się w dziesięcioletni program licznych
podróży różnych grup po całej Syberii. Wzięło w nim udział
ponad trzy tysiące ludzi, łączny koszt zaś sięgnął półtora miliona
rubli – około jednej szóstej rocznego dochodu cesarstwa. Tym
sposobem udało się zbadać i nanieść na mapę znaczną część
arktycznego i wschodniego wybrzeża Rosji; sam Bering 16 lipca 1741 roku dostrzegł z morza Górę św. Eliasza na Alasce. Po
dziewięcioletniej włóczędze pilno mu było wrócić do rodziny
i po krótkim postoju na wyspie Kayak skierował się na Kamczatkę. Domu nigdy już jednak nie zobaczył: jego statek rozbił się
w sztormie na bezludnej wyspie. Wyczerpany podróżnik prze-
grał tam walkę z chorobą i został pochowany na miejscu przez
załogę. Dziś i owa wyspa, i otaczające ją morze noszą jego imię.

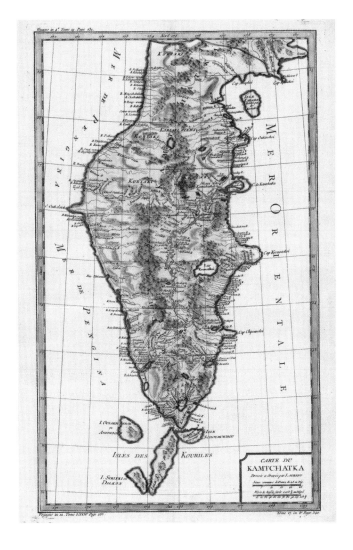

*Ludzie Beringa wieźli
materiały szkutnicze z Sankt
Petersburga do Ochocka, żeby
na miejscu zbudować statek –
przedstawiony tu na mapie
Jacques'a Nicholasa Bellina
z 1757 roku.*

1766–1769: NAUKOWA EKSPEDYCJA WOKÓŁZIEMSKA BOUGAINVILLE'A

Geografia to jednak dziedzina faktów: tu nie da się snuć spekulacji z fotela, nie ryzykując błędów, które potem często poprawia się tylko kosztem marynarzy.

Louis Antoine de Bougainville

Dnia 10 lutego 1763 roku królestwa Wielkiej Brytanii, Francji i Hiszpanii, przy udziale Portugalii, zawarły pokój paryski, oficjalnie kończąc wojnę siedmioletnią. Konflikt ten, obejmujący wszystkie mocarstwa Europy – pierwsza w dziejach wojna światowa – był sumą wielu starć, do jakich dochodziło na różnych kontynentach między sprzymierzonymi Francją, Austrią, Saksonią, Szwecją i Rosją a sojuszem Prus, elektoratu Hanoweru i Wielkiej Brytanii. Jednym z epizodów była tak zwana wojna francusko-indiańska z 1759 roku w północno-amerykańskiej kolonii Nowa Francja (terytoria kanadyjskie od Zatoki Hudsona przez Nową Fundlandię do Nowej Szkocji), w której Francuzów spotkała seria porażek z rąk zwycięskich Brytyjczyków.

„To plugawy rodzaj wojny. Samo powietrze, którym oddychamy, zarażone jest morem twardej niewrażliwości" – zapisał w diariuszu jeden z francuskich oficerów. Był to Louis Antoine

Monsieur Bougainville stawiający francuską flagę na skałce koło przylądka Forward w Cieśninie Magellana – ilustracja z An Historical Account of All the Voyages Round the World, Performed by English Navigators…, *Londyn 1773*

de Bougainville, inteligentny i świetnie wykształcony kapitan dragonii, adiutant markiza de Montcalma z sześcioletnim stażem w armii i matematyk z dwiema opublikowanymi pracami z rachunku całkowego w dorobku (które, oprócz innych zaszczytów, przyniosły mu członkostwo w brytyjskim Towarzystwie Królewskim). Bougainville walczył w daremnej obronie Quebecu, życia swego wodza i całej kanadyjskiej kolonii przed zakusami Anglików. Traktat przypieczętował upokorzenie Francji, w skarbie państwa zaczęło prześwitywać dno, a duma narodowa była w nadirze. Bougainville znalazł jednak sobie na to lekarstwo, a nadzwyczajnym zbiegiem okoliczności wymyślone przezeń przedsięwzięcie miało stać się też sceną historii pierwszej kobiety, która opłynęła świat.

Sfinansowana z jego prywatnych funduszy wyprawa wyruszyła z Francji 15 września 1763 roku z misją skolonizowania mało znanych Îles Malouines (Malwinów, czyli Falklandów). Pasażerami fregaty *Aigle* i przyszłymi osadnikami była grupa Akadian (mieszkańców kolonii dziś znanej jako Nowa Szkocja), którzy nie chcieli przyjąć zwierzchnictwa brytyjskiego i musieli opuścić swe domy. Nie było ich wielu: zaledwie sto pięćdziesiąt osób, aby Hiszpanie nie wzięli tego za chęć założenia bazy operacyjnej dla grabienia peruwiańskiego złota. Zamiar jednak spełzł na niczym; ledwo Bougainville wrócił do kraju, król Ludwik XV rozkazał mu płynąć na Malwiny, ewakuować kolonistów i sprzedać archipelag Hiszpanom; chciał w ten sposób zyskać w nich sojuszników przeciwko Brytanii.

Niezrażony żeglarz przedłożył monarsze propozycję nowej ekspedycji: rejs na Malwiny miał być tylko początkowym etapem pierwszego francuskiego opłynięcia globu. Ludwikowi też bardzo zależało na zrealizowaniu marzenia o morskiej supremacji i odbudowie nadszarpniętej godności narodowej, przystał więc na to skwapliwie. W 1767 roku po przekazaniu Malwinów Hiszpanii żeglarz poprowadził fregaty *Boudeuse* i *Étoile* na burzliwe wody Cieśniny Magellana.

Wyprawa wyróżniała się nadzwyczajnym przygotowaniem od strony naukowej. W załodze znalazł się interdyscyplinarny zespół uczonych: hrabia Jean François de Galaup de La Pérouse (którego późniejszy rejs omawiam na s. 162–167), astronom Pierre Antoine Véron, inżynier i kartograf Charles Routier de Romainville, historyk Louis Antoine Starot de Saint-Germain oraz botanik Philibert Commercon, który miał wkrótce nazwać imieniem szefa ekspedycji pewien pięknie kwitnący krzew (bugenwillę) i podróżował z własnym lokajem.

NA NASTĘPNYCH STRONACH:
Carte générale de la terre ou mappemonde (1785) – jedna z najozdobniejszych map XVIII-wiecznych, autorstwa Jeana Baptiste'a Louisa Cloueta. Trasy rejsów Bougainville'a, Magellana, Tasmana, Edmonda Halleya i Jamesa Cooka zaznaczone są na czerwono.

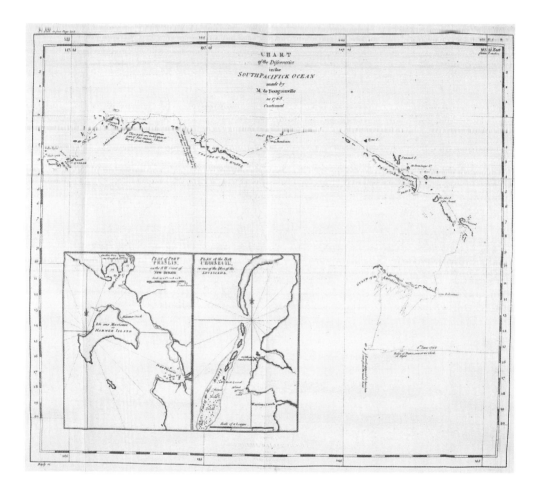

Przejście przez cieśninę odbywało się w tak niesprzyjających
warunkach, że zespół dopiero po pięćdziesięciu dwóch dniach
wypłynął na Pacyfik. Przez ten czas dochodziło do kontaktów
z tubylczą ludnością Patagonii i Ziemi Ognistej, choć nie przy-
niosło to wiele pożytku, a dla jednego z krajowców skończyło się
tragicznie: ktoś z załogi podarował młodemu chłopcu kawałek
szkła, dzieciak to połknął i wkrótce zmarł. W rezultacie miejscowi stracili zaufanie do przybyszów.

Na oceanie statki złapały w żagle silny wiatr południowo-
-wschodni, z którym szybko dotarły do zwrotnika Koziorożca
i tam skręciły na zachód. Wkrótce natknęły się na wyspy
Tuamotu (zasiedlone przez Polinezyjczyków), które z powodu
otaczających je zdradliwych raf nazwano Archipelagiem Niebezpiecznym.

W kwietniu 1768 roku ekspedycja dotarła na rajską Tahiti.
Nie wiedząc, że zaledwie kilka miesięcy wcześniej odkrył ją
brytyjski żeglarz Samuel Wallis, Bougainville w imieniu

*Druga mapa odkryć
Bougainville'a na południowym
Pacyfiku (1772)*

Ludwika XV objął wyspę w posiadanie i nadał jej nazwę Nouvelle Cythère (Nowa Cytera – od greckiej wyspy, na której według mitu narodziła się bogini miłości Afrodyta). Francuz nie mógł się nadziwić, na jaki to istny Eden natrafił: „Klimat tam jest tak zdrowy, że (…) choć nasi ludzie stale (…) byli wystawieni na zenitalne słońce, spali wprost na ziemi, pod gołym niebem, żaden na nic nie zachorował"*.

Po dziewięciodniowym postoju wyprawa ruszyła dalej. Po drodze minęli i ochrzcili Wyspy Żeglarzy (Samoa), bili się z wojowniczymi mieszkańcami Wielkich Cyklad (Vanuatu), cały czas płynąc kursem zachodnim, aż w końcu wachta dostrzegła fale przyboju – w samą porę, by uniknąć dużej grupy wyjątkowo groźnych raf koralowych. Z topów masztów widać było za nimi ląd, ryzyko było jednak zbyt wielkie i Bougainville nakazał zwrot na północny zachód, ku Wyspom Salomona i wzdłuż Nowej Gwinei – i tak po raz kolejny żeglarze z Europy rozminęli się z leżącym niemal na wyciągnięcie ręki wschodnim wybrzeżem Australii.

Odwiedziwszy po drodze Mauritius i okolice Przylądka Dobrej Nadziei, francuscy podróżnicy 16 marca 1769 roku zawinęli do Saint-Malo. Bougainville został pierwszym Francuzem (i raptem czternastym kapitanem), który opłynął kulę ziemską. Obie jednostki zakończyły rejs w dobrym stanie, a z liczącej trzystu trzydziestu ludzi załogi życie straciło tylko siedmiu – na owe czasy nadzwyczaj niska strata – wyprawę uznano więc za pełen triumf.

Choć żeglarze widzieli po drodze wiele dziwów i cudów, do jednego z najbardziej zaskakujących odkryć doszło nie na egzotycznych lądach, lecz na pokładzie. Podczas wizyty na Nowej Cyterze lekarz okrętowy ujawnił, że rzekomy lokaj Commercona to nie młodzieniec, lecz partnerka i asystentka botanika, niejaka Jeanne Baret. Zdolna przyrodniczka musiała zataić prawdziwą płeć, żeby dostać się do załogi, ponieważ pobyt kobiet na pokładzie, jak również ich udział w jakichkolwiek badaniach, był ściśle zakazany – ta norma obowiązywała jeszcze w następnym stuleciu (więcej na ten temat w rozdziale „Świt epoki podróży kobiecych").

---

* Dopiero później się okazało, że kilku mężczyzn jednak zapadło na kiłę od „intymnych usług" świadczonych przez Tahitanki w zamian za intrygujące europejskie przedmioty (największym wzięciem cieszyły się żelazne gwoździe). Bougainville i Wallis oskarżali się potem wzajemnie o zawleczenie choroby do Polinezji.

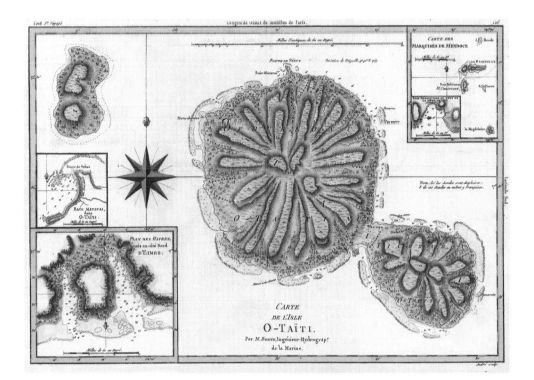

Zdumiewające, że nazwisko Jeanne Baret nie stało się powszechnie znane – ileż bowiem odwagi musiała wymagać taka
mistyfikacja, nie mówiąc już o umiejętnościach i zakresie wiedzy
niezbędnych do pełnienia roli zarezerwowanej wyłącznie dla
mężczyzn! Nie ulega wątpliwości, że Baret znała się na rzeczy,
nie wiadomo jednak, gdzie i jakim sposobem odebrała wy-
kształcenie – w owych czasach też niedostępne dla płci pięknej.
Commercon był wątłego zdrowia i wahał się, czy przyjąć zaproszenie Bougainville'a do wzięcia udziału w ekspedycji, obecność
i pomoc Jeanne pozwoliła mu jednak wykonywać powierzone
obowiązki. Mieli do dyspozycji sporą oddzielną kajutę (aby móc
pomieścić dużo potrzebnego sprzętu badawczego), co zapewniło
im dość prywatności, żeby zapobiec wykryciu oszustwa. I tak
jednak wśród marynarzy krążyły plotki na temat płci Baret, co
próbowała ukrócić, podając się za eunucha, kiedy wyjaśnień za-
żądał kapitan ich statku, François Chenard de la Giraudais.

Z relacji kapitana Cooka z późniejszej podróży na Tahiti wy-
nika, że tubylcy opowiedzieli mu o wizycie Francuzów i o tym,
że od razu rozpoznali w Baret kobietę. To nasuwa przypuszcze-
nie, że i załoga znała już wtedy prawdę. Być może dlatego
Bougainville rad pozbył się ich obojga, kiedy zgłosili chęć po-
zostania na Mauritiusie. Commercon zmarł tam w 1773 roku.

Mapa wyspy O-Taïti
Rigoberta Bonne'a z 1788
roku. W lewej środkowej ramce
zatoka Matavai, gdzie po raz
pierwszy zakotwiczył Samuel
Wallis

Navig. di Cook - Bougainville T. II. pag. 204.

MAD.^{LLA} BARÉ.

Dall' Acqua inc.

Wyimaginowany portret
Jeanne Baret (1816)

Jeanne z początku nie miała środków na powrót do Francji, jednakże trzy lata później była już w Paryżu. Tam jej los się odmienił: dowiedziała się, że jest beneficjentką testamentu zmarłego partnera. Dokończywszy ten ostatni etap podróży, stała się też pierwszą kobietą, która okrążyła ziemski glob.

1768–1778: KAPITAN COOK SPORZĄDZA MAPY PACYFIKU I OCEANU POŁUDNIOWEGO

Gdyby nie przyjemność, jaką człowiek z natury odczuwa, stając się odkrywcą choćby tylko mielizn piaszczystych, to służba ta byłaby nie do zniesienia.

JAMES COOK, 17 SIERPNIA 1770

Ozdobna dwupółkulowa mapa Louisa Brion de la Tour z 1783 roku z naniesionymi trasami wokółziemskich podróży kapitana Jamesa Cooka

Nie ma chyba w czasach nowożytnych postaci otoczonej równie powszechnym podziwem, jakim cieszył się w XVIII wieku kapitan* James Cook. Weźmy na przykład trzecie wydanie *Encyclopaedia Britannica* (1797). Sir Walterowi Raleigh poświęcono w nim dwie strony. Krzysztofa Kolumba uznano za godnego trzech stron tekstu. Magellan może się pochwalić zaledwie dwoma akapitami (wliczając w to opis cieśniny jego imienia). Hasło „Kapitan Cook" zajmuje trzydzieści dziewięć dwukolumnowych stronic.

W 1766 roku Admiralicja powierzyła trzydziestodziewięcioletniemu porucznikowi Cookowi dowództwo barku *Endeavour* z rozkazem poprowadzenia wyprawy naukowej na południowy Pacyfik. Oficjalnym celem było dokonanie obserwacji przejścia Wenus przez tarczę słoneczną. W Towarzystwie Królewskim spodziewano się, że pomiary te pozwolą wyznaczyć odległość Ziemi od Słońca i umożliwią dokładniejszą nawigację. *Endeavour* wypłynął z Plymouth 26 sierpnia 1768 roku. Oprócz załogi z Royal Navy na pokładzie znaleźli się uczony Joseph Banks, szwedzki botanik Daniel Solander, rysownik Sydney Parkinson i dwa charty. Świeże mleko zapewniała najbardziej doświadczona podróżniczka w tym gronie – koza, która przedtem opłynęła świat z Samuelem Wallisem.

Po zatrzymaniu się na Maderze w celu uzupełnienia zapasów (jakimś cudem znalazło się miejsce na 3000 galonów – ponad 13,6 tys. litrów – wina) Cook zaskakująco łatwo okrążył przylą-

---

* Stały problem tłumacza: odmienność systemu stopni w marynarce brytyjskiej i amerykańskiej od polskiego i dwuznaczność rangi *captain*. Tu odpowiada ona pojęciu „dowódca okrętu" – i nie da się inaczej: zestawienie „kapitan Cook" zrosło się nierozerwalnie w tradycji. Awans na stopień oficerski kapitana (odpowiednik polskiego „pełnego" komandora, ostatni przed rangą admiralską) Cook otrzymał dopiero po drugiej podróży pacyficznej (przyp. tłum.).

dek Horn i skierował się na Tahiti – w optymalne miejsce dla
obserwacji. Do celu dotarł 13 kwietnia 1769 roku, w samą porę,
by dokonać pomiarów. Pochmurna pogoda sprawiła jednak, że
wyniki były mizerne i eksperyment przyniósł rozczarowanie.
Zgodnie z otrzymanym rozkazem Cook otworzył wtedy drugi,
tajny zestaw instrukcji. Miał teraz wyruszyć na poszukiwanie
Terra Australis, wielkiego hipotetycznego kontynentu, który
powinien leżeć na półkuli południowej (jak to pokazuje mapa

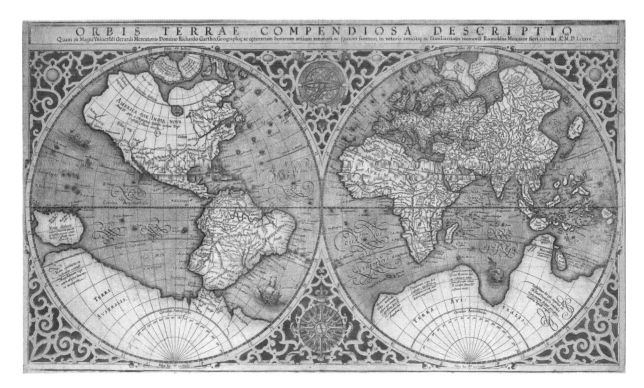

ORBIS TERRAE COMPENDIOSA DESCRIPTIO
Quam ex Magna Vniuersali Gerardi Mercatoris Domino Richardo Gartho, Geographiç ac cçterarum bonarum artium amatori ac fautori summo, in veteris amicitiç ac familiaritatis memoriâ Rumoldus Mercator fieri curabat Aô. M.D.Lxxvii.

świata Merkatora). Kapitan pożeglował na południe do równoleżnika 40°S – taki limit wyznaczyli mu przełożeni – nie znalazł
tam jednak lądu. Ruszył więc na zachód, do odkrytej przez
Tasmana Nowej Zelandii, gdzie znalazł się na początku października 1769 roku. Kontakty załogi barku z Maorysami szybko
przerodziły się w konflikt; nie mogąc uspokoić sytuacji, Cook
odpłynął i zajął się dokładnym opisywaniem wybrzeża obu wysp.

Okrążywszy Nową Zelandię, znów obrał kurs zachodni i tak
19 kwietnia 1770 roku *Endeavour* jako pierwszy europejski statek
dotarł do wschodniego wybrzeża Australii – do tej pory zazna-
czanego na mapach jako biała plama przechodząca w teoretyczną
Terra Australis. 29 kwietnia Anglicy wylądowali na kontynencie
w miejscu, które Cook początkowo nazwał Stingray Bay (Zatoką
Płaszczki), lecz później, gdy Banks i Solander wrócili z bogatym
zbiorem egzotycznych roślin, przechrzcił na Zatokę Botaniczną.
Kontynuował potem rejs na północ, ale po uszkodzeniu kadłuba
na Wielkiej Rafie Koralowej i przymusowym siedmiotygodnio-
wym postoju remontowym zrezygnował z dalszego badania
wybrzeża. Przez Cieśninę Torresa popłynął na Ocean Indyjski
ku Przylądkowi Dobrej Nadziei i do Anglii. W uznaniu zasług
wkrótce po powrocie awansowano go na komandora.

Towarzystwo Królewskie nie ustawało w dążeniu do odkrycia
Terra Australis. W 1772 roku James Cook otrzymał nominację

*Mapa Rumolda Merkatora
z 1616 roku ukazująca Terra
Australis – tajemniczy kontynent
południowy, który zgodnie
z ówczesną hipotezą musiał
istnieć, aby równoważyć ciężar
lądów na półkuli północnej*

*Portret kapitana Cooka
z 1788 roku*

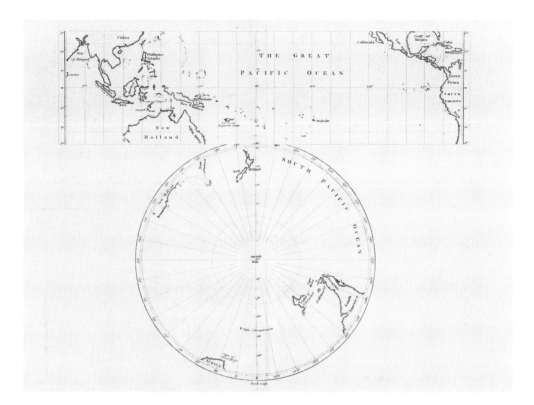

na dowódcę drugiej wyprawy poszukiwawczej, tym razem dalej na południe. Jego slup *Resolution* opuścił Plymouth 13 lipca – później, niż planowano, a to za sprawą szarogęszczącego się Banksa, który w końcu gniewnie zrezygnował z udziału w ekspedycji, kiedy odrzucono jego postulat przydzielenia większego okrętu.

W towarzystwie dowodzonego przez Tobiasa Furneaux barku *Adventure* Cook znów popłynął do Nowej Zelandii, przebywając ponad 10 tys. Mm (18 520 km) w cztery miesiące, przy czym w jednym punkcie nieświadomie minął odległą zaledwie o 75 Mm (139 km) nieznaną jeszcze wówczas Antarktydę. Zdając sobie sprawę z możliwości utraty kontaktu wskutek sztormu, dwaj kapitanowie umówili się na spotkanie w nowozelandzkiej Zatoce Królowej Charlotty. I rzeczywiście – w październiku zła pogoda spowodowała rozdzielenie obu jednostek. Furneaux przybył na miejsce z miesięcznym opóźnieniem i zastał list pozostawiony przez Cooka (który odpłynął zaledwie tydzień wcześniej) pod pniem ściętego drzewa z napisem „Zajrzeć pod spód". Cook opisał w nim harmonogram dalszej podróży, zostawił jednak koledze swobodę decyzji, w tym o powrocie do Anglii, gdyby okazało się to konieczne. Furneaux skwapliwie skorzystał z tej furtki, zniechęcony niedawną potyczką z Maorysami, którzy zabili dziesięciu jego ludzi.

Niezatytułowana mapa „Wielkiego Pacyfiku" i „Południowego Pacyfiku" (1772), niezwykle rzadkie pierwsze drukowane zobrazowanie Nowej Zelandii i Australii eksplorowanych przez Cooka. To także pierwsza mapa wschodniego wybrzeża kontynentu i zawierająca nazwę Nowa Południowa Walia. Istnieją dziś tylko trzy jej egzemplarze.

Cook tymczasem parł dalej na południe i 31 stycznia 1774 roku dotarł na rekordowo wysoką szerokość geograficzną 71°10'S. Anglicy na próżno jednak zmagali się z antarktycznym zimnem, ledwo unikając utknięcia w lodowym paku i kolizji z górą lodową: stało się oczywiste, że nie ma nadziei na znalezienie nadającego się do zasiedlenia lądu południowego. Przez następne siedem miesięcy *Resolution* pływał w cieplejszych rejonach Pacyfiku, między innymi testując wynalazek zegarmistrza Johna Harrisona: chronometr morski. Nowy czasomierz okazał się tak dokładny, że dzięki niemu zniknęła dotychczasowa zmora nawigatorów – problem z określaniem długości geograficznej. Cook powrócił do Spithead w Anglii 30 lipca 1775 roku, straciwszy w całym rejsie tylko czterech marynarzy (co było rekordowo niską liczbą), żadnego zaś z powodu innej plagi ówczesnych żeglarzy – szkorbutu.

Unikatowy współczesny szkic piórkiem przedstawiający spotkanie Cooka z Maorysami. Zafascynowany ich tatuażami kapitan zanotował w dzienniku: „Wyglądają iście przerażająco. Nie mogliśmy nie podziwiać zręczności i kunsztu tych wykłuwanych rysunków".

Druga podróż położyła kres mitowi Terra Australis i przyniosła jej dowódcy honorową emeryturę, którą przyjął tylko pod warunkiem, że wróci do służby, jeśli nadarzy się okazja do kolejnej misji badawczej. Doczekał się tego już po roku; jej cel był utajniony. Oficjalnie chodziło o odwiezienie do domu Tahitańczyka Omai (zabranego do Anglii w poprzednim rejsie); w rzeczywistości jednak Cook – najbardziej doświadczony nawigator Royal Navy, znów na pokładzie *Resolution*, któremu towarzyszył trójmasztowiec *Discovery* pod komendą Charlesa Clerke'a – miał szukać Przejścia Północno-Zachodniego od strony Pacyfiku.

Dnia 12 lipca 1776 roku zespół podniósł kotwice i skierował się ku Tahiti. Dotarł tam szybko, po czym odpłynął na północ, zawijając po drodze na Wyspy Przyjazne (Tonga), Bora-Bora i Wyspę Bożego Narodzenia (Kiritimati). Dalej na oceanie odkryto archipelag, który Cook na cześć Pierwszego Lorda Admiralicji nazwał Wyspami Sandwich. Dziś znamy je jako Hawaje.

Zakotwiczywszy u brzegu Kauai, Anglicy zaczęli handlować z tubylcami. Podobnie jak na Tahiti furorę zrobiły gwoździe – Hawajczycy ochoczo dostarczyli za nie dość wieprzowiny, by nakarmić całą załogę *Discovery*. Czas jednak naglił, gdyż sezon na badanie wód arktycznych jest krótki (a obaj dowódcy stale mieli na uwadze rządową nagrodę za odnalezienie Przejścia – 20 tys. funtów). Po dwutygodniowym postoju okręty odpłynęły ku Ameryce Północnej, by posuwać się wzdłuż kontynentu na północ. Podczas tego etapu pierwszy raz sporządzono mapy znacznej części zachodniego wybrzeża. Zespół wpłynął na Morze Beringa i dalej na Morze Czukockie aż do równoleżnika 70°44'N – tam jednak drogę zagrodziła wysoka na 12 stóp (3,6 m) ściana lodu, ciągnąca się nieprzerwanie przez cały horyzont. Widoków na znalezienie żeglownego kanału nie było i na tym ekspedycja musiała się zakończyć.

Zapadła decyzja o powrocie pod hawajskie słońce i 26 listopada 1778 roku obie jednostki przybyły na Maui. Cook opłynął wyspę, szukając bezpiecznego schronienia, i stanął w zatoce Kealakekua, entuzjastycznie witany przez krajowców. Przybycie Anglików idealnie wpasowało się w lokalny mit, według którego bóg obfitości Lono-makua też kiedyś okrążył wyspę wielkim kanu i wylądował w tym samym miejscu. Król archipelagu, Kalei'opu'u, obsypał przybyszów darami i gościł ponad dwa miesiące. Z początkiem lutego statki wyruszyły znów na ocean, jednak po kilku dniach mocno ucierpiały w sztormie. Na *Resolution* pękł jeden z masztów i kapitan był zmuszony zawrócić do Kealakekua. Tym razem statek powitała złowroga cisza. Załoga przystąpiła do remontu, lecz spotykała się z rosnącą wrogością wyspiarzy. Kiedy zniknęła jedna z szalup, rozgniewany kapitan zdecydował się na blokadę zatoki i ewentualne porwanie miejscowego wodza, by wymusić zwrot łodzi. Udał się na brzeg, chcąc najpierw rozstrzygnąć sprawę polubownie, lecz emocje sięgnęły zenitu, kiedy w zamieszaniu doszło do postrzelenia wodza. Cook dał sygnał na okręt, co wyzwoliło gwałtowną reakcję tłumu. Tubylcy rzucili się na niego z kamieniami, pałkami i nożami. W starciu, obserwowanym bezsilnie przez resztę załogi z pokładu, oprócz niego zginęło jeszcze czterech żołnierzy. Wbrew popularnemu przekonaniu ciało kapitana nie zostało skonsumowane przez Hawajczyków; nicktóre części wprawdzie upieczono, lecz tylko w celu łatwiejszego wyjęcia kości. Zgodnie z lokalną tradycją w ten sposób okazywano szacunek zabitemu – mimo dramatycznych okoliczności śmierci Cook cieszył się bowiem wielką estymą wśród wyspiarzy.

Wyprawa powróciła do Anglii bez dowódcy, za to z prawdziwym skarbem pionierskich danych naukowych. Przyczyniło się to do znacznego postępu w europejskiej kartografii i wiedzy nautycznej, a zawdzięczamy to żeglarzowi, który wedle własnych słów dopłynął „nie tylko dalej, niż ktokolwiek przed mną, ale tak daleko, jak to w ogóle jest w ludzkiej mocy".

Maorys w tradycyjnej masce. Obie ryciny, stworzone na podstawie szkiców Johna Webbera, oficjalnego artysty w ostatniej podróży Cooka na Pacyfik, pochodzą z A Voyage to the Pacific *wydanej w 1784 roku.*

1785–1788: ZAGINIĘCIE EKSPEDYCJI LA PÉROUSE'A

Moja historia jest romansem.   JEAN FRANÇOIS DE GALAUP DE LA PÉROUSE

Gdy w 1793 roku wśród szyderstw zbrojnego tłumu wypełniającego świeżo przemianowany plac Rewolucji wieziono Ludwika XVI na gilotynę, można by się spodziewać, że skazaniec będzie miał pilniejsze sprawy na głowie niż losy jakiejś tam morskiej wyprawy. Jednakże stanąwszy na szafocie między katami, odarty z królewskiej godności „obywatel Louis Capet" zapytał podobno z nadzieją: „Czy są jakieś wieści o La Pérousie?".

W 1785 roku, siedem lat po feralnej trzeciej wyprawie Jamesa Cooka, jego praca nad mapowaniem i opisywaniem niezbadanych akwenów Pacyfiku i południowego Atlantyku – choć szeroko zakrojona – była daleka od ukończenia. W tym czasie marynarka Francji pozbierała się już po stratach poniesionych w wojnie siedmioletniej. Król Ludwik XVI, którego zainteresowanie sprawami morskimi rozbudziła wysunięta nieco wcześniej przez holenderskiego kupca Willema Boltsa propozycja zbadania wybrzeża północnoamerykańskiego pod kątem lukratywnego handlu futrami, ustalił z ministrem marynarki, markizem de Castries, że warto zorganizować francuską ekspedycję w celu podjęcia dzieła słynnego Anglika.

Dowództwo wyprawy powierzono czterdziestoczteroletniemu Jeanowi François de Galaupowi de La Pérouse, doświadczonemu człowiekowi morza (do szkoły morskiej wstąpił w wieku piętnastu lat), który dał się poznać jako zdolny nawigator i taktyk w bojach z Brytyjczykami. W zamierzonej podróży wokółziemskiej, zgodnie z duchem epoki Oświecenia, miał wziąć udział duży zespół uczonych – między innymi astronom i matematyk Joseph Lepaute Dagelet, geolog Robert de Lamanon, botanik Joseph La Martinière oraz fizyk, trzech przyrodników i trzech rysowników. Przydzielone dwa okręty, *La Boussole* i *L'Astrolabe*, i dwustu dwudziestu pięciu ludzi załogi czekał czteroletni rejs. La Pérouse bardzo cenił Cooka i starał się naśladować zarówno jego sumienność badawczą i kartograficzną, jak i dbałość o bezpieczeństwo podkomendnych. W ramach przygotowań wysłał nawet swego głównego inżyniera Paula Monnerona do Londynu, aby zapoznał się z pionierskim podejściem kapitana do profilaktyki szkorbutu i nabył używany przezeń sprzęt

Ludwik XVI wydający
ostatnie instrukcje hrabiemu
de La Pérouse, *obraz Edouarda*
Nuela z 1785 roku

nawigacyjny, w tym dwa kompasy inklinacyjne* z Towarzystwa
Królewskiego.

Ekspedycja wyruszyła 1 sierpnia 1785 roku. Przylądek Horn
okrążono bez większego trudu i skierowano się na północ
wzdłuż brzegów Chile. Za najważniejsze zadanie przyjęto
wypełnienie białych plam na mapach Cooka, w szczególności
na północno-zachodnim wybrzeżu Ameryki Północnej, pacyficznym wybrzeżu Rosji na północ od Cieśniny Tatarskiej oraz
w Melanezji i Oceanii na północny wschód od Australii. Były
też motywy bardziej przyziemne: żeglarze mieli nawiązywać
kontakty handlowe (głównie w zakresie futer i wielorybnictwa)
i przygotowywać grunt do współpracy kolonialnej.

Z Chile zespół La Pérouse'a popłynął na Wyspę Wielkanocną, a potem na Hawaje, gdzie załoganci jako pierwsi Europejczycy stanęli na brzegu Maui. Następny etap prowadził na

---

* Typ kompasu, który wskazuje inklinację, czyli kąt nachylenia linii sił
ziemskiego pola magnetycznego do płaszczyzny Ziemi w danym punkcie
(przyp. tłum.).

The Calao de l'Île
de Waigiou – *rysunek
z podróży La Pérouse'a*

Alaskę, skąd rozpoczęła się czteromiesięczna podróż w stronę
Kalifornii, ukierunkowana na dokładne pomiary i mapowanie
zachodniego wybrzeża Ameryki Północnej. Jako pierwsi nie-
hiszpańscy eksploratorzy od czasów Francisa Drake'a (1579)
Francuzi krytycznie ocenili sposób, w jaki misjonarze pod egidą
Madrytu traktowali Indian, a także rozwiali wiele błędnych europejskich przekonań – przede wszystkim mit, jakoby Kalifornia
była wyspą (jak ją zaznaczano na mapach od początku XVII w.).

Z Ameryki La Pérouse wyznaczył kurs na zachód przez Pacyfik do Azji i po stu dniach żeglugi zawinął do Makau, gdzie ko-
rzystnie sprzedał alaskańskie futra, po czym przez Manilę udał
się ku niezbadanym brzegom Korei. Podążając dalej na północ,
dotarł na Kamczatkę, skąd wysłał do Francji pocztę, dzienniki
wyprawy i kopie sporządzonych map; otrzymał też nowe instrukcje, zgodnie z którymi wkrótce zawrócił na południe, by
sprawdzić, na jakim etapie jest brytyjskie osadnictwo w Australii
(na terytorium późniejszego stanu Nowa Południowa Walia).

La Califorie ou Nouvelle Caroline, Teatro de los Trabajos, Apostolicos de la Compa. e Jesus en la America, Sept.

Na Zatokę Botaniczną francuski zespół wpłynął pod koniec stycznia 1788 roku (przypadkiem zaledwie cztery dni po przybyciu tam pierwszej grupy brytyjskich skazańców) w osłabionym składzie. Podczas postoju na Wyspach Żeglarzy (Samoa) zostali zaatakowani przez krajowców; w potyczce zginęło dwunastu żeglarzy, a dwudziestu odniosło rany. Brytyjczycy przyjęli Francuzów gościnnie i La Pérouse zatrzymał się tam na sześć tygodni, aby dać ludziom odpocząć. Wysławszy najświeższy zestaw zapisków i map do Francji, w marcu kazał podnieść kotwice i wyruszył w rejs po Oceanii. Więcej nikt już ich nie zobaczył.

Kiedy w czerwcu 1789 roku minął termin zapowiedzianego powrotu do domu, a *La Boussole* i *L'Astrolabe* się nie pojawiły, wzbudziło to pewne zdziwienie, ale nie widziano w tym powodu do troski. Stopniowo jednak niepokój narastał i wreszcie 25 września 1791 roku kontradmirał Antoine Raymond Joseph de Bruni d'Entrecasteaux wypłynął w misji poszukiwawczo-ratunkowej. W maju

Przez większość XVII i XVIII w. europejskie mapy, takie jak ta stworzona przez Nicolasa de Fer (ok. 1720), przedstawiały Kalifornię jako wyspę. To błędne przekonanie definitywnie obaliły sumienne obserwacje La Pérouse'a.

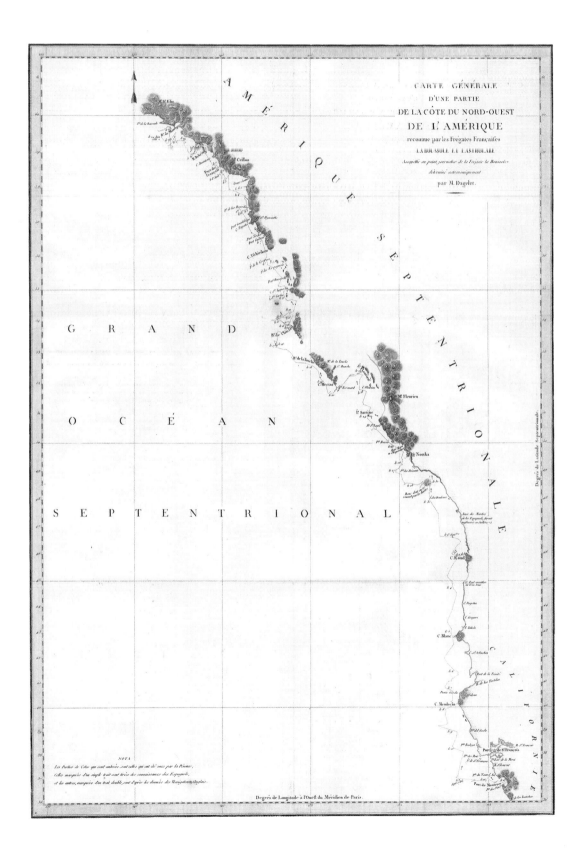

CARTE GÉNÉRALE
D'UNE PARTIE
DE LA CÔTE DU NORD-OUEST
DE L'AMÉRIQUE
reconnue par les Frégates Françaises
LA BOUSSOLE ET L'ASTROLABE
Assujettie au point journalier de la Frégate la Boussole
déterminé astronomiquement
par M. Dagelet.

*Wyprawa La Pérouse'a
na Wyspę Wielkanocną*

1793 roku dotarł w rejon dzisiejszych Wysp Salomona, lecz nie natrafił na żaden ślad po zaginionej ekspedycji. Poszukiwania okazały się daremne. Konkretne poszlaki co do jej losu nie wypłynęły wcześniej niż w 1826 roku, kiedy irlandzki żeglarz Peter Dillon znalazł wrak zidentyfikowany później jako *L'Astrolabe*. Dopiero w 2008 roku, po prawie dwóch wiekach dopasowywania elementów układanki, kiedy dwa okręty francuskie wyruszyły w morze, by odtworzyć ostatni etap podróży La Pérouse'a, zagadka została ostatecznie rozwiązana.

Okazało się, że statki trafiły w potężny cyklon, który zniósł je pod wyspy Santa Cruz w archipelagu Salomona i rozbił o rafy. Część załogi przeżyła katastrofę i dostała się na najbliższą wyspę Vanikoro, została jednak wymordowana przez tubylców. Niewielkiej grupce udało się sklecić z resztek *L'Astrolabe* tratwę i odpłynąć na zachód, nie wiadomo jednak, co się dalej z nimi stało.

Większość dorobku La Pérouse'a na szczęście ocalała dzięki jego sumiennemu przesyłaniu zapisków i artefaktów do Francji z każdego postoju, gdzie to było możliwe. Bogactwo pozyskanych przez ekspedycję informacji etnograficznych, przyrodniczych i szczegółowych danych kartograficznych zapewniło żeglarzom status bohaterów narodowych; rząd francuski z dumą je zebrał i opublikował pod tytułem *Voyage de La Pérouse autour du monde* [Podróż La Pérouse'a dookoła świata], a cały nakład rozszedł się w mig, rozchwytany przez zafascynowanych czytelników nie tylko we Francji.

Na sąsiedniej stronie:
Pieczołowicie odwzorowany przebieg eksplorowania północno-zachodniego wybrzeża Ameryki Północnej przez La Pérouse'a. Mapa z Atlas du voyage de La Pérouse *[Atlasu podróży La Pérouse'a] (1797)*

1791–1795: GEORGE VANCOUVER NA PÓŁNOCNO-ZACHODNIM WYBRZEŻU AMERYKI PÓŁNOCNEJ

Rozpatrując szybki postęp nauk (…) od początku XVIII wieku, nieuchronnie – i z wielkim podziwem – zauważamy owego aktywnego ducha odkryć.

GEORGE VANCOUVER, *A VOYAGE OF DISCOVERY…* (1798)

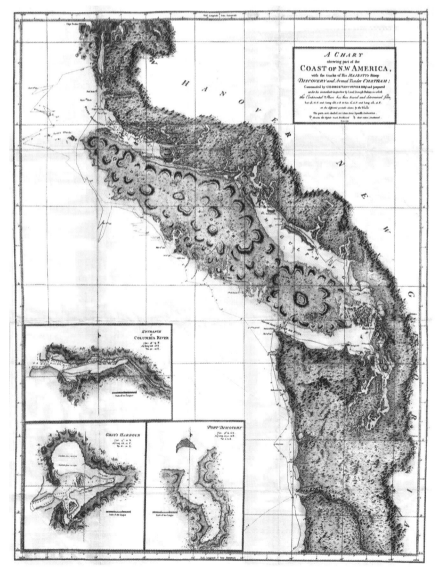

Kiedy po epoce odkryć nastało Oświecenie – za kamień graniczny można tu przyjąć podróże Cooka – badania naukowe osiągnęły nowy poziom dokładności. Przyczyniły się do tego między innymi prace pomiarowe brytyjskiego oficera marynarki George'a Vancouvera, który morską karierę zaczął jako trzynastoletni midszypmen na HMS *Resolution* i brał udział w drugiej i trzeciej ekspedycji Cooka. Gdy po dziesięciu latach wrócił do Anglii, był już doświadczonym żeglarzem, widział Nową Zelandię, Wyspy Towarzystwa, Nowe Hebrydy, Nową Kaledonię, opłynął przylądek Horn i prawie całe zachodnie wybrzeże Ameryki Północnej – i oczywiście Wyspy Sandwich, czyli Hawaje. Od znamienitego mentora przejął umiejętności i postawę zawodową. Pomiarów kartograficznych dokonywał tak precyzyjnie, że kiedy czterdzieści lat później Charles Wilkes badał Puget Sound, dokładność sporządzonych przez Vancouvera map miała wprawiać go w zdumienie; mapy linii brzegowej Alaski jego autorstwa wyznaczały standard aż do lat osiemdziesiątych XIX wieku.

Katalizatorem trzech sezonowych badań północno-zachodniej części wybrzeża Ameryki Północnej stał się tzw. kryzys Nootka Sound, wynikły z grożącego wybuchem wojny sporu między Hiszpanią i Wielką Brytanią o prawo do sieci zatoczek na zachodnim brzegu dzisiejszej wyspy Vancouver, istotnych dla handlu futrami. Zyskowny obrót skórkami wydr morskich był oczywiście tylko pretekstem – naprawdę chodziło o panowanie nad całym wybrzeżem północnopacyficznym. Do otwartego konfliktu nie doszło: Hiszpanie ugięli się przed groźbami Londynu, a kiedy przypieczętowało to podpisanie w 1790 roku konwencji Nootka Sound, Admiralicja powierzyła Vancouverowi dowództwo pełnorejowca HMS *Discovery* (nowego okrętu nazwanego dla uczczenia poprzednika, na którym pływał Cook) i wyekspediowała go na Pacyfik z zadaniem objęcia akwenu w posiadanie i zbadania tamtejszych wybrzeży.

Discovery opuścił Falmouth w kwietniu 1791 roku i wokół Hornu dopłynął do Australii. Kapitan oficjalnie przyłączył południowo-wschodni region kontynentu do Korony brytyjskiej, grudzień spędził na Tahiti, po czym pożeglował na północ ku Wyspom Sandwich (gdzie przed lary był świadkiem śmierci swego mentora), w celu uzupełnienia zapasów. Z Hawajów, które przez kolejne parę lat miały być zimową bazą wyprawy, ruszył na wschód i wkrótce dotarł w okolice przylądka Cabrillo w Kalifornii.

Dalej trasa wiodła wzdłuż wybrzeża przyszłych stanów Oregon i Waszyngton, aż do wielkiej wyspy, którą później miano

NA SĄSIEDNIEJ STRONIE:
Mapa Vancouvera z 1798 roku obejmująca odcinek od przylądka Lookout (w dzisiejszym Oregonie) na północ przez ujście Kolumbii, cieśninę Juan de Fuca, wyspę Vancouver i Zatokę Królowej Charlotty do przylądka Swaine w Kolumbii Brytyjskiej

nazwać imieniem kapitana. Wpłynąwszy na wody cieśniny Juan de Fuca, oddzielającej ją od północnego brzegu Waszyngtonu, Vancouver stwierdził, że oba okręty (*Discovery* towarzyszył HMS *Chatham* dowodzony przez Williama R. Broughtona) są za duże, by swobodnie poruszać się po istnym labiryncie szkierów, zatoczek i cieśnin, jaki tam zastał; nie przejął się tym jednak i zakotwiczywszy w bezpiecznym miejscu, dalszą eksplorację prowadził na szalupach wiosłowo-żaglowych. Pod okiem obu załóg, częściowo obozujących na lądzie, kapitan i jego oficerowie, zaopatrzeni każdorazowo w prowiant na dwa tygodnie, szczegółowo zbadali z tych łupinek każdy kanał i wyspę w okolicy. W ten sposób powoli, przez trzy sezony (1792–1794)

Mapa Ameryki Północnej Roberta Wilkinsona z 1804 roku ilustrująca odkrycia George'a Vancouvera; pierwsza, na której zaznaczono Zakup Luizjany (por. s. 184–189)

mozolnej eksploracji sporządzono dokładny obraz hydrograficzny całego północno-zachodniego wybrzeża.

Nie obyło się jednak bez kosztów. Vancouver coraz bardziej zapadał na zdrowiu i nabierał przerażająco cholerycznego usposobienia. Uważa się, że mógł cierpieć na chorobę Gravesa-Basedowa lub obrzęk śluzowaty (obie związane z zaburzeniami tarczycy), dodatkowo zaostrzone przez trudy fizyczne i nieznośne warunki pogodowe, w jakich musiał pracować.

Efekt tej pracy jest jednak imponujący: żeglarze przebyli łodziami łącznie ponad 16 tysięcy kilometrów, zbadali 2,7 tysiąca kilometrów wybrzeża oraz rzekę Kolumbia, opłynęli wyspę Vancouver i zapuszczali się w każdy zakątek usianych skałami i wysepkami wód Kolumbii Brytyjskiej. Dokładność tych pomiarów ponad wszelką wątpliwość rozwiała ostatnie nadzieje znalezienia na tych szerokościach Przejścia Północno-Zachodniego.

W październiku 1798 roku George Vancouver był już z powrotem w Londynie i zaledwie dwa i pół roku później umarł w zapomnieniu na chorobę, której się nabawił na Pacyfiku. Uznany za pierwszego wśród uczonych podróżników XVIII wieku, pozostawił po sobie liczącą blisko pół miliona słów relację z wyprawy (nie zdążył jej dokończyć – zabrakło stu stron) i naniósł na mapę trzysta osiemdziesiąt osiem nowych nazw. Wiele wysp, półwyspów, gór i zatok na całym świecie nosi dziś jego imię.

NA NASTĘPNYCH STRONACH:
Majestatyczna mapa ścienna Nova totius Americae tabula emendata *holenderskiego kartografa Fredericka de Wita, wydana w 1672 roku. Przed drobiazgowymi badaniami Vancouvera i jego ludzi z lat 1792–1794 północno-zachodnie wybrzeże kontynentu było w zasadzie wielką białą plamą.*

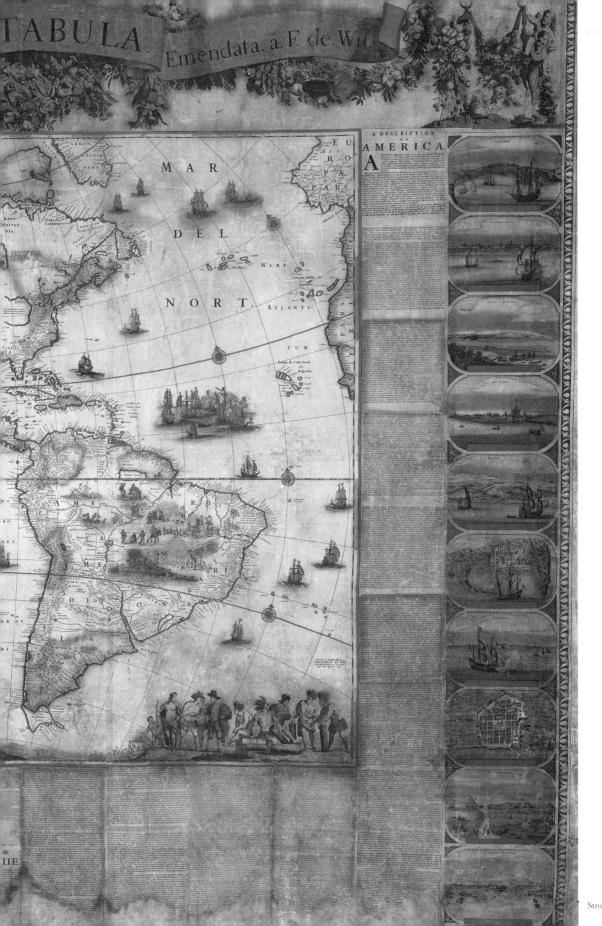

1795–1806: MUNGO PARK PENETRUJE ZACHODNIĄ AFRYKĘ

Nadzieja moja zbliża się do pewności. Jeślim w błędzie, oby Bóg jeden mnie z niego wyprowadził – albowiem wolę umrzeć w złudzeniu, niźli się obudzić wśród wszystkich ziemskich radości. MUNGO PARK W LIŚCIE DO PRZYJACIELA ALEXANDRA ANDERSONA (1793)

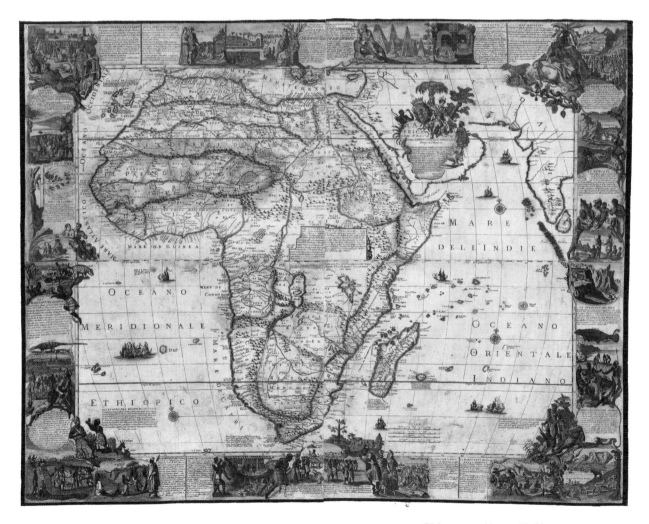

Piękna mapa ścienna Afryki
Paola Petriniego z 1700 roku

James Rennell, Trasa Munga
Parka

Pod koniec XVIII wieku Afryka wciąż pozostawała dla Europejczyków kontynentem tajemnic. Jej linia brzegowa była dobrze zmapowana, a na zachodnim wybrzeżu handel kwitł w najlepsze, lecz prawie żadnych postępów nie poczyniono w badaniach interioru. Jego znajomość ograniczała się do rzek Gambia i Senegal na zachodzie i chrześcijańskiej Abisynii na wschodzie. Kiedy wyniki kapitana Cooka w eksploracji Pacyfiku położyły kres obsesji poszukiwania Terra Australis i wyznaczyły koniec epoki wielkich odkryć morskich, uwaga Europy, zarówno pod względem naukowym, jak i militarnym, skupiła się na Czarnym Lądzie.

Ówczesne mapy kontynentu były „wciąż tylko rozległą białą plamą, na której ręka Geografa (…) niepewnie naniosła garść nazw niezbadanych rzek i ludów niepewnego istnienia", jak napisał Henry Beaufoy, sekretarz Towarzystwa Promocji Odkryć Wnętrza Afryki, w skrócie Towarzystwa Afrykańskiego – organizacji założonej w 1778 roku przez Josepha Banksa wraz z ośmioma innymi zamożnymi patronami o zacięciu naukowym. Przygotowując plany ekspedycji badawczej w głąb kontynentu, towarzystwo za główny punkt programu przyjęło rozwiązanie starej zagadki: ustalenie biegu i źródła Nigru. W rozmowie z Banksem na temat swej podróży po Sumatrze, z której wrócił z ciekawymi odkryciami zoologicznymi, pewien Szkot o nazwisku Mungo Park dowiedział się o planowanej wyprawie i zgłosił chęć jej poprowadzenia. Choć miał zaledwie dwadzieścia trzy lata, kandydaturę zaakceptowano i 22 maja 1795 roku Park wypłynął z Portsmouth do Afryki.

Plan zakładał podróż w górę rzeki Gambia, przemarsz lądem nad Niger i dotarcie do Timbuktu. Towarzystwo Afrykańskie

straciło już ludzi w podobnych przedsięwzięciach: pierwszy
wysłany tam człowiek, Amerykanin John Ledyard, wyruszył na
poszukiwanie Timbuktu znad Nilu Błękitnego, zachorował jednak na dyzenterię i próbując się leczyć, połknął śmiertelną dawkę
środka wymiotnego. Inny podróżnik, major Daniel Houghton,
zaginął w drodze znad Gambii. (Park odkrył w 1796 roku, że
Houghtona obrabowali i odarli z odzieży Maurowie; pozostawiony własnemu losowi major zmarł z pragnienia). Wydawało
się, że i ta ekspedycja zakończy się fiaskiem, gdyż Mungo Park
zaraz po przyjeździe nabawił się malarii – okazało się to jednak
szczęściem w nieszczęściu, bo rekonwalescencja pomogła
mu się zaaklimatyzować przed startem, a także nauczyć się
podstaw nigero-kongijskiego języka mandingo.

Z początku wszystko szło dobrze, lecz do stycznia 1796 roku
trzy czwarte jego zapasów rozeszło się na prezenty i łapówki dla
napotykanych kacyków i w końcu jedynym sposobem aprowiza-
cji pozostało mu odwoływanie się do tubylczej dobroczynności.
Potem lokalny konflikt zmusił go do odbicia ku północy, na ziemie Alego, nomadycznego króla Ludamaru. Utknął tam na ponad trzy miesiące, przetrzymywany w obozie Benowm – jak mu
powiedziano, dla zaspokojenia ciekawości królowej, która nigdy
przedtem nie widziała białego człowieka. Udało mu się jednak
uciec i pomaszerował dalej, tym razem na południowy wschód.
Wśród licznych przygód trafiła mu się i taka: na plemiennym
weselu starsza kobieta wesoło chlusnęła mu w twarz miskę
moczu panny młodej. Zaraz mu wytłumaczono, że to duże wy-
różnienie. Cóż było robić? „Skoro tak, to tylko oczy przetarłem
i ukłon jej posłałem w podzięce". Jako pierwszy Europejczyk
dotarł wreszcie nad Niger i doniósł, że rzeka płynie na wschód,
„szeroka jak Tamiza pod Westminsterem". W Ségou (południo-
wo-zachodnie Mali) krajowcy poinformowali go, że nawet gdyby
przeżył kilkudniową dalszą podróż do Timbuktu, z pewnością
zostałby tam zabity na miejscu – na takie dictum, choć był prawie u celu, Park zdecydował się zawrócić. W Anglii spisano
go już na straty, kiedy więc zjawił się tam w Boże Narodzenie
1797 roku, świętowano to jak prawdziwy cud. Jego wspomnienia opublikowane w książce *Podróże we wnętrzu Afryki* (1799)
cieszyły się powodzeniem, mimo raczej skromnych wyników
ekspedycji. Badacz na kilka lat osiadł w ojczystej Szkocji, ożenił
się i założył praktykę lekarską.

Rząd brytyjski wkrótce na nowo się zainteresował zachodnią
Afryką – po części w celu zapobieżenia ekspansji francuskiej.
Ministerstwo Wojny zaplanowało wysłanie grupy ludzi z faktorii

Mungo Park – rycina z Podróży
we wnętrzu Afryki *(1799)*

Pisania nad Gambią do Bamako nad Nigrem; tam mieli zbudować dwie dwunastometrowe łodzie i spłynąć ku morzu, po drodze zakładając placówki handlowe. Byłby to ważny sprawdzian, czy łatwo da się przewozić towary między obiema rzekami. Pokierowanie misją zaproponowano Parkowi, na co przystał ochoczo i zabrał ze sobą szwagra, Alexandra Andersona.

Tym razem przygotowania były solidniejsze: ekspedycję wyposażono w obfitość darów dla plemiennych wodzów i królów (między innymi 420 m tkaniny) oraz w karabiny z ogromnym zapasem amunicji. Niewiele można było jednak zaradzić na najgroźniejsze z afrykańskich niebezpieczeństw: choroby. Z czterdziestu pięciu osób, które 4 maja 1805 roku wyruszyły z Pisanii, do Bamako dotarło 19 sierpnia tylko jedenaście. Większość ofiar zabrały dyzenteria, żółta febra i malaria; ci, co przeżyli, musieli zmagać się również z gwałtownymi zmianami pogody, plagą owadów i tubylczymi rabusiami, z którymi nie mieli siły walczyć. Dobrnęli do Sansanding, niedaleko na południe od Ségou, gdzie zabrali się do budowania łodzi. Szkutników wśród nich już nie było (zginęli bądź zmarli po drodze), lecz jakoś zdołali sklecić utrzymującą się na wodzie łupinkę. Zanim była gotowa do zwodowania, wyczerpana grupka zmalała do pięciu Europejczyków, trzech niewolników i miejscowego przewodnika o nazwisku Amadi Fatouma.

O dalszych losach niedobitków ekspedycji wiadomo tylko tyle, ile zeznał w 1810 roku jedyny ocalały uczestnik, właśnie ów Fatouma. W podróży z biegiem Nigru przebyli około 1600 km, minęli port w Timbuktu i płynęli uparcie dalej, by odkryć ujście rzeki do oceanu. Na bystrzynach Bussa łódź utknęła i została zaatakowana z brzegu przez oddział krajowców. Zginęli wszyscy poza przewodnikiem: jedni od murzyńskich strzał i dzid, inni, usiłujący się ratować wpław, w odmętach nurtu. Domniemywano, że niektórzy zostali pochowani gdzieś w pobliżu miejsca incydentu.

Park podejrzewał, że może go spotkać podobny los. Przed opuszczeniem Sansanding oddał swój dziennik i pocztę kupcowi o imieniu Isaaco, który zawiózł je na zachodnie wybrzeże. W liście do Ministerstwa Wojny i Kolonii szef wyprawy napisał: „Popłynę na wschód z niezłomnym postanowieniem, że odkryję ujście Nigru albo zginę. Choćby wszyscy towarzyszący mi Europejczycy zginęli, a ja sam zostałbym półżywy, nie poddam się. Gdybym celu tego nie osiągnął, to przynajmniej poniosę śmierć na Nigrze".

Chaetodon trifasciatus odkryty przez młodego Munga Parka na Sumatrze, zanim podróżnik wyruszył na wyprawę afrykańską

1799–1802: ALEXANDER VON HUMBOLDT I AIMÉ BONPLAND EKSPLORUJĄ AMERYKĘ POŁUDNIOWĄ

Mam w sobie popęd, od którego często się czuję, jakbym tracił zmysły. ALEXANDER VON HUMBOLDT

W 2016 roku dr Ken Catania z Uniwersytetu Vanderbilta w Nashville postanowił sprawdzić, co się stanie, gdy włoży rękę do akwarium z węgorzami elektrycznymi. Jakże był zaskoczony, kiedy dwumetrowe stworzenia (ściśle mówiąc, nie są to węgorze, lecz strętwy – *Electrophorus electricus*) wyskoczyły z wody i chwyciły go zębami, aplikując sześciusetwoltowe elektrowstrząsy zdolne powalić dużego ssaka. „Miałem wprawdzie rękawicę, ale i tak najadłem się strachu. Postanowiłem, że jeszcze wrócę do badań nad tym zjawiskiem", napisał w relacji z doświadczenia.

Nikt przed Catanią nie odnotował zdolności strętw do ataku w powietrzu – przynajmniej od 1807 roku, kiedy niemiecki przyrodnik i podróżnik Alexander von Humboldt był świadkiem

Serce Andów *Frederica Edwina Churcha (1859)*

„widowiskowego pokazu", w którym wenezuelscy Indianie
z regionu Los Llanos wpędzali konie do stawu, by sprowokować
ryby elektryczne do agresji. Jego opowieść uznano za wymysł.
W 1881 roku jeden z krytyków w Niemczech odrzucił ją jako
„poetyckie przeinaczenie". Bostoński miesięcznik „The Atlan-
tic" nazwał ją wprost: „Wierutna bzdura". Od śmierci badacza
w 1859 roku minęło ponad półtora wieku, a my nadal się od
niego uczymy.

Inaczej niż w przypadku większości wypraw, von Humboldt
i jego towarzysz, botanik Aimé Bonpland, znaleźli się w Wenezueli przez zbieg okoliczności. Odziedziczywszy po śmierci
matki duży majątek, niemiecki entuzjasta podróży rzucił posadę
inspektora górniczego („Mężczyzna nie może po prostu usiąść
i płakać, musi coś robić") i z typową dla siebie ciekawością i wro-
dzoną energią zajął się w Paryżu z Bonplandem obmyślaniem
przygody północnoafrykańskiej, której kulminacją miało
być przejście pustynią z Trypolisu do Kairu. Z Algieru zaczęły
jednak dochodzić wieści, że Francuzów witają tam wtrąceniem
do lochów, stanęło więc na pieszej wędrówce do Madrytu.
W hiszpańskiej stolicy zostali przedstawieni ministrowi stanu
Marianowi Luisowi de Urquijo i zawarli z nim umowę: w zamian za raporty o złożach mineralnych Ameryki Południowej
władze przyznały im prawo swobodnego poruszania się (na własny koszt) po całym kontynencie – przywilej, jakim nigdy przedtem nie obdarzono cudzoziemca. Znalazły się miejsca na statku
Pizarro i 5 czerwca 1799 roku, gdy fregata prześliznęła się przez
brytyjską blokadę, podróżnicy byli już w drodze za ocean.

Po postoju na Wyspach Kanaryjskich na pokładzie wybuchła epidemia tyfusu (którego Humboldtowi i Bonplandowi
udało się uniknąć) i kapitan zmienił kurs na wenezuelski port
Cumaná – dalej na północ, niż było w planie. Dopłynęli tam
16 lipca. Miasto, położone 400 km na wschód od Caracas, miało tyle wspaniałości do zaoferowania, że dwaj łowcy przygód
zrezygnowali z szukania transportu na południe i postanowili
spenetrować okolicę. Dla Humboldta był to „ląd, o jakim marzy-
łem od chłopięcych lat", jak zanotował w dzienniku wyprawy,
pełnym entuzjastycznych opisów cudów natury: „nagich Indian,
węgorzy elektrycznych, papug, małp, panccrników, krokodyli,
zdumiewających roślin, nocnych pomiarów sekstantem przy
świetle Wenus".

Spędziwszy niemal dwa miesiące w Cumanie, podróżnicy ruszyli do Caracas, gdzie dokonali – obaj byli zapalonymi
wspinaczami – pierwszego udokumentowanego wejścia na górę

*Alexander von Humboldt –
portret w wykonaniu Friedricha
Georga Weitscha (1806)*

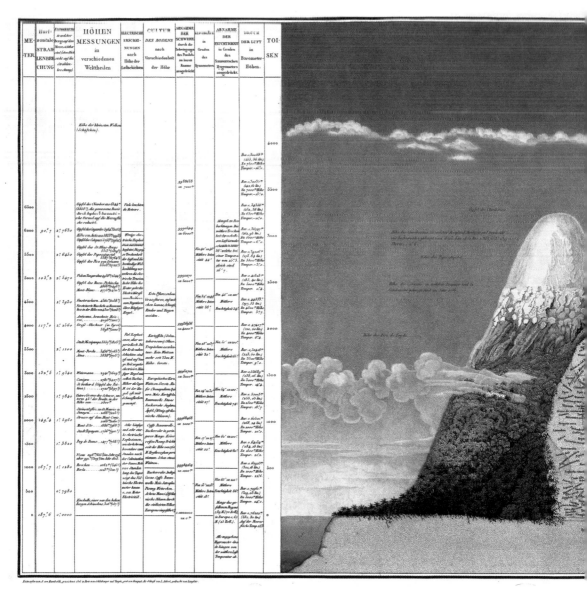

Silla de Caracas (2315 m n.p.m.). Stamtąd skierowali się w głąb lądu i dotarli do Los Llanos, regionu, który „przepełnia umysł poczuciem nieskończoności". Tam zapadła decyzja o zmapowaniu biegu Orinoko. Przedsięwzięcie było tytaniczne: żeby tam dotrzeć, musieli pokonać na piechotę 2776 km przez zupełną dzicz, znosić nieustanne ukłucia owadów, przeżyć spotkania z drapieżnikami i plemionami kanibali. Po drodze niestrudzona dwójka z sumiennością ocierającą się o obsesję zbierała i klasyfikowała nieznane gatunki roślin i zwierząt, a nawet ludzkie szkielety. Liczba zgromadzonych eksponatów sięgnęła 12 tys.;

Naturgemälde *Humboldta,* znana też jako *Mapa Chimborazo* – wielki przekrój wulkanu, na który Humboldt i Bonpland próbowali się wspiąć, ze szczegółami okolicznej roślinności. Zamieszczona w Geografii roślin *(1807)*

wiele jednak uległo zniszczeniu od działania wilgoci. Dwa miesiące później badacze przemierzyli terytorium niedawno wymarłego plemienia Aturès i obalili mit o jeziorze Parime (gdzie według Waltera Raleigh miało leżeć El Dorado). Humboldt wysunął tezę, że podstawą legendy o zbiorniku wodnym, którego nikt jakoś nie potrafił odnaleźć, musiały być sezonowe powodzie na sawannie Rupununi.

W listopadzie 1800 roku Humboldt i Bonpland popłynęli z krótką wizytą na Kubę, po czym wrócili na kontynent, by zacząć badanie innej rzeki – tym razem ośmiusetkilometrowej

Magdaleny w Kolumbii. Niezmordowani podróżnicy zajęli się potem studiami nad wulkanami Ekwadoru. Przy drugim podejściu zdobyli wysoki na 4724 m n.p.m. aktywny stratowulkan Pichincha (za pierwszym zmogła Niemca tajemnicza dolegliwość: nieznana jeszcze choroba wysokościowa). W 1802 roku podjęli słynną próbę wspinaczki na Chimborazo (najwyższy szczyt na świecie, jeśli mierzyć od środka planety, nie od poziomu morza), musieli jednak zawrócić po dotarciu na rekordową podówczas wysokość 5878 m n.p.m. To rozczarowanie wkrótce poszło w niepamięć, kiedy eksploratorzy znaleźli się w Callao, głównym porcie Peru, gdzie Humboldt obserwował tranzyt Merkurego, a 9 listopada ukończył pracę o właściwościach bogatego w azot guana, która dała podstawę do późniejszego wykorzystywania tej substancji jako nawozu.

Pod koniec roku Humboldt z przyjacielem udali się do Meksyku, po drodze mierząc temperaturę wód powierzchniowych

Alexander von Humboldt i Aimé Bonpland u stóp wulkanu Chimborazo, *obraz Friedricha Georga Weitscha (1810)*

Oceanu Spokojnego; odkryli również Prąd Peruwiański, znany też jako Prąd Humboldta, płynący na północ wzdłuż brzegów Ameryki Południowej. Wylądowawszy w Acapulco, zgrana para przez rok podróżowała po „Nowej Hiszpanii", zwiedzając miasta i kopalnie, badając wulkany i pozostałości kultury azteckiej. Ich ostatnim przystankiem przed powrotem do Bordeaux była wizyta w Stanach Zjednoczonych i spotkanie z Thomasem Jeffersonem, na które zapobiegliwy Niemiec umówił się wcześniej listownie, znając entuzjastyczne zainteresowanie prezydenta nauką. Rozmawiali na wiele tematów, między innymi o mamucie włochatym, którym się obaj pasjonowali.

Bilans przygody południowoamerykańskiej Humboldta jest zdumiewający: wspaniała kolekcja 60 tysięcy eksponatów, poważny uszczerbek majątku i góra zdobytych danych, nad którymi pracy starczyłoby na całe życie. Po trzydziestu latach pojawił się rezultat: monumentalne dzieło *Kosmos* – wyczerpująca dysertacja o świecie przyrody i wzajemnych w nim powiązaniach. Zakres dziedzictwa niemieckiego badacza jest obecnie niezrównany. Jego imieniem nazwano liczne gatunki zwierząt i roślin, minerały, prądy morskie, parki, szczyty, moczary, cztery hrabstwa i trzynaście miast w samej Ameryce Północnej, krater i morze księżycowe, a nawet asteroidę – w sumie żadna postać historyczna nie została tak uwieczniona. Pruski przyrodnik i inspektor górniczy zyskał sobie miano „ojca ekologii"; zmienił nasze rozumienie żywego świata i wciąż inspiruje do dalszych badań.

1803–1806: LEWIS I CLARK
W POSZUKIWANIU DROGI
NAD PACYFIK

Mogę tylko cenić tę chwilę wyjazdu jako jedną
z najszczęśliwszych w mym życiu. MERIWETHER LEWIS, KWIECIEŃ 1805

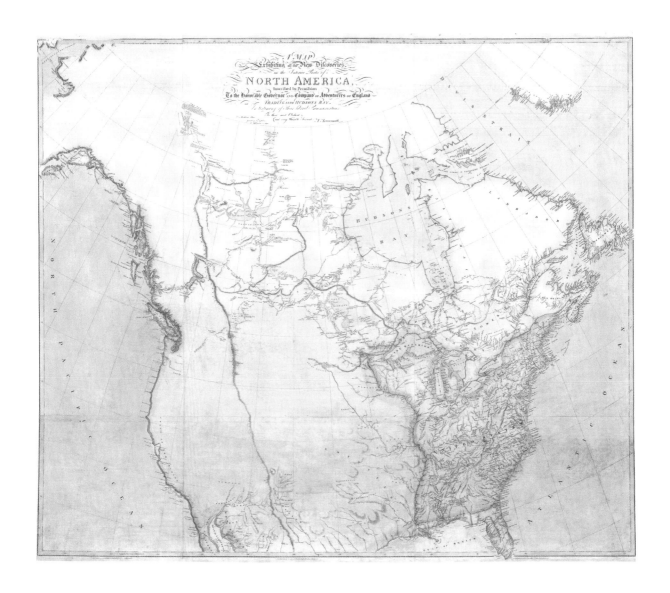

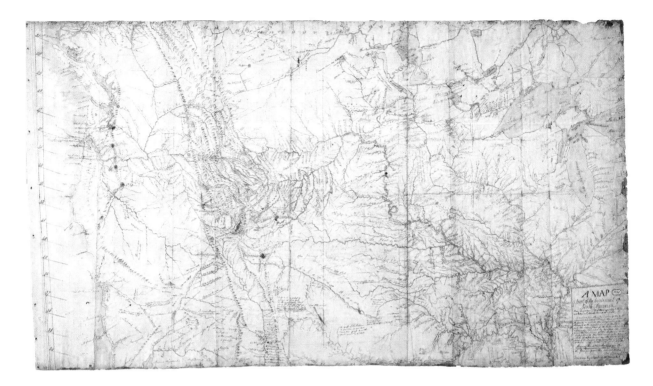

*Oryginalna odręczna
mapa Meriwethera Lewisa
i Williama Clarka z 1810 roku*

Zaledwie rok przed pobytem Alexandra von Humboldta w Ameryce Północnej Stany Zjednoczone obejmowały mniej niż połowę dzisiejszej powierzchni. W maju 1803 roku za sprawą korzystnej transakcji – tzw. Zakupu Luizjany od cesarza Napoleona za kwotę około 15 mln dolarów (309 mln według dzisiejszego przelicznika) – ich terytorium się podwoiło. Początkowo Amerykanom chodziło tylko o port Nowy Orlean i przyległy odcinek wybrzeża, Francuzi zaproponowali im jednak znacznie więcej, łącznie około 2 mln 145 tys. km kw. – szeroki centralny pas od ujścia Missisipi wzdłuż Gór Skalistych aż ponad dzisiejszą granicę kanadyjską. Dla prezydenta Jeffersona i społeczeństwa ziemie te (obejmujące dzisiejsze stany Arkansas, Missouri, Iowa, Oklahoma, Kansas, Nebraska, część obu Dakot i innych przyległych), podobnie jak cała reszta kontynentu, były dzikimi terenami, potencjalnie bogatymi w zasoby naturalne. W ich eksploracji przeszkadzali jednak kontrolujący te ziemie Francuzi oraz rdzenni mieszkańcy, rzeczywiści gospodarze – niezależnie od wszelkich roszczeń któregokolwiek z państw europejskich – którzy nie tak dawno w otwartej bitwie zadali Amerykanom poważne straty.

W zrealizowaniu marzenia Jeffersona o konsolidacji kraju istotnym czynnikiem był czas. Hiszpanie zajmowali południe kontynentu, Brytyjczycy panowali na północy, a i Francja coraz bardziej interesowała się penetracją Północnego Zachodu. Prezy-

NA SĄSIEDNIEJ STRONIE: Mapa Ameryki Północnej Aarona Arrowsmitha – jedyna, jaką zabrali na ekspedycję Lewis i Clark – uwidacznia ogrom niezbadanego Zachodu.

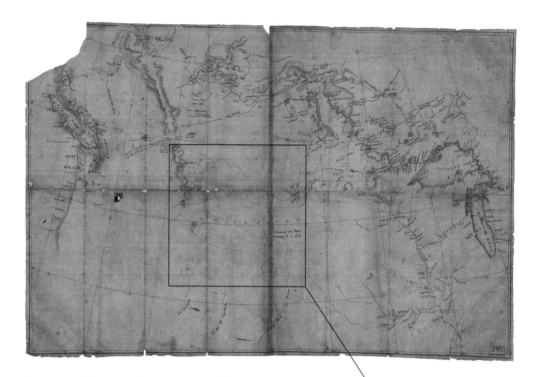

dent utworzył korpus odkrywczy – specjalną jednostkę
ekspedycyjną, zdolną radzić sobie z terenem metodami
naukowymi, a z tubylcami dyplomacją. Jej zadaniem
miało być mapowanie ziem oznaczanych przez kartografów klauzulą "Zobrazowanie domyślne", a przede
wszystkim odkrycie Przejścia Północno-Zachodniego:
"najbardziej bezpośredniej i praktycznej drogi wodnej
do Pacyfiku dla celów handlowych". Kongres wysupłał
na tę misję stosunkowo mizerną sumę 2500 dolarów.
Nie mogąc znaleźć uczonego, który cechowałby się "siłą
ciała i charakteru, roztropnością, nawykami niezbędny-
mi w puszczy i znajomością obyczajów i mentalności
Indian", Jefferson wyznaczył na szefa wyprawy wojskowego, kapitana Meriwethera Lewisa, który dokooptował
sobie współlidera, porucznika Williama Clarka. Ich osobowości –
entuzjazm i naturalne zdolności przywódcze pierwszego oraz
bardziej introwertyczna, artystyczna natura drugiego i skupienie
na obserwacji przyrody – znakomicie się uzupełniały.

Korpus odkrywczy rozpoczął zaplanowaną na dwa lata ekspedycję w maju 1804 roku, płynąc w górę Missouri na siedem-
nastometrowej łodzi kilowej i dwóch pirogach z załogą złożoną
z żołnierzy i pionierów pogranicza oraz psa o imieniu Seaman
(Marynarz). Szybko się okazało, że łódź tego typu jest zbyt mało

*Należący do Lewisa
i Clarka egzemplarz mapy
amerykańskiego Zachodu
Nicholasa Kinga z 1803 roku
z ich adnotacjami. Koryto
Missouri do Gór Skalistych
ukazane jest jako niepewne,
a cały region opatrzony
został uwagą „Zobrazowanie
domyślne".*

manewrowna na rzeczne meandry i przez pierwsze 1600 km
często trzeba ją było przeciągać po lądzie – porzucono ją zatem.

Po dwóch miesiącach podróży przed odkrywcami rozpostarła
się otwarta preria Wielkich Równin. Tam dopiero mogli ujrzeć
prawdziwe bogactwo fauny amerykańskiej: stada łosi, antylop
i bizonów tak liczne, że według zapisów w dzienniku ekspedycji
musieli „kijami je rozpędzać, by sobie zrobić przejście". Odpie-
rali też ataki niedźwiedzi grizzly, które wytrzymywały po kilka
postrzałów. Schwytali „szczekającą wiewiórkę" (nieświszczuka
czarnoogonowego, potocznie zwanego pieskiem preriowym),
którą wraz z czterema innymi zwierzętami przesłali prezyden-
towi. Służyła potem Jeffersonowi jako żywa maskotka dla roz-
rywki gości Białego Domu.

Były to ziemie Siuksów (Dakotów). Do zwa-
dy z Indianami doszło, kiedy Lewis odmówił
płacenia daniny wodzom; walki uniknięto
w ostatniej chwili dzięki interwencji członka starszyzny plemiennej. Po przejściu
na teren dzisiejszej Dakoty Północnej
stosunki z tamtejszym plemieniem
Mandanów ułożyły się gładko; Amery-
kanie zbudowali tam fort i przezimowali
przy temperaturach spadających do
−40°C. Przyłączył się do nich traper,
nieco podejrzanej konduity francuski Kanadyjczyk Toussaint Char-
bonneau, „który mówi językiem
Hidatsa i gdy oświadczył nam,
że jego dwie squaw są z Wężów,
zaangażowaliśmy go, by poszedł
z nami i zabrał jedną z żon", zanotował Clark 4 listopada 1804
roku. Wężami nazywano grupę
plemion posługujących się
mową szoszońską. Badaczom
Francuz nie był potrzebny;
chcieli przede wszystkim
mieć do dyspozycji tłumacza,
a jego młodsza żona, nasto-
letnia Sacajawea, nadawała się
do tej roli doskonale. W kwietniu
1805 roku ekspedycja ruszyła dalej
wzdłuż Missouri i w sierpniu znalazła

Wojownik z plemienia
Minitaree w kostiumie tańca
psa, *akwarela Karla Bodmera
z 1905 roku*

się blisko ziem Szoszonów. Na spotkanie intruzom wyjechało sześćdziesięciu wojowników. Idący w straży przedniej Lewis zaprosił ich wodza na wizytę w obozie. Sacajawea od razu rozpoznała w mężczyźnie swojego brata, Cameahwaita. „Natychmiast podskoczyła ku niemu, objęła go, zarzuciła mu na ramiona swój koc i rozszlochała się rzewnie", zapisał Clark.

Przeprawa przez zasypane śniegiem Góry Skaliste omal nie skończyła się tragicznie; doszło do tego, że aby przetrwać, podróżnicy musieli jeść konie i łojowe świece. Mimo silnych mrozów nikt jednak nie umarł i w końcu dobrnęli w bardziej umiarkowany klimat po zachodniej stronie łańcucha, trafili na rzekę Clearwater, a z jej biegiem dotarli na rzekę Kolumbia, w dolnym biegu płynącą przez terytoria Czinuków. Tubylcy miewali już do czynienia z białymi; nauczyli się traktować tę rasę nieufnie, sprawnie posługiwać się czajnikami oraz soczystymi zwrotami angielskimi w rodzaju „sukinsyn".

W końcu ekspedycja dopłynęła do ujścia. „Cóż za radość, widać ocean!", brzmi zapis w dzienniku Clarka. Uszczęśliwieni podróżnicy wznieśli nad Pacyfikiem fort i czekali w nim na przepływający statek, którym mogliby się zabrać w cywilizowane stro-

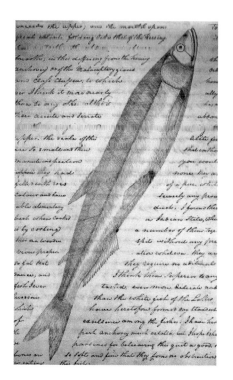

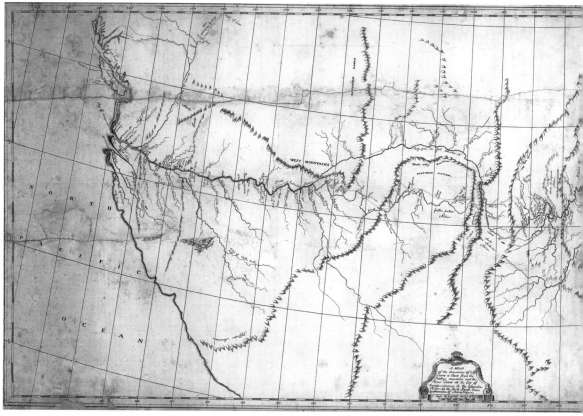

ny. Minęła jednak zima, a okazja się nie trafiała; uzbierano więc zapas prowiantu i wiosną korpus odkrywczy ruszył w drogę powrotną własnymi śladami, dzięki pośrednictwu Sacajawei przekonując napotykane plemiona o swych pokojowych intencjach. Dnia 23 września 1806 roku, po dwudziestu ośmiu miesiącach w drodze, Lewis i Clark dotarli do Saint Louis*. Drogi wodnej z oceanu na ocean co prawda nie znaleźli, ale dzięki ich pracy wielkie połacie kraju zostały zbadane i zmapowane, znacznie wzrósł poziom wiedzy o amerykańskiej przyrodzie i nawiązano pierwsze przyjazne kontakty z autochtonami. Był to wielki krok naprzód na drodze od mglistości „zobrazowania domyślnego" do przeobrażenia kontynentu w kraj zjednoczonych stanów.

---

* Dorobek kartograficzny ekspedycji był imponujący, jednakże całe odcinki jej trasy pozostały nieudokumentowane. Dopiero niedawno badacze się zorientowali, że można te brakujące dane odtworzyć, podążając tropem... latryn. Ponieważ podstawę diety podróżników stanowiło upolowane ptactwo, często cierpieli na obstrukcję i aby sobie ulżyć, przyjmowali pigułki chlorku rtęci. Specyfik błyskawicznie przechodził przez układ trawienny i pozostawiał wykrywalne osady. Najbardziej znane z odkrytych tą metodą miejsc postoju znajduje się w Traveler's Rest w Montanie.

NA SĄSIEDNIEJ STRONIE: „Gęba rozwiera się bardzo szeroko...". Rysunek z notesu Williama Clarka przedstawiający olakona (Thaleichthys pacificus)

Mapa odkryć kapitanów Lewisa i Clarka od Gór Skalistych i rzeki Lewis do przylądka Disappointment lub rzeki Kolumbia nad północnym Pacyfikiem (1807)

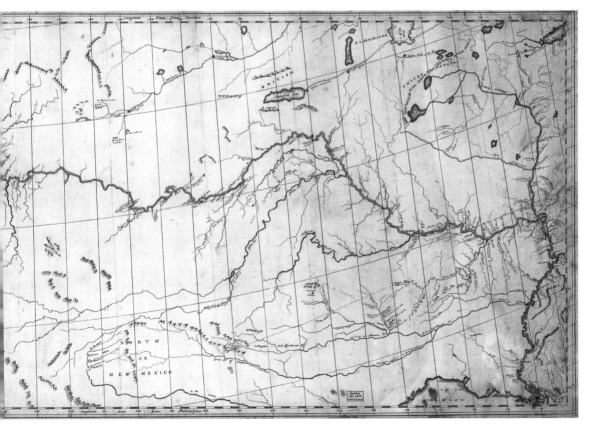

1819–1820: WILLIAM EDWARD PARRY
BADA ARCHIPELAG ARKTYCZNY

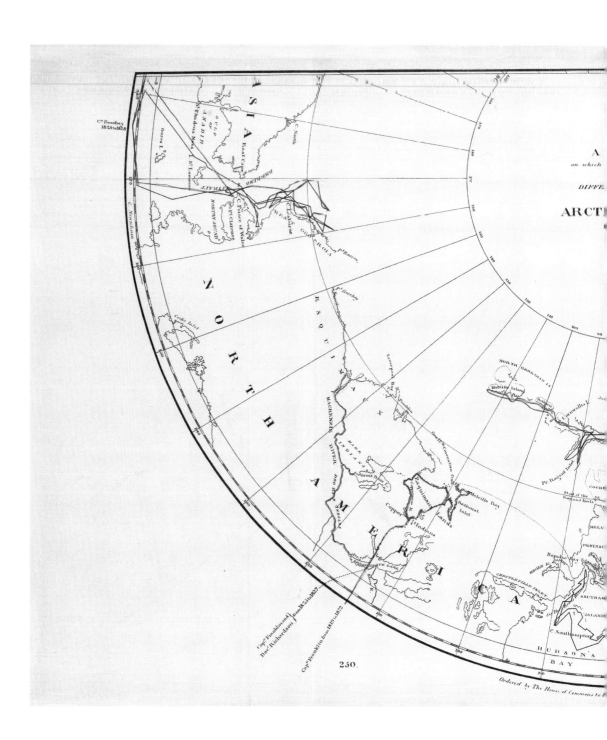

Było oczywiste, że zaszła bardzo namacalna zmiana (...), zbliżaliśmy się teraz do bieguna magnetycznego. WILLIAM EDWARD PARRY, *JOURNAL OF A VOYAGE...* (1821)

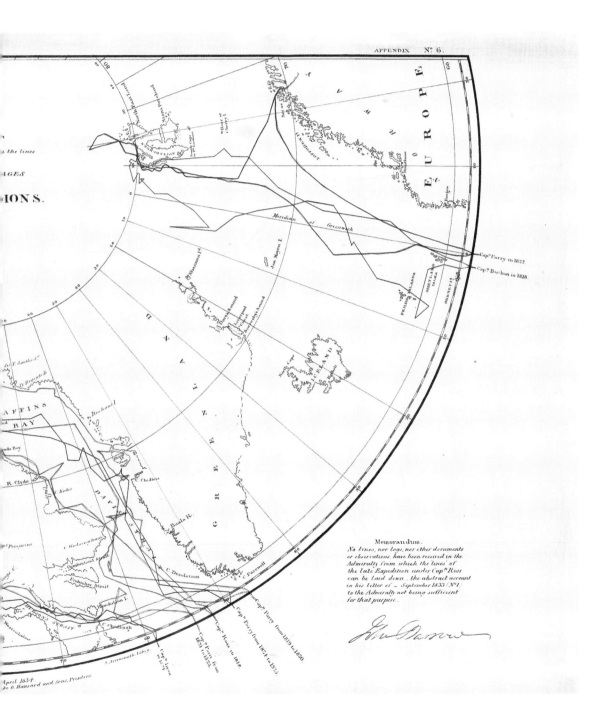

W pierwszej połowie XIX wieku znów nastąpił wysyp ekspedycji arktycznych mających na celu poszukiwania Przejścia Północno-Zachodniego. Jedną z takich wypraw poprowadził oficer Royal Navy John Ross, który zasłynął dziwną decyzją. O trzeciej po południu 31 sierpnia 1818 roku, krótko po wpłynięciu w Cieśninę Lancastera, postawił w dryf swoje dwa okręty, *Isabellę* i *Alexandra* (dowodzonego przez młodego porucznika Williama Edwarda Parry'ego), zauważył bowiem coś na horyzoncie. W książce *A Voyage of Discovery* (1819) napisał: „Wyraźnie widziałem ląd w głębi zatoki, tworzący pasmo gór połączonych z tymi, które rozciągają się na północ i południe". Ten masyw, nazwany przezeń Górami Crokera (na cześć pierwszego sekretarza Admiralicji Johna Wilsona Crokera), blokował dalszą drogę. Wyglądało na to, że Cieśnina Lancastera jest tylko zatoką. Ross zdecydował się zawrócić do Anglii.

Odebrawszy na *Alexandrze* rozkaz odwrotu, Parry nie wierzył własnym uszom. I on, i jego ludzie mieli niczym niezakłócony widok na akwen przed dziobem i jak jeden mąż stwierdzili, że żadnych gór tam nie ma. Czyżby dowódca postradał zmysły? Dał się omamić mirażowi, który tylko jemu się ukazał? Kapitan jednak zignorował protesty podwładnych i zespół skierował się do portu macierzystego. Nadzieje żeglarzy na odnalezienie Przejścia Północno-Zachodniego „prysły w jednej chwili, bez choćby cienia widocznego powodu", jak skarżył się ochmistrz z *Alexandra*. Niemal od momentu zacumowania sprawa została nagłośniona. Krytykowany przez wszystkich Ross znalazł się pod pręgierzem opinii publicznej za niekompetencję i musiał się gęsto tłumaczyć, usiłując bronić swojej decyzji.

Młody dowódca *Alexandra* żarliwie argumentował, że Cieśnina Lancastera (położona w regionie Qikiqtaaluk na kanadyjskim terytorium Nunavut) nie tylko nie jest żadną zatoką, ale właśnie może być tą upragnioną od stuleci bramą na Pacyfik. Musiał być przekonujący, albowiem zaledwie rok później, wciąż w stopniu porucznika, otrzymał dowództwo własnej ekspedycji złożonej z dwóch specjalnie wzmocnionych okrętów (kecza bombowego *Hecla* i brygu *Griper*). Miał ponownie zbadać cieśninę, „przebić się" przez wyimaginowane Góry Crokera i pokonać całą drogę do Cieśniny Beringa. Wyruszywszy z Deptford w maju 1819 roku, Parry znalazł się na wodach Cieśniny Lancastera 1 sierpnia – niemal w rocznicę niesławnego odwrotu Johna Rossa. Przepłynęli przez nią bez trudu, nie napotykając żadnych przeszkód – nie mówiąc już o barierze z górskich szczytów – ani nawet większych skupisk lodu. Przed zimą zdążyli przebyć

NA POPRZEDNIEJ STRONIE: *Trasy różnych brytyjskich ekspedycji arktycznych z lat 1818–1827, w tym Johna Rossa i Williama Parry'ego*

Kapitan William Edward Parry

Cieśninę Barrowa, zaobserwowali też liczne wyspy i zatoki, które pojawiały się w historii późniejszej eksploracji: Zatokę Admiralicji, Kanał Wellingtona, Wysepkę Księcia Regenta i inne, równie patriotycznie nazwane miejsca.

W dniu 4 września o godzinie 21.15 w dzienniku okrętowym odnotowano przekroczenie południka 100°W. Był to rekord w dziejach poszukiwań Przejścia Północno-Zachodniego, który upoważniał ich do wyznaczonej przez parlament nagrody w wysokości 5 tys. funtów. Wyprawa płynęła dalej, lecz pak lodowy zaczynał już gęstnieć. Nie czekając, aż morze zamarznie, Parry schronił się na niezamieszkanej Wyspie Melville'a, w zatoczce, której nadał nazwę Winter Harbour (Port Zimowy), aby przeczekać do wiosny, korzystając ze statkowych zapasów. Było to pierwsze w XIX wieku arktyczne zimowanie.

Dowódca pomysłowo dbał o morale załogi w tych trudnych warunkach. Założony przez grupę amatorów z obu załóg „Królewski Teatr Arktyczny" co dwa tygodnie występował ze sta-

Statki Parry'ego, Hecla i Griper, *w Winter Harbour na Wyspie Melville'a*

Łodzie w śnieżycy pod wyspą
Walden, 12 sierpnia 1827.
Rycina z relacji W. Parry'ego
The Narrative of an Attempt to
Reach the North Pole… *(1828)*

rannie przygotowanym (włącznie z kostiumami i oświetleniem sceny) premierowym spektaklem. (Parry wymienia w dzienniku przedstawienie *Panny nastoletniej**, w którym grał żeńską rolę Fribble, a Frederick Beechey, późniejszy kontradmirał, błyszczał ponoć jako śliczna panna Biddy). Prowadzona była szkoła dla analfabetów oraz obserwatorium do pomiarów astronomicznych i ziemskiego pola magnetycznego. Polarnicy wydawali nawet własną prasę: „North Georgia Gazzette" i „Winter Chronicle".

W sierpniu, po dziesięciu miesiącach zmagań śmiałków z mrozem (najniższa zanotowana temperatura wynosiła –48°C), szkorbutem i trzymiesięczną ciemnością nocy polarnej, lód zaczął się cofać. Podróżnicy dzielnie próbowali przeć dalej na zachód i dotarli prawie na skraj kanadyjskiego Archipelagu Arktycznego, o mały włos nie przebijając się na Morze Beauforta (u północnego wybrzeża Alaski), lecz mimo letniego ciepła

---

* Farsa Davida Garricka z 1747 roku, znanego londyńskiego aktora, dramaturga i dyrektora teatru (przyp. tłum.).

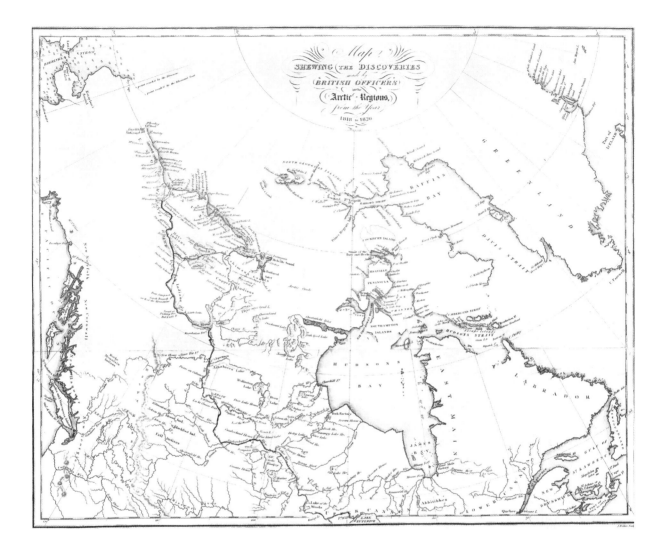

pak wciąż był zwarty i w końcu Parry musiał podjąć decyzję o powrocie. Do Anglii wrócili w październiku 1820 roku, straciwszy tylko jednego człowieka z liczącej dziewięćdziesiąt cztery osoby załogi, za to z pakietem nowych odkryć i uskrzydlającym poczuciem sukcesu na drodze do wyznaczenia polarnej trasy z Atlantyku na Pacyfik. Dzięki niezwykle w tym sezonie małemu zalodzeniu pokonali aż trzy czwarte szlaku przez Archipelag Arktyczny, co sprawiło, że była to jedna z najowocniejszych wypraw w historii badań Arktyki.

Mapa ukazująca odkrycia dokonane przez oficerów brytyjskich w Arktyce od 1818 do 1826 roku – w tym przez Williama Edwarda Parry'ego

1839–1843: JAMES CLARK ROSS I POSZUKIWANIA BIEGUNÓW MAGNETYCZNYCH

Niestrudzony człowiek, najwytrwalszy, jakiego można sobie wyobrazić. KPT. HUMPHREYS, JEDEN Z OFICERÓW CLARKA, W LIŚCIE Z 28 STYCZNIA 1836

Kompasu magnetycznego początkowo wcale nie używano w nawigacji. Wynaleziony w Chinach za czasów dynastii Han (III w. p.n.e – III w. n.e.) „wskaźnik południa" był narzędziem geomantów – wróżbitów przepowiadających przyszłość z układu rozsypywanego piasku – oraz architektów praktykujących feng shui, którzy wykorzystywali go do wznoszenia budowli w harmo-

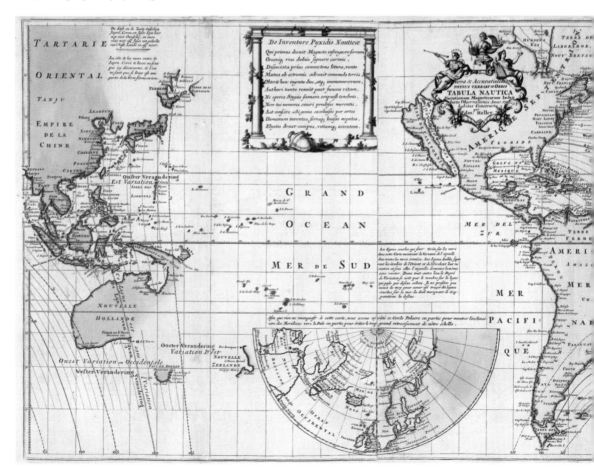

nii z otoczeniem. Do wyposażenia chińskich nawigatorów trafił najprawdopodobniej dopiero między IX a XI wiekiem; w Europie pierwszą wzmiankę o takim przyrządzie znajdujemy w *De naturis rerum* [O naturze rzeczy] Alexandra Neckama z 1190 roku.

Do XVI stulecia zachowanie igły kompasowej tłumaczono istnicniem na biegunie północnym mitycznej Rupes Nigra, wielkicj czarnej góry magnetycznej otoczonej przez silny wir oraz wyspy zamieszkane przez pigmejów. Najsłynniejszy jej wczesny wizerunek widnieje w winiecie na mapie Merkatora z 1569 roku (por. s. 114). Kartograf tak to wyjaśnił w liście z 1577 roku do matematyka i astrologa Johna Dee: „Pośrodku morza tuż pod biegunem leży naga skała, mająca 33 mile (53 km) w obwodzie, cała z kamienia magnetycznego".

Na początku XVII wieku żeglarze oceaniczni wiedzieli już, że kompas nie wskazuje północy rzeczywistej (tzn. wyznaczonej przez oś Ziemi), lecz północny biegun magnetyczny, położony gdzieś w amerykańskiej Arktyce, i że na dodatek kierunek ten się

Nova et accuratissima totius terrarum… *Edmonda Halleya – pierwsza mapa świata ukazująca wyniki jego badań deklinacji magnetycznej z 1770 roku w formie tzw. izogon i uwidaczniająca jej zmienność w zależności od miejsca*

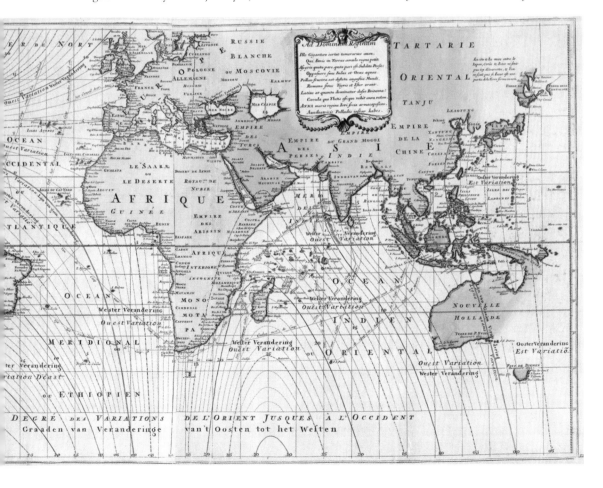

zmienia w zależności od pozycji geograficznej statku. (Kolumb zauważył to zjawisko we wrześniu 1492 roku, uznał jednak, że lepiej to przemilczeć, żeby nie wzbudzić paniki wśród załogi). W 1698 roku przyszły astronom królewski Edmond Halley wyruszył w pierwszą angielską czysto naukową wyprawę wokół Atlantyku i w ciągu dwóch lat dokonywał pomiarów deklinacji magnetycznej w różnych punktach oceanu. Powstała w ten sposób przełomowa *A New and Correct Chart shewing the Variations of the Compass in the Western & Southern Oceans as observed in the year 1700* [Nowa i poprawna mapa ukazująca odchylenia kompasu na zachodnim i południowym oceanie według obserwacji z 1700 r.] – jedno z najwcześniejszych graficznych przedstawień danych o ziemskim polu magnetycznym. Ale co z samymi biegunami magnetycznymi? Gdzie leżą i co tam można znaleźć? Czy w micie Merkatora o czarnej skale jest choćby ziarno prawdy?

I tu na scenę ponownie wkracza jeden z bohaterów poprzedniego rozdziału, John Ross, "odkrywca" rzekomych Gór Crokera. Okryty niesławą z powodu gafy przy próbie znalezienia Przejścia Północno-Zachodniego chciał się zrehabilitować, zaproponował więc Admiralicji, że wróci do Cieśniny Lancastera, tym razem parowcem, i wznowi poszukiwania. Spotkawszy się z odmową, Ross zwrócił się do bogatego przyjaciela, magnata dżinu Felixa Bootha, z prośbą o sfinansowanie ekspedycji. Booth kręcił nosem, dowiedziawszy się, jaką nagrodę wyznaczył parlament dla tego, kto ów cel osiągnie – jakież to bowiem prostackie, ubiegać się o marne 2 tysiące funtów – i zgodził się dopiero wtedy, gdy posłowie wycofali tę ofertę.

Niemal dokładnie jedenaście lat po feralnej decyzji o zawróceniu sprzed "Gór Crokera", 6 sierpnia 1829 roku kapitan Ross wpłynął w Cieśninę Lancastera parowcem *Victory*; we wrześniu posuwał się wzdłuż wschodniego brzegu wielkiego masywu lądowego, który na cześć sponsora nazwał Boothia Felix (dzisiejszy półwysep Boothia). Lód szybko narastał i statek utknął tam na cały rok. Po uwolnieniu się zdołał przebyć zaledwie kilka mil i znów został unieruchomiony, żeby więc nie tracić czasu, Ross zarządził dwie wyprawy lądowe. Właśnie podczas jednej z nich 1 czerwca 1831 roku dowodzący sześcioosobową grupą bratanek kapitana, James Clark Ross, zauważył, że igła jego kompasu ustawiła się niemal dokładnie (w granicach jednej minuty kątowej) pionowo. Wynikało z tego, że na tym niczym się niewyróżniającym skrawku ziemi znajduje się biegun magnetyczny. Młody Ross zaznaczył to miejsce flagą brytyjską i wrócił na *Victory*. Ekspedycja musiała jeszcze dwukrotnie przezimować w Arktyce i do Anglii wróciła dopiero pod koniec 1833 roku.

Pośmiertny portret Jamesa Clarka Rossa pędzla Stephena Pearce'a (1850)

Tajemnica północnego bieguna magnetycznego została więc
wyjaśniona, ale dopiero pięć lat później, kiedy częściej organizo-
wano wyprawy antarktyczne, zainteresowano się południowym.
Powstał plan misji jego odkrycia, zatwierdzony przez Towarzystwo Królewskie i sfinansowany ze środków państwowych. Wybór kierownika był oczywisty: powierzono tę funkcję Jamesowi
Clarkowi Rossowi. Przydzielono mu dwie jednostki: flagową
został 370-tonowy *Erebus*, drugą o 30 ton mniejszy *Terror*, oba
bardziej znane z późniejszej wyprawy Johna Franklina do Przejścia Północno-Zachodniego.

Ekspedycja wyruszyła z Kornwalii 5 października 1839 roku
i w kwietniu minęła Przylądek Dobrej Nadziei w drodze ku ar-
chipelagowi Desolation (Wyspom Kerguelena) na południowym
Oceanie Indyjskim. Przez całą drogę dokonywano cogodzin-
nych pomiarów magnetometrycznych, sam Ross zaś prowadził
obserwacje astronomiczne i pływowe. Po postoju przy nowozelandzkiej wyspie Campbell okręty skierowały się na południe
i w Nowy Rok 1841 przekroczyły koło podbiegunowe. Morze
było coraz gęściej usiane górami lodowymi i dużą krą, pogoda
coraz gorsza, kapitan jednak parł dalej ku Antarktydzie, licząc
na to, że południowy biegun magnetyczny znajduje się na akwenie nazwanym później Morzem Rossa i łatwiej go będzie odszukać niż dziesięć lat wcześniej północny. Ta nadzieja się rozwiała,
kiedy przed dziobem ukazał się ląd – Ziemia Wiktorii z wielkim
pasmem górskim nazwanym Górami Admiralicji. Wskazania
przyrządów podpowiadały, że do bieguna zostało nie więcej niż
800 km, Ross więc pożeglował wzdłuż brzegu na południe, ze
zdumieniem odnotował widok dwóch czynnych wulkanów i dotarł na rekordową szerokość geograficzną – dalszą drogę jednak
zagrodziła mu „Wielka Bariera Lodowa" – dziś Lodowiec Szel-
fowy Rossa, największy na Antarktydzie (z powierzchnią około
487 tys. km kw. mniej więcej równą Francji). Dla późniejszych
odkrywców miała to być brama do bieguna południowego; Ross
widział jednak tylko przeszkodę wysoką i tak samo nie do sfor-
sowania jak słynne klify Dover, oznaczającą dlań kres wyprawy.
Przebył jeszcze około 170 Mm wzdłuż lodowej półki, po czym
zawrócił na kotwicowisko na Tasmanii.

Rok później podjął drugą próbę, lecz i tym razem mu się
nie powiodło: w sztormowej pogodzie znów natrafił na lodowe
urwisko i na tym sprawę zakończył. Z Antarktydą dano sobie
spokój na ponad pół wieku – minęło sześćdziesiąt lat, nim ktokolwiek zapuścił się dalej na południe niż rekord Rossa, 78°10'S.

Metrosideros robusta,
żelazowiec, może osiągać
wysokość 25 m, jak zaobserwował
Joseph Dalton Hooker podczas
podróży Rossa do Antarktyki.
Rycina z The Botany of the
Antarctic Voyage of H.M.
Discovery Ships *Erebus*
i *Terror, 1839–1843*

1845–1847: ZAGADKOWE ZNIKNIĘCIE EKSPEDYCJI FRANKLINA

Tak niewiele już zostało do zrobienia (...), nie ma uzasadnionych wątpliwości (...) ani żadnych powodów do obaw o utratę statków lub ludzi. SIR JOHN BARROW, GRUDZIEŃ 1844

Do najsłynniejszego zaginięcia w historii eksploracji doszło podczas próby rozwiązania jej największej tajemnicy. Przez cztery dziesięciolecia od nominacji sir Johna Barrowa w 1804 roku na drugiego sekretarza Admiralicji brytyjscy odkrywcy wycięli, kosztem ofiar w ludziach i statkach, spore pasy z białej zasłony sekretów Arktyki w poszukiwaniu drogi na zachód do Morza Beringa. Niezbadana część regionu skurczyła się do trójkąta o powierzchni około 181 tys. km kw. Do zmapowania pozostało nie więcej niż 500 km wybrzeża. Barrow, teraz już po osiemdziesiątce, zabiegał o jeszcze jedną próbę – ekspedycję, która dopłynęłaby jak najdalej na zachód (co najmniej do 95°W) i stamtąd penetrowała zamarznięty labirynt w kierunkach południo-

Sir John Franklin

wym i zachodnim tak długo i nieustępliwie, by w końcu dotrzeć na Morze Beringa. Gdyby okazało się to niemożliwe, miała skierować się na północ przez Kanał Wellingtona i poszukać innej drogi. Pokierowanie wyprawą Barrow zaproponował Williamowi Parry'emu, ten jednak uprzejmie odmówił. James Clark Ross również nie miał na to ochoty, przyrzekł już bowiem żonie, że koniec z Arktyką. Trzeciego kandydata, Jamesa Fitzjamesa, Admiralicja uznała za zbyt młodego na szefa takiego przedsięwzięcia, George'a Backa za zbyt kłótliwego, a Francis Crozier nie był zainteresowany. I tak drogą eliminacji wybór padł – acz bez entuzjazmu – na ostatnią kandydaturę: pięćdziesięciodziewięcioletniego sir Johna Franklina.

Obawy budziły jego wiek i obniżona sprawność, jednakże Franklin, człowiek o wielkim uroku osobistym, miał za sobą trzy ekspedycje polarne, podczas których naniesiono na mapę prawie 5 tys. km północnego wybrzeża Kanady, do tego niedawno zakończył kadencję wicegubernatora Ziemi van Diemena (Tasmanii), gdzie wspierał badania Antarktyki, w tym przedsięwzięcia Jamesa Rossa. Na to nowe wyzwanie przydzielono mu znane już nam HMS *Erebus* i HMS *Terror* z łączną obsadą liczącą stu trzydziestu dziewięciu oficerów i marynarzy, dobrze zaopatrzone i z zainstalowanymi maszynami parowymi. Dowództwo *Terrora* powierzono Francisowi Crozierowi; Fitzjames trafił na *Erebusa* jako I oficer pod komendą Franklina. Z przystani na Tamizie zespół wypłynął 19 maja 1845 roku, na wyspie Whalefish u zachodniego brzegu Grenlandii uzupełniono zapasy, by starczyło na trzy lata arktycznych peregrynacji, później u wejścia w Cieśninę Lancastera widzieli jeszcze oba okręty wielorybnicy z angielskich statków *Enterprise* i *Prince of Wales* – po czym najlepiej wyekwipowana brytyjska ekspedycja morska, jaką kiedykolwiek wysłano do Arktyki, zniknęła wśród lodów.

Kiedy po dwóch latach nie dotarły o niej żadne wiadomości, w Londynie zaczęto się niepokoić. W styczniu 1847 roku John Ross wyszedł z propozycją wszczęcia poszukiwań, Admiralicja wyraziła jednak „nieograniczoną ufność w kunszt i zasoby

Podczas poszukiwań Johna Franklina ratownicy chwytali się coraz bardziej pomysłowych metod. Ten plakat z 1852 roku (jedyny zachowany egzemplarz) wychwala zastosowanie przez zespół poszukiwawczy Horatia Austina balonów wodorowych do rozrzucania ulotek z informacją dla rozbitków o lokalizacji statków ratowniczych i składów żywności.

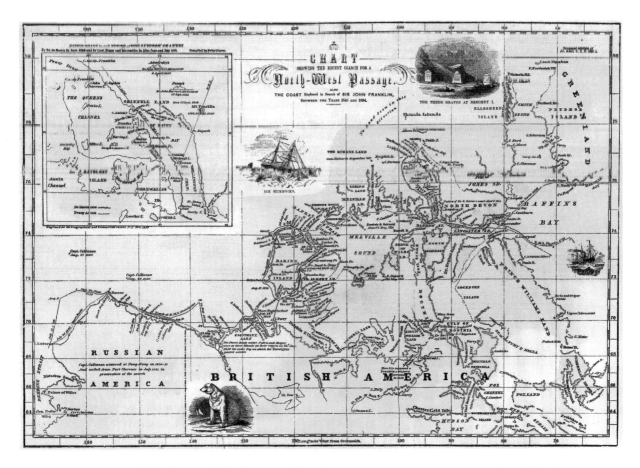

sir Johna Franklina" – zaraz jednak sama podkopała tę pewność, wyznaczając nagrodę dla operujących na zachód od Grenlandii wielorybników za informacje o zaginionych. Obawy o los wyprawy szybko się rozwinęły w narodowy dramat, wypełniły szpalty gazet i zawładnęły wyobraźnią społeczeństwa. W 1848 roku Admiralicja zorganizowała potrójną misję poszukiwawczo-ratowniczą pod dowództwem Johna Richardsona, Thomasa Moore'a i Jamesa Clarka Rossa. Przyczyniło się to do licznych nowych odkryć geograficznych w regionie, żaden z okrętów nie natrafił jednak na choćby najmniejszy ślad po *Erebusie* i *Terrorze*.

Przez kilka kolejnych dziesięcioleci łącznie trzydzieści sześć statków i ekspedycji lądowych podejmowało poszukiwania zespołu Franklina, w dużej mierze pod wpływem nalegań posłów i lady Franklin, która zwróciła się listownie o pomoc także do prezydenta USA i cara rosyjskiego. Admiralicja zaoferowała nagrodę w wysokości 20 tys. funtów (około 1,8 mln według dzisiejszej siły nabywczej) „każdej osobie bądź grupie z dowolnego

Mapa najnowszych poszukiwań Przejścia Północno-Zachodniego autorstwa Charlesa Morse'a, Nowy Jork 1856

państwa, która udzieli pomocy załogom statków odkrywczych pod komendą sir Johna Franklina". Pierwsze dowody pojawiły się w 1850 roku, kiedy cztery jednostki, które spotkały się u południowo-zachodniego cypla wyspy Devon, znalazły oznaki świadczące, że zaginieni Brytyjczycy zimowali w tym rejonie. Cztery lata później John Rae ogłosił zasłyszaną od Inuitów informację o widzianej przez nich grupie białych ludzi ciągnących łódź wzdłuż zachodniego brzegu Wyspy Króla Williama*.

Nie mogąc znaleźć dowodu przetrwania wyprawy, w 1855 roku rząd brytyjski oficjalnie uznał Franklina i jego ludzi za zmarłych. Nie przekonało to lady Franklin, która wystąpiła z apelem o jeszcze jedną próbę. Według redaktora „The Times" byłoby to „marnowaniem czasu na szukanie kościotrupów"; żona polarnika sama jednak zakupiła jacht parowy *Fox* z ożaglowaniem szkunera i na kapitana wybrała Leopolda McClintocka, który wziął udział we wcześniejszej akcji poszukiwawczej pod komendą Rossa.

McClintock z I oficerem Williamem Hobsonem dokonali przełomowego odkrycia przy Point Victory, nieopodal przylądka

---

* Rae wyjawił też, że ci sami Inuici twierdzili, iż owi Europejczycy praktykowali kanibalizm. Lady Franklin odsądziła go od czci i wiary za szerzenie kłamstwa – nie do pomyślenia było bowiem, żeby brytyjscy marynarze mogli być zdolni do takich rzeczy. Podczas badań prowadzonych w latach osiemdziesiątych i dziewięćdziesiątych XX w. na kościach znaleziono jednak ślady cięć nożem. Artykuł zamieszczony w 2016 r. w „International Journal of Osteoarchaeology" po raz pierwszy podał dowody na rozpaczliwy „końcowy etap" kanibalizmu: łamanie i gotowanie kości dla wydobycia szpiku.

Posiedzenie Rady Arktycznej z udziałem sir Johna Barrowa, Jamesa Clarka Rossa i Williama Edwarda Parry'ego poświęcone planowaniu poszukiwań Johna Franklina – Stephen Pearce, 1851

Felix na północnym wybrzeżu Wyspy Króla Williama: znaleźli dwa kamienne kopczyki, a pod nimi pozostawione przez ludzi Franklina dzienniki podróży. Potwierdziły one, że *Erebus* i *Terror* rzeczywiście przeczekały pierwszą zimę przy wyspie Beechey. W 1846 roku Franklin podążył na południe przez Peel Sound i cieśninę nazwaną później jego imieniem, utkwił jednak w lodach. Adnotacja na marginesie dziennika z 1848 roku, podpisana przez Fitzjamesa i Croziera, wyjaśniała, że zespół był uwięziony od 12 września 1846 roku. Franklin zmarł 11 czerwca 1847 roku i dowództwo przejął po nim Crozier. Dziesięć miesięcy później (22 kwietnia) podjęto desperacką decyzję porzucenia okrętów. Stu pięciu mężczyzn, którzy przeżyli do tej pory, wyruszyło po lodzie ku ujściu rzeki Great Fish. Wszyscy zginęli.

Od tamtej chwili minęło półtora stulecia, lecz zainteresowanie ich losem nigdy nie zmalało. Szczątki członków załogi,

Ogłoszenie z 1849 roku o nagrodzie za pomoc przy wydostaniu sir Johna Franklina, jego statków i załóg z lodów odnalezione w różnych miejscach na Wyspie Króla Williama, poddano szczegółowej analizie. W latach osiemdziesiątych XX wieku ekshumowano ciała trzech marynarzy zmarłych już w 1846 roku; sekcja wykazała oznaki gruźlicy, a za przyczynę śmierci uznano zapalenie płuc. Wykryto też znaczny poziom ołowiu we krwi, co zrodziło hipotezę, że mógł to być skutek zatrucia spoiwem lutowniczym użytym przy pospiesznej produkcji konserw lub wodą ze statkowego układu odsalania, również zbudowanego z wykorzystaniem ołowiu. To by zarazem tłumaczyło tę dziwną decyzję załogi.

Ostatnio najbardziej ekscytującym wydarzeniem stało się odkrycie w 2014 roku wraka *Erebusa*, a dwa lata później *Terrora*, zatopionych w zatoce nazwanej imieniem tego drugiego, na południowo-wschodnim wybrzeżu Wyspy Króla Williama. Do chwili oddania tej książki do druku nie zbadano ich jeszcze dokładnie; wydobyto tylko kilka artefaktów, między innymi dzwon okrętowy z *Erebusa*. Oba znaleziska rząd kanadyjski objął ochroną jako pomniki historyczne. Nie wiadomo na razie, jakie mogą przynieść dalsze wyjaśnienia. Ponad sto siedemdziesiąt lat od pochłonięcia ekspedycji przez Arktykę mroczna historia Franklina i jego zaginionej załogi wciąż się jeszcze rozwija.

Kolejne poszukiwania Franklina przyczyniły się też do postępu w mapowaniu kanadyjskiej Arktyki, co pokazuje ta mapa z 1853 roku

1846: ŚWIT EPOKI PODRÓŻY KOBIECYCH

Dla tych, którzy się wychowali w ściśle uregulowanym
porządku społecznym, niewiele chwil radości może
się równać z tą, kiedy się staje na progu podróży
w nieznane. Otwiera się furtka zamkniętego ogrodu…
i patrzcie! Przed nami świat niezmierzony. GERTRUDE BELL, 1907

Tak oto dotarliśmy w narracji od starożytności do samego środka
epoki wiktoriańskiej. Nie uszło zapewne uwagi czytelnika, że
aż do tej chwili bohaterami historii eksploracji byli niemal wyłącznie mężczyźni. Brak kobiet w panteonie odkrywców nowych
lądów może się wydawać niewytłumaczalny; spójrzmy jednak
na to w kontekście niewzruszonych ograniczeń społecznych,
jakie dotąd narzucano płci pięknej. Paniom po prostu nie przy-
sługiwało prawo do takiego samego wykształcenia i swobody podróżowania, jakim cieszyli się mężczyźni. Niewiasta na statku?
Nie do pomyślenia. Za sterem operacji finansowych? Niedocze-
kanie! W tych warunkach nie było mowy, żeby ktokolwiek powierzył kobiecie organizowanie wypraw czy kierowanie nimi –

Rycina z Seplenień z niskich
szerokości *(1863) – relacji pani
Impulsii Gushington z podróży
po Egipcie, w rzeczywistości
napisanej przez brytyjską
arystokratkę lady Dufferin*

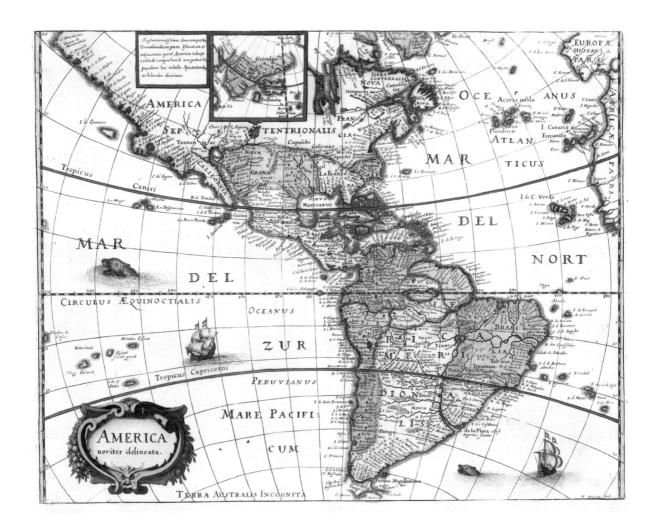

Mapa Ameryk z 1638 roku
autorstwa ojca Marii Merian,
szwajcarskiego rytownika
Matthäusa Meriana

w zasadzie były to przedsięwzięcia biznesowe. Misje wojskowe, handlowe i naukowe wysyłały instytucje z definicji nieprzyjazne paniom; podobnie rzecz się miała z misjami religijnymi: nikt z organizatorów nawet przez chwilę nie dopuszczał myśli, że można by kobietę wyekspediować samą w nieznane. Eksploracja nowych światów była niebezpiecznym sprawdzianem wytrzymałości fizycznej i zakładano, że delikatna damska konstrukcja nie byłaby zdolna go przetrwać. „Baba" na czele wyprawy? Uchowaj Boże! A już kobiety samotnie zapuszczającej się na niezbadane ziemie w ogóle nie umiano sobie wyobrazić.

Zanim w połowie XIX wieku, gdy pojawiły się pierwsze niezależne podróżniczki, europejskie podejście do kobiecych peregrynacji zaczęło się zmieniać – a raczej, ściśle mówiąc, zaczęło być zmieniane – zdecydowanie najsławniejszą pionierką w tej dziedzinie była Maria Sibylla Merian (1647–1717), pochodząca z Niemiec przyrodniczka i ilustratorka, córka znanego rytownika Matthäusa Meriana. W 1665 roku, gdy miała osiemnaście lat, poślubiła malarza Johanna Graffa i pięć lat później przeniosła się z mężem i dwiema córkami do Norymbergi. Jako żarliwa protestantka uważała studia nad dziełem Stwórcy i opiewanie jego piękna i doskonałości za akt czci religijnej. Ten koncept adoracji doprowadził ją w 1685 roku do – skandalicznego naówczas – porzucenia męża i przystąpienia z dziećmi do protestanckiej sekty labadystów. Merian oddała się swojej pasji i w 1691 roku otworzyła w Amsterdamie własną pracownię. Lokalizację wybrała idealną: do portu zawijały statki ze wszystkich stron świata i codziennie mogła znaleźć jakieś ciekawe eksponaty do badania. Studia nad martwymi truchłami egzotycznych stworzeń jej nie wystarczały   chciała je zobaczyć na wolności, w naturalnym środowisku. W 1699 roku, w wieku pięćdziesięciu dwóch lat, spisała więc testament i sprzedała 255 swoich prac, zdobywając w ten sposób fundusze na niezależną podróż. Za specjalnym pozwoleniem amsterdamskiego ratusza wykupiła przejazd do kolonii labadystów w La Providence (późniejsza Gujana Holenderska, obecnie Surinam) na północno-wschodnim wybrzeżu Ameryki Południowej.

Samofinansowanie wyprawy nie miało wtedy precedensu – nie tylko w przypadku kobiety, ale w ogóle żadnego z europejskich przyrodników. Oczywiście Merian cieszyła się uprzywilejowaniem

Kajman walczący z wężem, zaobserwowany przez Marię Sibyllę Merian podczas podróży po Ameryce Południowej

Mapa świata Matthäusa Meriana

dzięki szanowanemu nazwisku, poza tym społeczeństwo niderlandzkie nie narzucało takich ograniczeń jak gdzie indziej, niemniej w XVII wieku porwanie się na tak śmiałe przedsięwzięcie przez kobietę było czymś prawdziwie niezwykłym. Razem z młodszą córką Dorotheą spędziły w Gujanie dwa lata na zbieraniu okazów, odkrywaniu i malowaniu nieznanych gatunków (ponad dziewięćdziesięciu zwierzęcych i sześćdziesięciu roślinnych). Merian to jedyna osoba, która była świadkiem metamorfozy niektórych z nich.

Po powrocie do Amsterdamu opublikowała w 1705 roku rezultaty badań pod tytułem *Metamorphosis insectorum surinamensium* [Przeobrażenia owadów surinamskich] – jedną z najpiękniejszych prac przyrodniczych, jakie kiedykolwiek powstały. Jej zapiski miały odegrać zasadniczą rolę w rewolucyjnej systematyce botanicznej stworzonej przez Karola Linneusza, studia nad cyklami życiowymi owadów zaś przyczyniły się do obalenia wiary w „teorię samorództwa", w myśl której życie może się tworzyć samoistnie z materii nie-

Lady Mary Wortley Montagu – portret w wykonaniu Godfreya Knellera (ok. 1715–1720)

ożywionej: owady miałyby się rodzić z błota, robaki z obumarłego ciała. Dziś książka Merian jest bardzo ceniona zarówno ze względu na wartość naukową, jak i zniewalający artyzm wykonania.

Niedługo po pionierskim wyczynie amsterdamskiej Niemki narodził się gatunek pisarki podróżniczej – w osobie lady Mary Wortley Montagu (1689–1762). Nawykła do łamania konwenansów dwudziestojednoletnia dziewczyna odrzuciła awanse zalotnika Skeffingtona o fenomenalnym imieniu Clotworthy i uciekła z domu, by wyjść za sir Edwarda Wortleya Montagu. Kiedy w 1716 roku jej mąż został wysłany do Stambułu w roli ambasadora brytyjskiego w Turcji, zaszokowała londyńską socjetę, upierając się, że będzie mu towarzyszyć. Jej listy z opisami napotykanych kultur, geografii i trudów podróży stały się sensacją literacką i początkowo krążyły jako manuskrypty, a po jej śmierci zostały w 1763 roku zebrane i opublikowane w trzech tomach. Sam wojaż był godny uwagi, gdyż przebiegał trasą, której „od czasów cesarzy bizantyjskich nie wybierał żaden chrześcijanin". Po przybyciu z Anglii do Rotterdamu państwo Montagu pojechali przez Holandię do Niemiec, Dunajem spłynęli do Wiednia, a gdy rzeka zamarzła, kontynuowali podróż lądem do Adrianopola (dzisiejsze Edirne) w północno-zachodniej Turcji. Rok po opuszczeniu Londynu dotarli do Stambułu i swojego nowego domu w pałacyku wśród wzgórz Pera (obecnie Beyoğlu).

Mary zapisała się w historii nie tylko jako pierwsza kobieta, która dokonała świeckich obserwacji muzułmańskiego Orientu i skorygowała błędne angielskie wyobrażenia o islamie, ale i wprowadziła do medycyny zachodniej szczepienie przeciwko ospie prawdziwej. Zapoznała się z tą praktyką podczas swoich tureckich wędrówek. Siedemdziesiąt dziewięć lat przed słynnym wstrzyknięciem ośmioletniemu chłopcu szczepionki wyprodukowanej przez Edwarda Jennera z wirusa krowianki Montagu w 1717 roku z entuzjazmem pisała o osmańskiej metodzie „przeszczepu", w której wydzieliną z krost ospowych nacierano skórę zdrowych osób, aby je uodpornić na tę chorobę. Dobrze wiedziała, jaka to ważna obserwacja: w dzieciństwie sama przeżyła ospę i straciła wtedy brata. Terapia wywarła na niej takie wrażenie, że kazała w ten sposób zaszczepić swego czteroletniego synka, a po powrocie do Anglii szeroko propagowała tę praktykę.

W ślad za przygodami lady Montagu XVIII-wieczna literatura podróżnicza wezbrała falą przerażających nieraz, lecz popularnych diariuszy pisanych przez damy towarzyszące mężom w podróżach przez inne kontynenty. Dobrym przykładem są wspomnienia Isabel Godin des Odonais z odbytej w 1769 roku nadzwyczajnej, choć ponurej wędrówki z zachodniego Peru do ujścia Amazonki w poszukiwaniu małżonka, który na ponad dwadzieścia lat utknął w Gujanie Francuskiej. W 1795 roku w księgarniach pojawiła się relacja Angielki Mary Ann Parker, żony kapitana Royal Navy, która w latach 1791–1792 na mężowskiej fregacie jako pierwsza kobieta opłynęła świat w jednym rejsie: *A Voyage Round the World in the Gorgon Man of War* [Podróż wokółziemska na pokładzie okrętu wojennego *Gorgon*], zawierająca między innymi opis kolonii australijskiej.

Jednakże za prawdziwy początek epoki wojaży kobiecych uznawany jest wyczyn Austriaczki Idy Pfeiffer: podróż przez Indie, Bliski Wschód i dalej wokół globu w latach 1846–1848. Jej historia zdobyła w Europie taką popularność, że linie żeglugowe i kolejowe zarzuciły ją ofertami darmowych przejazdów. Korzystając z nich, w latach 1851–1854 frau Pfeiffer odbyła nową, sponsorowaną globalną peregrynację, tym razem w przeciwnym kierunku. Nie wi-

NA NASTĘPNYCH STRONACH:
Ścienna mapa Afryki Alexisa Huberta Jaillota z 1669 roku, oparta na pracy Willema Blaeu z 1608 roku

działa w tym nic nadzwyczajnego i nie rozumiała, o co tyle szumu wokół jej rozchwytywanych książek – uważała się za zwyczajną kobietę, tylko dotkniętą „nienasyconym pragnieniem podróżowania".

Z pewnością podobnie myślała o sobie Isabella Bird, archetypowa wiktoriańska podróżniczka, pierwsza kobieta wybrana na członka Królewskiego Towarzystwa Geograficznego. Bird drugą połowę XIX stulecia spędziła w niemal permanentnej podróży. Zwiedziła wschodnią Azję, Indie, Persję, przewędrowała też prawie 1300 km przez Góry Skaliste w Kolorado. „Mam tylko jednego rywala do serca Isabelli: wysoki płaskowyż Azji Środkowej", żalił się John Bishop po latach daremnych starań o jej rękę.

Wiele z tych literackich plonów późnowiktoriańskich globtroterek jest tak samo atrakcyjnych dla dzisiejszego czytelnika, jak było dla ówczesnej publiczności. Czasem już same tytuły dają świadectwo przebojowej śmiałości i ekscentryczności ich autorek, które zostawiały mężów, aby zobaczyć świat przedtem dla nich niedostępny. Weźmy na przykład relację Annie Hore, *To Lake Tanganyika in a Bath Chair* [Nad jezioro Tanganika w krześle kąpielowym] (1884), w której autorka zdaje sprawę z dziewięćdziesięciodniowego marszu na mającej ponad 1330 km trasie przez Tanzanię od Zanzibaru na Oceanie Indyjskim do wspomnianego zbiornika wodnego na zachodnich kresach kraju. Był to eksperyment zorganizowany przez jej męża inżyniera, który chciał się przekonać, czy to w ogóle możliwe. Pani Hore – i to z niemowlęciem na kolanach – przebyła całą drogę w wiklinowym fotelu kąpielowym na kółkach, który tragarze przenosili przez trudniejsze miejsca na drągu.

Dziesięć lat później Amerykanka May French Sheldon na czele karawany stu pięćdziesięciu trzech tragarzy niestrudzenie przemaszerowała przez wschodnią Afrykę z Mombasy na ziemie Masajów za Kilimandżaro i z powrotem. Podróż nie była łatwa ani bezpieczna – jednego z krajowców pożarł lew, a ona sama zraniła się w oko cierniem – ale wędrowniczka niezmiennie trzymała fason: nosiła śnieżnobiałe suknie i blond peruki, a nad sobą kazała trzymać transparent z ewangelicznym cytatem łacińskim „Noli me tangere" („Nie dotykaj mnie").

Podobna dbałość o właściwy ubiór cechowała Mary Kingsley („Nie ma się prawa chodzić po Afryce w rzeczach, w których wstyd byłoby się pokazać w domu"), ostatnią wielką podróżniczkę XIX wieku. Kiedy jedynymi kobietami, jakie w owym czasie można było spotkać w zachodniej Afryce, były żony misjonarzy, ona w 1893 roku zwiedziła Sierra Leone, stamtąd zaś udała się do Angoli i miesiącami żyła wśród tubylców, ucząc

May French Sheldon

się miejscowych technik przetrwania. Rok później wróciła do Afryki prowadzić badania ludu Fang, posądzanego o kanibalizm. (Typowy wiktoriański stereotyp powstały na podstawie doniesień o ludzkich szczątkach wystawianych na widok publiczny w wioskach. Dopiero później odkryto, że widywane przez podróżników kości pochodzą ze szkieletów zmarłych członków rodzin i są z czcią przechowywane jako pamiątki).

Kingsley w swoich wspomnieniach chętnie przybierała komiczny wizerunek Angielki rzuconej w obcy świat jak ryba wyjęta z wody. Na wesoło opisała upadek do wilczego dołu na trzydziestocentymetrowe zaostrzone paliki („W takich chwilach docenia się walory porządnej grubej spódnicy"). Gdzie indziej opowiada, jak wynurzyła się z porośniętego mangrowcami bagna z naszyjnikiem z pijawek lub jakie było jej zdziwienie, kiedy z tubylczej sakwy wytrząsnęła sobie pod nogi „ludzką dłoń, trzy paluchy, czworo oczu, dwoje uszu i różne inne kawałki ciała".

Odmalować ją jednak jako bezradną komediantkę byłoby wielką niesprawiedliwością. Mary Kingsley zasłużyła się na polu przyrodniczym odkryciami nowych gatunków ryb i jaszczurek nad Zatoką Gwinejską, cieszyła się dużym autorytetem w dziedzinie etnografii i zasłynęła z orędownictwa na rzecz poznanych plemion. Pływała pirogą po gabońskich rzekach Ogooué i Rembwé, zdobyła też dziewiczy szczyt wulkanu Kamerun, najwyższej góry tego kraju. Z kartograficznego punktu widzenia jej historia jest słabo zilustrowana. W książce *Travels in West Africa* [Podróże po zachodniej Afryce] (1897) dziwić może zupełny brak map – trzeba jednak dodać, że wtedy po prostu nikt ich jeszcze dla tego regionu nie sporządził, sama autorka zaś na pewno nie miała na to czasu.

Pod tym względem, jak również niechęcią wobec europejskich misjonarzy za „importowanie śmieciowatej białej kultury z drugiej ręki" Kingsley zdecydowanie się różni od najsłynniejszego z afrykańskich eksploratorów i bohatera następnego rozdziału, Davida Livingstone'a, łączy ją zaś z nim miłość do Czarnego Lądu. Raz jeszcze wróciła do Afryki w 1900 roku, zgłosiwszy się ochotniczo na sanitariuszkę w wojnie burskiej, i zmarła tam już po trzech miesiącach. Zgodnie ze swoją wolą miała pogrzeb morski – aby prądy nosiły jej duszę wzdłuż brzegów kontynentu, o którym za życia nigdy nie przestała myśleć.

„Niebezpieczeństwa płynące z pozostawiania swojego palankinu bez nadzoru" – ilustracja z *Sultan to Sultan…* May French Sheldon (1892)

Mary Kingsley

1853–1873: DAVID LIVINGSTONE, HENRY MORTON STANLEY I CZARNY LĄD

Prosta, zwierzęca przyjemność podróżowania po dzikim, niezbadanym kraju jest ogromna (...). Afryka to cudowna kraina na rozbudzenie apetytu. DAVID LIVINGSTONE

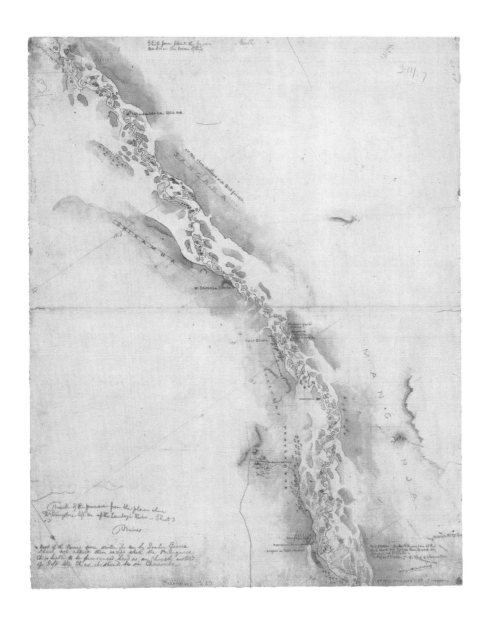

Wielkimi bohaterami epoki wiktoriańskiej byli misjonarze. W kulturze widzącej siebie jako moralną latarnię morską świata tych badaczy-krzewicieli wiary czczono za niesienie blasku chrześcijaństwa i zachodniej cywilizacji ciemnym pogańskim masom na dalekich mrocznych kontynentach. Z pewnością w takim duchu wyrósł David Livingstone, syn pobożnego katechety i komiwojażera herbacianego spod Glasgow, od wczesnej młodości marzący o pracy misyjno-lekarskiej, w której mógłby łączyć dwie swoje pasje: służbę wierze i zainteresowania naukowe.

Rozpocząwszy studia medyczne, wstąpił też do Londyńskiego Towarzystwa Misyjnego z nadzieją na skierowanie do Chin. Plany pokrzyżował mu wybuch pierwszej wojny opiumowej w 1839 roku; na pierwszą placówkę wyznaczono mu Kuruman w południowoafrykańskiej Prowincji Przylądkowej Północnej. Rozczarowany tamtejszą osadą misyjną następne kilka lat spędził, podróżując po kraju. W 1845 roku ożenił się z Mary Moffat, córką poznanego jeszcze w Anglii misjonarza. Nalegał, by towarzyszyła mu w podróżach, nawet gdy zaszła w ciążę. Już wtedy było oczywiste, że zmieniły mu się zainteresowania: nad nawracanie Afrykanów przedkładał eksplorację kontynentu. W 1852 roku odesłał żonę i dzieci do Anglii, gdzie żyli w nędzy, podczas gdy on kontynuował swoje wędrówki.

W maju następnego roku Livingstone wyruszył na wielką wyprawę. Za cel przyjął zbadanie biegu wpadającej do Oceanu Indyjskiego rzeki Zambezi, aby ustalić, czy sięga aż na wybrzeże atlantyckie. Gdy okazało się, że źródło Zambezi znajduje się na terytorium dzisiejszej Zambii, ekspedycja musiała porzucić pirogi i iść dalej lądem. Rok później Livingstone dobrnął do Luandy na północno-zachodnim wybrzeżu Angoli i padł wyczerpany trawiącą go malarią.

Po trzech miesiącach odzyskał dość sił, by poprowadzić swych ludzi z powrotem nad Zambezi i tym razem dokładniej spenetrować jej dolny bieg. W 1855 roku ujrzał olśniewający wodospad Mosi-oa-Tunya (Grzmiący Dym). Nazwał go Wodospadami Wiktorii i opisał słowami: „Nigdy go nie widziały europejskie oczy, lecz scenerię tak piękną musiały w locie oglądać anioły". Wytrwałym marszem dotarł do Quelimane nad Oceanem Indyjskim, skąd udał się do Anglii. W porcie Southampton 12 grudnia 1856 roku powitała go Mary. Livingstone nie wiedział nawet, że listy i dzienniki, które wysyłał do domu, wykreowały go na bohatera, zapewniły mu powszechne uznanie i dorocznie przyznawaną nagrodę Królewskiego Towarzystwa Geograficznego, Medal Założyciela. Jego książka *Missionary Travels*

David Livingstone

NA SĄSIEDNIEJ STRONIE:
*Oryginał ręcznie malowanej
mapy Thomasa Baine'a z jego
i Livingstone'a podróży
parowcem* Ma-Robert
po Zambezi

and Researches in South Africa [Podróże misyjne i badania w Afryce Południowej] z miejsca stała się bestsellerem.

Wielu biografów Livingstone'a zwróciło uwagę na to, że przy swej antypatii do Europejczyków doktor w Afryce czuł się bardziej u siebie niż w Wielkiej Brytanii i rzeczywiście, niemal od razu po powrocie zaczął snuć plany drugiej wyprawy na Zambezi, tym razem finansowanej przez rząd w Londynie zainteresowany założeniem sieci handlowej na całym kontynencie.

Ekspedycja opuściła Anglię 10 marca 1858 roku, gnębiły ją jednak problemy. Parowiec *Ma-Robert* nie radził sobie z pokonywaniem bystrzyn, ludzie chorowali na dyzenterię, często też dochodziło do scysji między Livingstone'em i załogą. Brak postępów wyprowadzał go z równowagi, a kiedy w marcu 1862 roku doszła do niego wieść o śmierci żony (zmarła na malarię w Mozambiku), dał za wygraną i w końcu w połowie 1864 roku wrócił do Anglii. Obliczona na dwa lata wyprawa przeciągnęła się aż o cztery.

Dwa lata później Livingstone znów był w Afryce, ogarnięty obsesją szukania źródeł Nilu. Tym razem wyruszył tylko z grupą afrykańskich i arabskich pomocników. Dla świata po prostu zniknął – i podobnie jak w przypadku zaginięcia Johna Franklina latami wałkowano to w prasie. Właściciel i redaktor naczelny „New York Herald", James Gordon Bennett, dostrzegł w tym szansę na wyjątkowy cykl artykułów przygodowych i skontaktował się z jednym ze swych korespondentów zagranicznych, walijskim imigrantem Johnem Rowlandsem, który w Ameryce zmienił personalia na Henry Morton Stanley. Zawarto umowę i 12 października 1866 roku reporter wypłynął z Bombaju na Zanzibar z lakonicznym poleceniem: „Odnaleźć Livingstone'a".

W przeciwieństwie do odkrywczych ambicji doktora Stanley skupił się wyłącznie na tym konkretnym zadaniu: odszukać zaginionego i zdobyć materiał do publikacji. Podzieliwszy swych ludzi na pięć karawan, wyruszył do interioru już w miesiąc po przybyciu do Zanzibaru. Szedł tropem pogłosek o podstarzałym Europejczyku żyjącym w Udżidżi nad jeziorem Tanganika (dziś podzielonym między Tanzanię, Demokratyczną Republikę Konga, Burundi i Zambię). Plotka okazała się prawdziwa – tam właśnie 10 listopada trafił na poszukiwanego badacza i powitał go rozsławionym przez późniejszy reportaż w „Heraldzie" zwrotem „Doktor Livingstone, jak sądzę?". (Możliwe jednak, że

„Wodospady Wiktorii na rzece Leeambyc, czyli Zambezi, przez tubylców zwane Mosi-oa-Tunya (Grzmiącym Dymem)" – *rycina z* Missionary Travels *Livingstone'a (1857)*

Stanley wymyślił to po czasie – strony z dziennika dokumentujące spotkanie zostały potem przezeń wyrwane). Obaj panowie już razem penetrowali północny brzeg jeziora, nie znaleźli jednak odpływu mogącego świadczyć, że należy ono do wododziału Nilu Białego.

Stanley wyjechał do Anglii, Livingstone zaś, choć mocno schorowany, został w Afryce, by kontynuować poszukiwania źródła Nilu. Napisana przez dziennikarza książka *How I found Livingstone* [Jak odnalazłem Livingstone'a] również stała się bestsellerem, kiedy jednak usłyszał, że w 1873 roku doktor w końcu uległ atakom połączonych sił dyzenterii i malarii, postanowił dokończyć jego dzieło. Udało mu się przekonać dwie gazety, „New York Herald" i londyńską „Daily Telegraph", do wysupłania funduszy w zamian za wyłączność na przyszłe artykuły, i zorganizował anglo-amerykańską ekspedycję, którą dziewięćset dziewięćdziesiąt dziewięć dni (w latach 1874–1877) prowadził przez środkową Afrykę. Odwagą i determinacją w walce z przeciwnościami nie ustępował doktorowi; miał za sobą barwną karierę militarną (uważany jest za jedynego człowieka, który podczas amerykańskiej wojny secesyjnej służył kolejno w obu walczących armiach i w marynarce wojennej Północy). Był pierwszym Europejczykiem, jeśli w ogóle nie pierwszym człowiekiem, który opłynął Jezioro Wiktorii i potwierdził tezę Johna Hanninga Speke'a, że jest ono źródłem Nilu Białego. Po drodze sumiennie nanosił na mapę wszystkie mijane zbiorniki wodne i sieć rzeczną. Dokonał też nowego monumentalnego odkrycia: podążył z biegiem płynącej na północ Lualaby, którą Livingstone próbował zbadać, lecz bez powodzenia, i wykazał, że jest ona de facto źródłem rzeki Kongo.

Wyprawa Stanleya rozwiązała te wielkie geograficzne zagadki, dodała wiele nowych nazw na mapie Afryki i zapewniła mu poczesne miejsce w panteonie XIX-wiecznych odkrywców. Wrócił później do Anglii, a zdobytą po opublikowaniu w 1878 roku książki *Through the Dark Continent* [Przez Czarny Ląd] sławę wykorzystywał, by nakłaniać rządy zachodnie do rozwijania handlu z Afryką, a przez to wpłynąć na redukcję niewolnictwa, wciąż kwitnącego w głębi kontynentu, i dać Afrykanom wolność, jakiej pragnął dla nich David Livingstone.

Spotkanie Stanleya z Livingstone'em – rysunek z „Illustrated London News", *(1872)*

1860–1861: TRAGICZNY MARSZ BURKE'A I WILLSA PRZEZ AUSTRALIJSKI INTERIOR

*Jestem pewien, że konstrukcja człowieka nigdy
nie była wystawiona na większe trudy.* ROBERT O'HARA BURKE

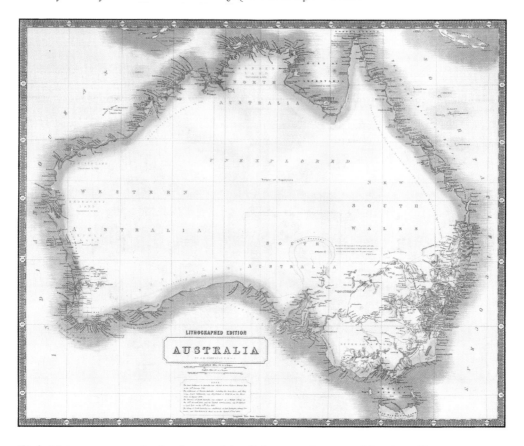

*Mapa Australii
W. i A.K. Johnstonów, wydanie
z 1850 roku, ukazująca ogrom
niezbadanych centralnych
i północnych regionów
kontynentu przed wyruszeniem
ekspedycji Burke'a i Willsa*

Kiedy Livingstone, a po nim Stanley przedzierali się przez niezbadane wnętrze Afryki, porównywalnie dziki kraj mieli przed
sobą europejscy kartografowie w Australii. Serce kontynentu
pozostawało niezmapowane, choć kolonizacja wybrzeży rozwi-
jała się w najlepsze. W połowie XIX stulecia wybuchła gorącz-
ka złota; liczne odkrycia złotonośnych pól przyciągnęły rzesze
imigrantów, Melbourne szybko wyrastało na największy
ośrodek miejski w kraju – liczba mieszkańców wzrosła od 29 tys.
w 1851 roku do niemal 140 tys. dziesięć lat później. Świeżej daty
bogactwo miasta podsycało nie tylko rozwój urbanistyczny, lecz

także ambicję zdobycia prestiżu międzynarodowego. W 1855 roku uruchomiono krajowy projekt o nazwie Australijska Lądowa Linia Telegraficzna, który miał doprowadzić do połączenia z nowo ułożonym kablem na Jawie i dalej aż do Europy. Zakładano, że linia pobiegnie przez środek kontynentu – ale były to obszary prawie nietknięte stopą białego człowieka (choć nie z braku chęci). W 1848 roku zaginęła czteroosobowa grupa badaczy pod przewodnictwem pruskiego przyrodnika Ludwiga Leichhardta wraz z dwoma aborygeńskimi przewodnikami (jej losy do dzisiaj pozostają tajemnicą). W tym samym roku Edmund Kennedy zginął od tubylczych włóczni nieopodal rzeki Escape, 32 km od półwyspu Jork, który miał zbadać.

W 1859 roku Royal Victorian Society przedłożyło plan Wiktoriańskiej Ekspedycji Badawczej, z budżetem 9 tys. funtów ze składek publicznych. Na szefa wyprawy nominowano Irlandczyka Roberta O'Harę Burke'a – dziwny wybór, gdyż nie miał on żadnego dorobku podróżniczego ani obycia z buszem; zdołał jednak oczarować równie niedoświadczony komitet organizacyjny. Prawdopodobnie pomyślano, że te braki skompensuje wyznaczenie geodety i nawigatora Williama Johna Willsa na drugiego zastępcę. Decyzja ta miała się okazać katastrofalna w skutkach.

Żegnany przez piętnastotysięczny tłum 20 sierpnia 1860 roku Burke wyruszył z Melbourne z piętnastoma ludźmi i dwudziestoma pięcioma sprowadzonymi z Pakistanu wielbłądami, kierując się w stronę zatoki Karpentaria na północnym wybrzeżu. Niemal natychmiast między uczestnikami rozgorzały spory. Oprócz paskudnej pogody, trudnych dróg i psujących się wozów kierownik musiał się zmagać z własnym zastępcą Williamem Landellsem, który wbrew zakazowi dawał rum wielbłądnikom (samym zwierzakom zresztą też). Landells wkrótce zrzekł się stanowiska; jego miejsce zajął Wills, zespół pomaszerował dalej i w październiku stanął obozem pod miasteczkiem Menindee nad rzeką Darling. Przebycie dzielącej je od Melbourne odległości 644 km, na co kursujący regularnie dyliżans pocztowy potrzebował nieco ponad tydzień, zajęło im dwa miesiące. Burke dowiedział się tam o prowadzonej przez Johna McDoualla Stuarta konkurencyjnej wyprawie transkontynentalnej z południa na północ, postanowił więc podzielić grupę na dwa zespoły – szpicę z najsprawniejszymi mężczyznami i najsilniejszymi końmi oraz powolniejszą ariergardę, która miała podążać śladem pierwszej do umówionego punktu w połowie drogi nad Cooper's Creek. Korzystając z nietypowo łagodnej pogody, czołówka Burke'a

Podróżnik Robert O'Hara Burke, *rysunek Williama Strutta (ok. 1860), artysty, który czasowo towarzyszył ekspedycji*

dotarła tam 11 listopada, lecz miejsce okazało się opanowane przez szczury, szybko więc przeniosła się do pobliskiej oazy Bullah Bullah.

Dalej nie dotarł jeszcze żaden Europejczyk. Zgodnie z pierwotnym planem ekspedycja miała tam przeczekać letni żar i ruszyć dalej jesienią (w marcu) następnego roku. Burke'owi jednak nie dawała spokoju świadomość, że rywal może go wyprzedzić, 16 grudnia podjął więc nierozważną decyzję o dalszym pochodzie. Zostawił część ludzi nad Cooper's Creek, przykazując im czekać na swój powrót, sam zaś w towarzystwie Willsa, Johna Kinga i Charlesa Graya wziął sześć wielbłądów, jednego konia i prowiant na trzy miesiące i ruszył na północ przy temperaturze często sięgającej 50°C. Posuwając się od wodopoju do wodopoju, dotarli w okolice dzisiejszej osady Boulia i wkrótce przecięli zwrotnik Koziorożca. „Jestem pewien, że konstrukcja człowieka nigdy nie była wystawiona na większe trudy", zapisał w dzienniku szef ekspedycji. Brnąc przez „miękki i paskudny" teren, dwa miesiące od wyruszenia znad Cooper's Creek trafili na nieprzebyte moczary i zarośla mangrowe. Nie mając łodzi, z kończącymi się zapasami, sfrustrowani podróżnicy postanowili zawrócić.

William John Wills (ok. 1860)

Grupa powoli się rozpadała. Kolejno zabito i zjedzono trzy wielbłądy. Konia o imieniu Billy ten sam los spotkał 4 kwietnia. Wędrowcy stopniowo porzucali elementy ekwipunku i w końcu przyszło im się żywić portulaką. Kiedy Burke nakrył Graya na podkradaniu racji żywnościowych, dotkliwie go pobił. Niecały miesiąc później Gray zmarł na dyzenterię. Dramatycznie osłabiona pozostała trójka wieczorem 21 kwietnia 1861 roku dobrnęła wreszcie do obozowiska nad Cooper's Creek i stwierdziła, że reszta grupy pod kierownictwem Williama Brahe'a już stamtąd odeszła, odczekawszy miesiąc dłużej, niż miała przykazane. Burke'a znalazł wycięty na drzewie znak i zapisaną przez Brahe'a datę wyruszenia: 21 kwietnia 1861 roku. Obie grupy rozminęły się zaledwie o dziewięć godzin.

Wills i King sugerowali, by iść na południe tą samą drogą, którą tu przyszli z Menindee, licząc na to, że dogonią kolegów. Burke przeforsował jednak własny, niezrozumiały pomysł i skierował się na południowy zachód, by dotrzeć do odległego o 240 km pustynnego terenu, wysuniętego posterunku policji niedaleko góry Hopeless. Nie mógł wiedzieć, że dręczony poczuciem winy szef ariergardy pospieszy z powrotem nad Cooper's Creek. Niestety, Burke'owi nie przyszło do głowy, by też zostawić dla niego wiadomość lub jakikolwiek ślad niedawnej bytności, więc Brahe znów odszedł z niczym.

Tymczasem trzem wędrowcom na Pustyni Strzeleckiego skończył się prowiant i zabili ostatniego wielbłąda. Aborygeni zamierzali przyjść im z pomocą, Burke jednak strzelił do jednego z nich, podejrzewając, że chce coś ukraść, i tubylcy uciekli. Krótko potem Wills nie był już zdolny do marszu. Towarzysze zostawili mu trochę jedzenia i poszli dalej wzdłuż Cooper. Dwa dni później Burke umarł. King wrócił do Willsa, ten jednak również wyzionął już ducha. King przeżył dzięki pomocy Aborygenów i z czasem został uratowany przez antropologa Alfreda Williama Howitta, który przed powrotem do Melbourne pogrzebał też obu zmarłych podróżników.

Chociaż chaotycznie zorganizowana ekspedycja zakończyła się tragedią, przyniosła jednak wiele nowych szczegółów na mapie australijskiego interioru. Obaliła między innymi teorię o istnieniu śródlądowego morza. Jak stwierdzono, mangrowce, które uniemożliwiły Burke'owi dalszy marsz, znajdowały się na terenach pływowych; można więc uznać, że cel wyprawy – dotarcie na północne wybrzeże kontynentu – został osiągnięty. Howitta wysłano ponownie na pustynię, by sprowadził ciała podróżników do Melbourne. Burke i Wills zostani pochowani z honorami, odprowadzani w ostatnią drogę przez czterdzieści tysięcy żałobników.

Mapa Australii z zaznaczonymi trasami odkrywców, dołączona do almanachu „The Australian" z 1886 roku

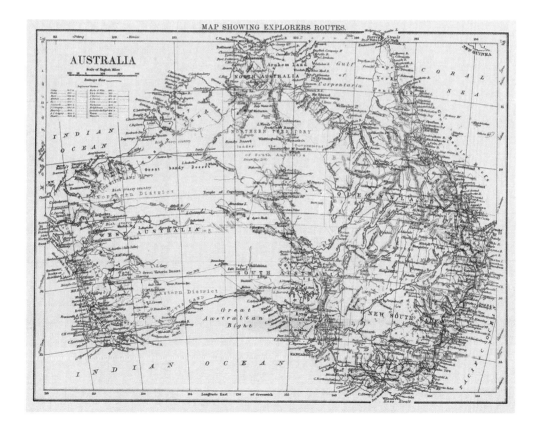

1878–1880: ADOLF NORDENSKIÖLD OPŁYWA CAŁĄ EURAZJĘ

*Tak oto w końcu osiągnięty został cel,
do którego tyle krajów dążyło…* ADOLF ERIK NORDENSKIÖLD, 1881

Zaledwie osiemnaście lat po śmierci Roberta O'Hary Burke'a
i Williama Johna Willsa na australijskim pustkowiu i na zbliżo-
nej długości geograficznej, tylko po przeciwnej stronie równika,
dobiegła końca inna niezwykła wyprawa. Na pierwszy rzut oka
statek *Vega*, który o 9.30 dnia 2 września 1879 roku zawinął do
portu w Jokohamie, nie wyróżniał się niczym szczególnym.
Zachodnie jednostki były tam częstym widokiem już od dwóch
dziesięcioleci, odkąd misja dyplomatyczna komandora amerykańskiej marynarki wojennej Matthew Perry'ego zakończyła
utrzymywaną od dwustu dwudziestu lat japońską politykę
izolacjonizmu i zapoczątkowała epokę stosunków cesarstwa
z zachodnimi mocarstwami. Dawna wioska rybacka Jokohama
otworzyła podwoje dla światowego handlu i wkrótce się rozrosła
w miasto portowe z 70 tys. mieszkańców.

Statek był niepozorny, ale przybył tam niezwykłą drogą.
Jego fińsko-szwedzki kapitan Adolf Nordenskiöld zszedł na
ląd i pospieszył rojnymi ulicami, aby wysłać do domu telegram
z historyczną wiadomością o bezpiecznym dotarciu: „Wszystko
w porządku. Z miejsca zimowania wyruszyliśmy 18, a 20 lipca okrążyliśmy Przylądek Wschodni [Dieżniowa – dop. J.S.].
Stamtąd kurs do Zatoki Świętego Wawrzyńca, Port Clarence i ku
Wyspie Beringa. Nie było chorób ani szkorbutu. *Vega* w doskonałym stanie". Nordenskiöld i jego załoga pierwsi w dziejach
z powodzeniem przepłynęli Przejściem Północno-Wschodnim
nad kontynentem eurazjatyckim.

Nazwisko dowódcy wyprawy nie jest dzisiaj szeroko znane,
ale w ostatnim ćwierćwieczu XIX stulecia „niezapomniany pół-
nocno-wschodni rejs" *Vegi*, jak to ujął „New York Times", nie
schodził z pierwszych stron gazet na całym świecie, Nordenskiölda fetowały międzynarodowe stowarzyszenia naukowe,
a rząd Szwecji nadał mu komandorię Orderu Gwiazdy Polarnej. Sukces *Vegi* ukoronował stulecia powolnego postępu badań
wybrzeża arktycznego i syberyjskiej tajgi, z wyraźnym skokiem
w XVIII wieku, kiedy Vitus Bering przetarł drogę na wschód.
Szczególnym wyczynem zapisał się rosyjski polarnik Siemion

Trzy stulecia przed rejsem Vegi
*do Cieśniny Beringa Stefano
Bonsignori umieścił na mapie
z 1578 roku wyimaginowane
lądy na północ od Grenlandii,
gdzie według legendy mieli żyć
pigmeje.*

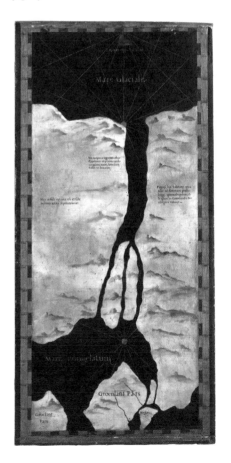

Odkrywca – *portret Adolfa
Erika Nordenskiölda autorstwa
Georga von Rosena (1886)*

Czeluskin, który w 1742 roku psim zaprzęgiem wyruszył na
morski lód i odkrył najdalej wysunięty na północ punkt Azji
(dziś znany jako Przylądek Czeluskina). Do 1823 roku, kiedy
Ferdinand von Wrangel dotarł nad Morze Czukockie i położył
kres spekulacjom na temat istnienia lądowego mostu do Ameryki Północnej, wszystkie te liczne przedsięwzięcia złożyły się na
powstanie map północnych wybrzeży Eurazji precyzją niemal
dorównujących dzisiejszym. Nikomu jednak nie udało się jeszcze przepłynąć ogromnej trasy bezpośrednio wzdłuż tych brzegów z Morza Barentsa do Cieśniny Beringa.

W jakże wyraźnym przeciwieństwie do kompletnej amatorszczyzny Burke'a, gdy Nordenskiöld 22 czerwca 1878 roku
opuszczał szwedzki port Karlskrona, miał pod komendą najlepiej w swojej klasie wyekwipowaną ekspedycję. Po człowieku

z przygotowaniem naukowym z dziedziny geologii i mineralo-
gii, którego dwa lata wcześniej wybrano na członka Francuskiej
Akademii Nauk na miejsce po zmarłym Davidzie Livingstonie,
można było się spodziewać starannego planowania. Zdążył już
wcześniej wziąć udział w ośmiu wyprawach arktycznych, między innymi w próbie dotarcia na biegun północny w 1872 roku
z wykorzystaniem reniferów, która jednak urwała się raptownie,
bo zwierzęta przy pierwszej sposobności dały drapaka i tyle je
widziano.

Wypierający 299 ton niemiecki parowiec z ożaglowaniem
barku niósł w ładowni dwuletnie zaprowiantowanie na wy-
padek nieoczekiwanego zimowania, a jego załoga składała się
z doświadczonych marynarzy, uczonych, hydrografów i łowców
morsów, zarówno starych, jak i młodych, żeby ci drudzy mieli
się od kogo uczyć. W ciągu trzech miesięcy *Vega* stosunkowo łatwo dotarła na Morze Karskie. Żegluga i dalej szła gładko, wody
przybrzeżne były bowiem prawie wolne od lodu. W pobliżu
wyspy Tajmyr przystopowała ją na trzy dni mgła tak gęsta, że aż
zdawała się lepić do wszystkiego, ale gdy tylko się przerzedziła,
żeglarze mogli spokojnie płynąć aż do Przylądka Czeluskina.

Mapa Rosji Philippa
Strahlenberga z 1730 roku

Jego okrążenie celebrowano
na pokładzie jak święto, gdyż
żaden statek przed nimi tego
nie dokonał. Szczęście dopi-
sywało ekspedycji także na
Morzu Łaptiewów i zaczynało
wyglądać na to, że cel zostanie
osiągnięty niemal bez wysiłku.
Do mety w Cieśninie Beringa
zostało już tylko około 120 Mm
(225 km), gdy morze zaczęło
się ścinać niemożliwym do
przełamania lodem i wkrótce
Vega została unieruchomiona.

A było już tak blisko! Nie
pozostawało nic innego jak
uzbroić się w cierpliwość i przeczekać zimę. Dzięki daleko-
wzroczności komendanta i pomocy Czukczów miały to być
całkiem wygodne 264 dni. Czas wykorzystywano na zbieranie
danych hydro- i meteorologicznych o regionie, a ze zbudowanego na lądzie obserwatorium dokonywano pomiarów geomagne-
tycznych. Wiosną było jeszcze pod dostatkiem zapasów i paliwa
i gdy lody zaczęły topnieć, statek w lipcu 1879 roku spokojnie
przedostał się na wody Cieśniny Beringa i skierował do Jokoha-
my. Nordenskiöld nadał swój telegram, a potem wraz z załogą
cieszył się serdecznym przyjęciem przez japońskich gospodarzy;
Vega w tym czasie przechodziła remont i wkrótce mogli kontynuować rejs wokół Eurazji, płynąc ku Kanałowi Sueskiemu i dalej przez Neapol (gdzie byli „dosłownie wystawieni na szturm
gości"), Lizbonę i Falmouth, by wreszcie 24 kwietnia 1880 roku
wpłynąć do portu sztokholmskiego. Rocznicę tego wydarzenia
do dzisiaj celebruje się w Szwecji jako Dzień Vegi. W relacji
z tego doniosłego przedsięwzięcia dowódca statku napisał: „Oby
ta podróż zachęciła do nowych wypraw odkrywczych na morza,
które po raz pierwszy przeorał kil statku oceanicznego, i przy-
czyniła się do rozwiania przesądu, jaki przez stulecia odgradzał
największe tereny uprawne na świecie od wielkich oceanów
naszego globu".

Vega *wpływa do Sztokholmu*
(24 kwietnia 1880)

1893–1909: WYŚCIG DO BIEGUNA PÓŁNOCNEGO

*Jest w tych zamarzniętych przestrzeniach coś –
nie wiem, jak to nazwać – co stawia człowieka
twarzą w twarz ze sobą samym, jak i z towarzyszami.*

ROBERT PEARY

Pod koniec XIX wieku, kiedy już ostatecznie poznano Przejście Północno-Zachodnie (choć nikt jeszcze nie przepłynął go
w całości – patrz s. 232–237), uwagę odkrywców przyciągały
bieguny: ostatnie wciąż niezbadane wielkie elementy geografii.
Wciąż kompletnie nie wiedziano, czego się tam można spodzie-

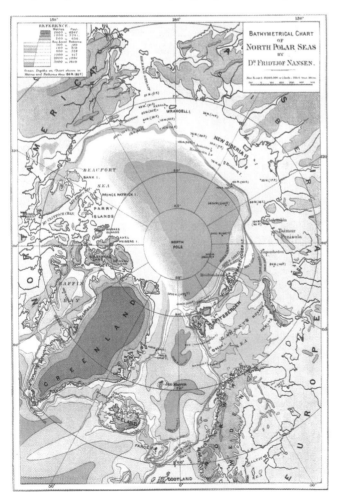

*Mapa batymetryczna
północnych mórz polarnych
sporządzona przez Fridtjofa
Nansena w latach 1893–1896*

wać. Nie chciano uwierzyć, że ocean na szczycie Ziemi może być pokryty stałą skorupą lodu, co niosłoby konieczność dotarcia tam na piechotę – przecież „musi" istnieć jakaś droga wodna do bieguna północnego!

Pogląd wyznawany przez XVI-wiecznych odkrywców, na przykład sir Martina Frobishera, jakoby wskutek intensywnego nasłonecznienia podczas dnia polarnego morze w Arktyce było wolne od lodu, nie umarł, lecz ewoluował poprzez domysły uczonych. Dla wiktoriańskich polarników tę rolę pełniła teoria poważanego niemieckiego kartografa Augusta Petermanna, który w połowie XIX wieku wystąpił z twierdzeniem, że ciepłe prądy z południa wytapiają w paku lodowym żeglowne kanały, tzw. przejścia termiczne. Teza ta przyniosła tragiczny rezultat: w 1879 roku amerykański badacz George Washington De Long na statku *Jeannette* próbował przepłynąć szczeliną w pokrywie lodowej na owo teoretyczne „otwarte morze polarne". Statek uwiązł w paku powyżej Cieśniny Beringa, uległ zgnieceniu i trzydziestotrzyosobowa załoga była zmuszona pomaszerować, a później płynąć łódkami do brzegu syberyjskiego. Życie straciło dwudziestu ludzi, w tym i kapitan.

Trzy lata po tej tragedii szczątki wraku *Jeannette* zostały wyrzucone na brzeg aż na południowo-zachodnim wybrzeżu Grenlandii. Dało to asumpt do jednej z najambitniejszych koncepcji w historii polarnictwa. W 1889 roku, kiedy już pogodzono się z zamarzniętą rzeczywistością Oceanu Arktycznego, norweski badacz i przyszły noblista Fridtjof Nansen wystąpił z następującą propozycją: a gdyby tak, zamiast walczyć z lodem i wymykać się jego miażdżącym uściskom w poszukiwaniu wolnego przejścia, zaprojektować statek specjalnie do tego, aby dać się uwięzić i nieść z naturalnym dryfem pól lodowych aż do bieguna? Tak powstał *Fram* (po norwesku „naprzód") – trójmasztowy szkuner zbudowany w Norwegii z najmocniejszego dębu. Zaokrąglony kadłub miał zapewnić, że pod naporem lodu statek zostanie wyniesiony ponad krę.

W czerwcu 1893 roku najwytrzymalszy statek w historii szkutnictwa, mniejszy od poprzedników, za to wyposażony w silnik parowy, opuścił Oslo z załogą zaledwie dwunastoosobową i popłynął na wschód wzdłuż wybrzeża Syberii. Po dostrzeżeniu lodu Nansen wprowadził *Frama* w gęstniejący pak i na pozycji 78°49'N, 132°53'E polecił zatrzymać maszynę i wciągnąć płetwę sterową (specjalnie do tego zaprojektowaną). Norwegowie szesnaście miesięcy dryfowali z lodem ku biegunowi, spędzając czas na lekturze z sześciusettomowej biblioteki i delek-

Portret Fridtjofa Nansena namalowany w 1889 roku po jego powrocie z ekspedycji grenlandzkiej

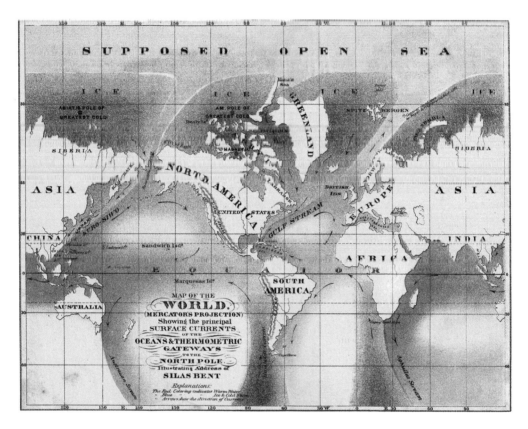

tując się obfitymi zapasami prowiantu. Na początku 1895 roku stało się jednak jasne, że ominą cel o jakieś 500 km. Nansen w akcie niesamowitej odwagi zszedł na lód i wraz z Hjalmarem Johansenem pomaszerowali na biegun pieszo. Gdy dotarli na rekordową szerokość 86°N, ich chronometry stanęły; wędrowcy stwierdzili wkrótce, że pole szybciej dryfuje na południe, niż oni mogą iść na północ – skapitulowali więc i pozwolili się ponieść ku Ziemi Franciszka Józefa. Ku obopólnemu zaskoczeniu zastali tam brytyjską ekspedycję pod kierownictwem Fredericka Jacksona. We wrześniu obaj Norwegowie wrócili na pokład *Frama*.

Szturmy na biegun północny nie ustawały. Nastał XX wiek; we wrześniu 1909 roku „New York Herald" ogłosił niesamowite osiągnięcie: „Biegun północny odkryty przez dra Fredericka A. Cooka". Amerykańskiego lekarza i podróżnika ostatni raz widziano w lutym poprzedniego roku, kiedy wyruszał z Grenlandii przez Cieśninę Smitha na Wyspę Ellesmere'a w kanadyjskiej części Arktyki. Na czele karawany dziesięciu inuickich pomocników, z jedenastoma saniami ciągniętymi przez sto pięć psów przekroczył zamarznięty fiord Bay, by dostać się na Przylądek Thomasa Hubbarda. Po trzech dniach marszu po lodzie zostało

Mapa „przejść termicznych"
Silasa Benta z 1872 roku. Na
północnym skraju zaznaczone
jest hipotetyczne „otwarte morze
polarne".

przy nim już tylko dwóch Inuitów, Ahwelaw i Etukishook. Cała trójka zniknęła w śnieżycy, kierując się wprost ku biegunowi. Teraz, jakby wrócił z zaświatów – po roku zagadkowej włóczęgi po Dalekiej Północy – Cook zatelegrafował do domu z wieścią, że 21 kwietnia 1908 roku dotarł na biegun północny, powrót na Grenlandię uniemożliwiło jednak topnienie lodów, przeczekał więc do zimy na wyspie Devon.

Nowina rozeszła się radosnym echem po świecie. W Kopenhadze, gdzie Cook się zatrzymał w drodze do domu, podejmowano go jak gwiazdę. Publiczność czekał jednak niemały wstrząs; zaledwie tydzień później w prasie ukazała się druga sensacja: „Po ośmiu próbach w ciągu dwudziestu trzech lat Peary odkrywa biegun!". Robert Peary, amerykański podróżnik i oficer marynarki wojennej, przysłał z Labradoru depeszę, z której wynikało, że 6 kwietnia 1909 roku dotarł na biegun północny. Zaciekle podważał też roszczenie Cooka: twierdził, że spotkał się z Ahwelawem i Etukishookiem, i od obu usłyszał, że doktor w ogóle się nie ruszył z Grenlandii. Tak zaczął się słynny spór, nazwany „kontrowersją Cooka i Peary'ego", do dzisiaj nierozwiązany – nadal nie można bowiem ustalić, który z polarników rzeczywiście był pierwszy na biegunie. W relacjach obydwu znajdujemy poważne nieścisłości, żaden też nie potrafił przedstawić wystarczających dowodów. Fotografie, które Cook zrobił sobie na biegunie, okazały się przekadrowanymi zdjęciami z Alaski. (Podobnie było z jego wcześniejszymi fotkami ze zdobycia najwyższego szczytu Alaski, Mount McKinley). Nikomu nie pokazał oryginałów zapisków nawigacyjnych, a dziennik, który przekazał władzom duńskim, ewidentnie został napisany po czasie. Naniósł też na mapę nową wyspę, rzekomo górzystą, i nazwał ją Ziemią Bradleya; wykazano później, że taki ląd nie istnieje.

Skoro aż tyle jest powodów do powątpiewania w słowa Cooka, to co z roszczeniem Peary'ego? On również był „stwórcą" wyspy, której nadał nazwę Ziemi Crockera (na cześć bankiera o tym nazwisku, który wyasygnował na jego ekspedycję 50 tys. dolarów). Obserwacji Peary'ego nie potwierdził żaden z inuickich pomocników ani jego służący Matthew Henson, a późniejsza analiza jego dziennika ujawniła niepokojący brak konsekwencji w obliczeniach – jak choćby twierdzenie, że w drodze na biegun i z powrotem w cztery dni pokonał 362 km. Dawałoby to średnią prędkość marszu 90 km na dobę; do takiego wyniku nikt się nigdy nawet nie zbliżył.

Robert Peary w futrzanej odzieży (1909)

Hochsztapler dr Frederick A. Cook (1909)

1903–1912: ROALD AMUNDSEN: POKONANIE PRZEJŚCIA PÓŁNOCNO- -ZACHODNIEGO I WYŚCIG DO BIEGUNA POŁUDNIOWEGO

Zwycięstwo czeka na tego, kto wszystko ma ułożone — ludzie mówią wtedy, że miał szczęście. Pewną klęskę poniesie ten, kto zaniedbał niezbędnych przygotowań; wtedy orzekną: miał pecha. ROALD AMUNDSEN, 1912

Do 1900 roku, po stuleciach eksploracji Arktyki, wiedza koniecz-
na do pokonania Przejścia Północno-Zachodniego została już
zgromadzona, nikt jednak nie zdołał jeszcze odbyć całej udanej
podróży ze wschodu na zachód. Wyczynu tego dokonał w latach
1903–1906 wybitny polarnik norweski Roald Amundsen, który
przenicował z dawna ustalone reguły polarnej eksploracji i wziął
zdobycz, która od wieków wymykała się brytyjskiej Admiralicji.
Jego nowoczesne podejście do kwestii przetrwania w Arktyce zrodziło się z doświadczenia nabytego podczas udziału w wyczer-
pującej Belgijskiej Wyprawie Antarktycznej z lat 1897–1899, którą
tak fatalnie zaplanowano, że uczestnikom brakowało nie tylko
prowiantu, lecz i ciepłej odzieży. Amundsen od dziecka miał to
samo marzenie, co jego bohaterowie: przepłynąć Przejściem Północno-Zachodnim. „Płonęła we mnie dziwna ambicja...”, napisał
o tym później. Do przedsięwzięcia szykował się starannie, szukając rady u weteranów Arktyki i studiując magnetyzm Ziemi.

Na wyprawę wypłynął z Oslo w czerwcu 1903 roku małym
slupem rybackim *Gjøa* (na dzień przed planowanym przez
windykatora długów jego zajęciem) z załogą liczącą zaledwie
sześciu ludzi – podobna miniaturyzacja była przedtem nie do
pomyślenia. Amundsen zaszokował też środowisko rewolucyjną
decyzją, by przejąć niektóre metody „prymitywnych” Inuitów:
zrezygnował z porowatej odzieży bawełnianej, jaką nosili
uczestnicy wcześniejszych europejskich wypraw polarnych, na
rzecz skórzanej i futrzanej, na Grenlandii zaś nabył kajaki, sanie
i psy. *Gjøa* popłynęła potem szlakiem Franklina przez Cieśninę
Lancastera na półwysep Boothia, gdzie James Clark Ross odkrył
północny biegun magnetyczny (patrz s. 196–199), i dalej na południe wzdłuż wschodniego brzegu Wyspy Króla Williama, bez
trudu poruszając się po płyciznach niedostępnych dla większych
jednostek. Amundsen znalazł tam „najlepszy porcik na świecie”,
który uczynił swoją bazą operacyjną na dwa sezony, gdy – tak
jak przewidywał – przyszło mu zimować. Zimy okazały się
tam znośne, a latem polarnicy penetrowali akwen w kierunku
zachodnim, płynąc wzdłuż północnego wybrzeża Kanady –
i w końcu bez przeszkód wychynęli na Morze Beauforta. Jedyny
poważniejszy kłopot pojawił się po przybyciu do Fort Yukon
na Alasce, gdzie nie było czynnej placówki telegraficznej, żeby
wysłać w świat wieść o sukcesie. Niezrażony polarnik pojechał
saniami do odległego o 320 km Eagle City, skąd nadał – za
700 dolarów na koszt odbiorcy – depeszę do swego rodaka
Fridtjofa Nansena z informacją o osiągnięciu, które zadedyko-
wał niepodległej od niedawna Norwegii.

Roald Amundsen (ok. 1912)

Na sąsiedniej stronie:
*Mapa wypraw arktycznych
Roalda Amundsena
z „Geographic Journal” (1907)*

Amundsen krótko po powrocie przystąpił do organizowania wyprawy na biegun północny. Nansen wielkodusznie oddał mu do dyspozycji *Frama*, finanse dla świeżo upieczonego bohatera Przejścia Północno-Zachodniego też się szybko znalazły. Kiedy jednak gruchnęła wieść o wyścigu Cooka i Peary'ego (patrz s. 228–231), norweski podróżnik zdecydował się na nadzwyczajne posunięcie, z którym się nikomu nie zdradził, nawet swoim sponsorom i osiemnastoosobowej załodze. Nie chcąc odstąpić od zamierzenia i zwrócić zgromadzonych funduszy, postanowił wyruszyć zgodnie z planem niby w stronę Cieśniny Beringa, lecz potem skręcić na południe i popłynąć na Antarktydę. „Jeśli ekspedycja ma być ocalona (...), to nie zostało mi nic innego, jak spróbować rozwiązać ostatni wielki problem: bieguna południowego", napisał o tej decyzji. Szeroko nagłośniona brytyjska wyprawa *Terra Nova* pod dowództwem kapitana Roberta Falcona Scotta już trwała – start nastąpił w czerwcu 1910 roku, a jej celem było „dotrzeć do bieguna południowego i zapewnić imperium brytyjskiemu zaszczyt pierwszeństwa w tym osiągnięciu". Scott o tym jeszcze nie wiedział, ale jego podróż zamieniła się w wyścig. Na Maderze Amundsen wyjawił załodze swój zamiar i wysłał do Brytyjczyka kurtuazyjny telegram z prostą wiadomością: „Uprzejmie donoszę, że *Fram* płynie na Antarktydę. Amundsen".

W owym czasie niewiele wiedziano o Antarktyce i dwaj rywale obrali zupełnie odmienną taktykę. Scott opierał się na doświadczeniach własnych (z poprzedniej wyprawy z lat 1901–1904 na statku *Discovery*), korzystał też z kucyków jako siły pociągowej – tę innowację zastosował również jego III oficer Ernest Shackleton w swojej późniejszej ekspedycji. Wpadł też na

Terra Nova przy krawędzi pola lodowego w okolicy Przylądka Evansa

Robert Falcon Scott w chacie na Przylądku Evansa (październik 1911)

nowatorski pomysł zbudowania zmotoryzowanych sań. Amundsen wolał polegać na psich zaprzęgach i innych rozwiązaniach
zapożyczonych od Inuitów. Dnia 2 stycznia 1911 roku dotarł do
Zatoki Wielorybiej i założył tam obóz nazwany „Framheim".

Norwegowie jak na szpilkach przeczekali południową zimę
i we wrześniu podjęli pierwszą niecierpliwą próbę szturmu na
biegun. Na przeszkodzie stanęły jednak niskie temperatury
(sięgające –58°C). Ekspedycję kosztowało to dwa psy i kilka od-
mrożonych palców, Amundsen rad nierad zawrócił więc do bazy.
Tymczasem około 600 km na zachód wzdłuż Lodowca Szelfo-
wego Rossa, na Przylądku Evansa załoga *Terra Nova* również
przygotowywała się do wymarszu.

Norwegowie wystartowali ponownie 19 października. Pięć
dni później Scott wyekspediował forpocztę na mechanicznych
saniach. Maszyny zepsuły się już po paru tygodniach i druga
grupa z kucykami dogoniła je 21 listopada. Amundsen dotarł już
wtedy do Gór Królowej Maud i po morderczej wspinaczce na
Lodowiec Axela Heiberga (3230 m n.p.m.) założył obóz i kazał
zarżnąć dwadzieścia cztery psy na mięso. Miejsce ochrzczono
„Jatką". Wkrótce ruszyli w dalszą drogę, zmagając się z zimnem,
wiatrem i słabą widocznością, i 14 grudnia 1911 roku dobrnęli
wreszcie na biegun południowy. Uroczyście wbito w lód flagę
norweską, a okolicznemu płaskowyżowi nadano imię Króla
Haakona VII. „Nigdy chyba człowiek nie osiągnął celu tak dia-

Członek załogi Terra Nova
*Anton Omelczenko na skraju
lodowca Barne na Wyspie Rossa
(Dependencja Rossa) –
2 grudnia 1911*

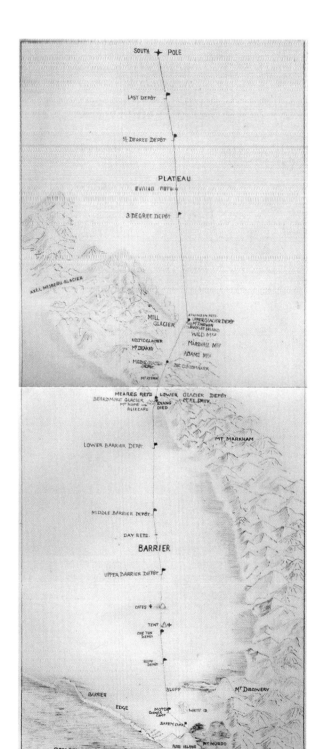

Ilustracja s Na krańcu świata.
Najsłynniejsza wyprawa
na biegun południowy
Apsleya Cherry'ego-Garrarda

metralnie różniącego się od oczekiwań", zauważył Amundsen. „Rejon bieguna północnego, niech go diabli, fascynował mnie od dzieciństwa... i oto znalazłem się na południowym. Czyż może być coś bardziej szalonego?"

Norwegowie spędzili na biegunie trzy dni, celowo pozostawili tam namiot i znaczniki, żeby Scott mógł je odkryć – w ten sposób uniknęliby powtórki z „kontrowersji Cooka i Peary'ego". W dniu 18 grudnia ruszyli z powrotem do „Framheim", roztropnie ograniczając dzienny dystans do niecałych 30 km, aby oszczędzać siły. Tempo zwiększyli 7 stycznia i osiemnaście dni później o czwartej rano dotarli do bazy. Wyprawę trwającą dziewięćdziesiąt dziewięć dni zakończyli bez strat w ludziach. Z pięćdziesięciu dwóch psów wróciło z nimi jedenaście. Przebyli przez ten czas 3445 km. Amundsen nadał wiadomość o sukcesie 7 marca z Tasmanii. Tam też się dowiedział, że nadal nie ma znaku życia od Scotta.

Los brytyjskiej ekspedycji odkryto dopiero w listopadzie 1912 roku, kiedy grupa poszukiwawcza z Przylądka Evansa znalazła zamarznięte zwłoki podróżników zaledwie 18 km od składu zaopatrzenia.

Przygnębieni ludzie Scotta
na biegunie południowym
po stwierdzeniu, że Amundsen
ich ubiegł o 34 dni

1914–1917: WYPRAWA ANTARKTYCZNA ERNESTA SHACKLETONA NA *ENDURANCE*

Trudności to w końcu tylko coś do pokonania.   ERNEST SHACKLETON

„Odkrycie bieguna południowego nie będzie końcem eksploracji Antarktydy", napisał buńczucznie Ernest Shackleton w 1912 roku. „Następnym ważnym przedsięwzięciem do wykonania jest zbadanie całej jej linii brzegowej, a potem przejście masywu lądowego od morza do morza przez biegun". Shackleton, najbardziej kochany i charyzmatyczny z brytyjskich podróżników, zdążył już dobrze poznać szósty kontynent: w latach 1901–1904 był III oficerem na *Discovery* w ekspedycji Roberta Falcona Scotta, pierwszej brytyjskiej w tym regionie od czasu podróży Jamesa Clarka Rossa sprzed mniej więcej sześćdziesięciu lat.

Shackleton, mężczyzna pełen uroku, budził w podkomendnych poczucie lojalności i gotowość do pójścia za nim wszędzie. Równie dobrze to działało przy zbieraniu funduszy; z 7 tys. funtów (80 tys. obecnie) dotacji od pracodawcy, bogatego przemysłowca Williama Beardmore'a, mógł przedłożyć swój plan Królewskiemu Towarzystwu Geograficznemu i przyciągnąć kolejnych ofiarodawców. W styczniu 1908 roku wrócił do Antarktyki na *Nimrodzie*, stateczku o połowę mniejszym od *Discovery*, z zespołem uczonych, wśród których znalazł się australijski geolog Douglas Mawson. Dwa lata upłynęły głównie na realizowaniu celów naukowych i kartograficznych, zdarzały się też jednak heroiczne wyczyny, jak zdobycie Mount Erebus, drugiego co do wysokości wulkanu (3794 m n.p.m.). Zasadniczym celem Shackletona był jednak biegun południowy. Zadanie się wprawdzie nie powiodło, ale czteroosobowa grupa, która podjęła próbę 29 października 1908 roku, dotarła na rekordową szerokość geograficzną 88°23'S – zaledwie 180,6 km od mety. Nikt jeszcze nie znalazł się bliżej żądnego z biegunów.

Mawson planował spędzić z Shackletonem tylko rok, ostatecznie jednak pozostał do końca wyprawy. W epoce, kiedy przedkładano dramatyzm heroicznych zmagań (ewentualna katastrofa tylko przydawała im aury romantyzmu) nad produktywność badań naukowych, Australijczyk – w przeciwieństwie do kierownika ekspedycji – stanowił swoistą anomalię. Wraz ze

Jack Keith, portret Ernesta Shackletona

swym mentorem Edgeworthem Davidem był w grupie, która
zdobyła Mount Erebus i dotarła do południowego bieguna magnetycznego. Zebrał poważny zasób danych, ale kontynent tak
wiele jeszcze krył tajemnic, że chęć ich odkrywania zaczynała
się u niego przeradzać w obsesję. Czy Antarktyda to jeden wielki
masyw lądowy czy archipelag ubrany w gigantyczną pokrywę
lodową? Jakie zagadki czekają wzdłuż jej linii brzegowej od
Morza Rossa (prosto na południe od Nowej Zelandii) do długości geograficznej Przylądka Dobrej Nadziei? Robert Scott zaprosił Mawsona do udziału w ekspedycji *Terra Nova*, geolog jednak
odmówił – marzyło mu się poprowadzenie własnej wyprawy
w celu zmapowania wybrzeży Antarktydy.

Środki wyasygnowały rządy Wielkiej Brytanii i Australii
(misję uznano bowiem za bezcenną dla górnictwa i wielorybic-
nictwa). Dnia 2 grudnia 1911 z Hobart na Tasmanii wyruszył
statek *Aurora*, wiozący Antarktyczną Ekspedycję Australazjatycką. Wyznaczone zadanie: zbadać i nanieść na mapę odcinek
linii brzegowej leżący na południe od Australii, o długości
3200 km. Podróżnicy wylądowali na Przylądku Denisona nad
zatoką Commonwealth i założyli tam pierwszą z dwóch baz,
które przez trzy lata miały być ich domem. Okolica, nazwana
przez Mawsona „najbardziej wietrznym miejscem na Ziemi",
była wystawiona na silne wiatry katabatyczne (wiejące w dół
zbocza górskiego lub lodowca, przyspieszane przez grawitację).
Badacze często musieli walczyć o utrzymanie się na nogach, jak
to widać na słynnym zdjęciu Franka Hurleya (patrz s. 240).

Załoga Mawsona była podzielona na zespoły: pięć na Przylądku Denisona i trzy w bazie zachodniej na lodowcu szelfowym
na Wybrzeżu Królowej Marii, gdzie w baraczku o powierzchni
6 m kwadratowych zimowało ośmiu ludzi. Znosząc ustawiczne
zawieje i niesamowite lokalne trąby powietrzne, które często
porywały im sprzęt, prowadzili eksplorację, posługując się saniami, i robili wielkie postępy w mapowaniu. W tak ekstremalnych
warunkach sumienność i wytrwałość nie gwarantują bezpieczeństwa. Dramat był nieunikniony. Mawson otarł się o śmierć
latem 1912 roku, kiedy wraz z Xavierem Mertzem i Belgrave'em
Ninnisem prowadzili pomiary w Ziemi Jerzego V. Ninnis, który
biegł obok sań Mawsona, wpadł w głęboką rozpadlinę i po-
ciągnął za sobą sześć psów, namiot i prowiant. Żeby przeżyć,
dwaj pozostali musieli zjeść resztę psów, ulegli jednak zatruciu
od przedawkowania witaminy A ze zwierzęcej wątroby. Mertz
oszalał; odgryzł sobie palec i miewał ataki furii, które Mawson
tłumił, siadając mu na klatce piersiowej. Nieszczęśnik zmarł

8 stycznia 1913 roku. Ocalały kierownik wyprawy z odmroże-
niami palców i w rozpadających się butach przeciął sanie na
pół kieszonkową piłą i ostatnie 160 km przeszedł w pojedynkę.
W następnym roku wrócił do Australii w aurze bohatera największego z dotychczasowych przedsięwzięć antarktycznych.

Shackleton otrzymał od króla Edwarda VII szlachectwo, a od
Królewskiego Towarzystwa Geograficznego złoty medal; zaku-
lisowo jednak borykał się z długami po podróży *Nimroda*. Myślą
powracał do idei przemarszu transkontynentalnego.

Mimo że dopiero co wybuchła I wojna światowa, 3 sierpnia
1914 roku Pierwszy Lord Admiralicji Winston Churchill za-
twierdził projekt i już pięć dni później Imperialna Ekspedycja
Transantarktyczna opuściła wody brytyjskie. Brały w niej udział
dwa zespoły wybrane z listy podzielonej na kategorie „Szaleni,
Beznadziejni i Być może". Jeden miał na *Endurance* przepłynąć
Morze Weddella i dotrzeć do zatoki Vahsel na Wybrzeżu Leopolda, która zgodnie z planem Filchnera stała się bazą dla głównej
ekipy marszowej. Drugi statek, *Aurora*, skierował się na Morze
Rossa po przeciwnej stronie kontynentu, na południe od Australii, a zadaniem płynącej nim grupy było rozlokowanie składów

*Zdjęcie Franka Hurleya
Śnieżyca. Mawson i jego
ludzie regularnie musieli
brnąć przez huraganowe
wiatry osiągające prędkość
do 320 km/godz.*

REGIONAL MAP
Showing the area covered by the
AUSTRALASIAN ANTARCTIC EXPEDITION
1911-14,
under Sir Douglas Mawson
Including tracks of the "Aurora" and most
of the deep-sea soundings

żywności dla kolegów na drugiej połowie trasy. Kiedy jednak w styczniu 1915 roku *Endurance* dotarł na Morze Weddella, nagły spadek temperatury skuł akwen lodem i uwięziona w paku jednostka dziesięć miesięcy bezsilnie dryfowała, aż w końcu 21 listopada uległa zgnieceniu i zatonęła. Przed jej utratą dwudziestoośmioosobowa załoga zdążyła wyładować ekwipunek, została jednak dosłownie na lodzie, z płóciennymi namiotami jako jedyną osłoną przed antarktycznymi wichrami.

Po miesiącach spędzonych w tym prowizorycznym obozie polarnicy zapakowali resztki prowiantu na trzy ocalone szalupy wielorybnicze i popłynęli ku Wyspie Słoniowej położonej niedaleko na północ od Półwyspu Antarktycznego. Pokryta lodem, górzysta i jałowa wyspa nie miała wiele więcej do zaoferowania, ale zawsze był to grunt pod nogami. Problem w tym, że poten-

Obszar zbadany przez Antarktyczną Ekspedycję Australazjatycką Mawsona (1911–1914)

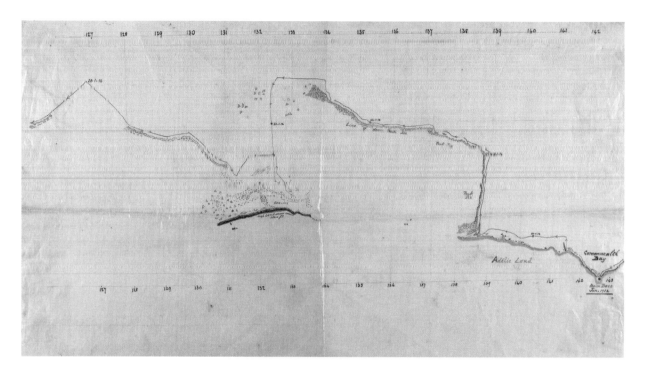

cjalnym ratownikom nie przyszłoby do głowy ich tam szukać. By mogli przeżyć, ktoś musiał wsiąść do jednej z siedmiometrowych łodzi i przez najzimniejsze i najburzliwsze wody świata dopłynąć do odległej o 755 Mm (1400 km) norweskiej stacji wielorybniczej na Georgii Południowej.

Niebezpiecznego zadania podjął się sam Shackleton. Dobrał sobie pięciu ludzi, kierując się ich umiejętnościami nawigacyjnymi i żeglarskimi (a w przypadku Toma Creana opinią o jego niezniszczalności). Na progu zimy, 24 kwietnia, śmiałkowie wsiedli na *Jamesa Cairda* i wyruszyli na otwarty ocean, rozkołysany „najwyższymi, najszerszymi i najdłuższymi falami na świecie", jak napisał potem jeden z nich, Frank Worsley. „Nie znając przeszkody, fale obiegają Ziemię dookoła i wracając do miejsca urodzenia, same się wzmacniają i gnają przed siebie w groźnym, wyniosłym majestacie". Żeby Worsley mógł dokonywać pomiarów sekstantem, musiało go trzymać dwóch mężczyzn – nawet drobny błąd mógł spowodować, że zboczą z kursu i nie trafią na wyspę. Żeglarze walczyli z silnymi sztormami; każda fala groziła wywrotką, ustawicznie zlewana wodą łódź obrastała lodem, co mogło się skończyć zatonięciem, musieli go więc nieustannie skuwać. Ciężkie chmury zasłaniały słońce i gwiazdy, nie dało się określać pozycji i trzeba było polegać na nawigacji zliczeniowej i żeglarskim instynkcie. Po czternastu dniach szaleńczej żeglugi

Oryginał ręcznie malowanej mapy wybrzeża zbadanego przez Antarktyczną Ekspedycję Australazjatycką w latach 1911–1914

nad horyzontem wyrosły szczyty Georgii Południowej. Zmagając się z niemal huraganowym wichrem, wylądowali w końcu na południowym brzegu. Stacja wielorybnicza znajdowała się na północnym. Shackleton wolał nie ryzykować ponownego wyjścia w morze i próby opłynięcia wyspy; zabrał Worsleya i Creana, pozostawił resztę, by odpoczywała, i ruszył na przełaj przez góry, za cały ekwipunek mając zwój liny. Półtorej doby później ku zdumieniu wielorybników wkroczył na teren stacji Grytviken. Cztery razy próbował wrócić przez sztormy i lody po swoich ludzi, i gdy w końcu 30 sierpnia 1916 roku mu się to udało, uratowali się wszyscy w komplecie.

Xavier Mertz przed zasypanym śniegiem wejściem do chaty

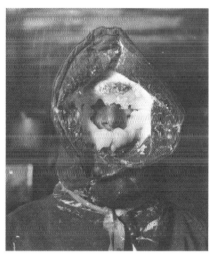

POWYŻEJ: *Psy husky ciągnące sanie na płaskowyżu Ziemi Adeli*

PONIŻEJ: *Ernest Shackleton, kapitan Frank Worsley i załoga wyruszają na* Jamesie Cairdzie *z Wyspy Słoniowej (Poniedziałek Wielkanocny, 24 kwietnia 1916).*

Obmarznięta twarz członka Antarktycznej Ekspedycji Australazjatyckiej

*Endurance Shackletona
w ciemności antarktycznej
zimy, uwięziona na Morzu
Weddella (27 sierpnia 1915)*

*Mapa narysowana z pamięci
przez Franka Worsleya
po powrocie z ekspedycji
Shackletona. Zaznaczona jest
trasa przez Georgię Południową,
którą w maju 1916 roku
przeszedł wraz z Shackletonem
i Tomem Creanem.*

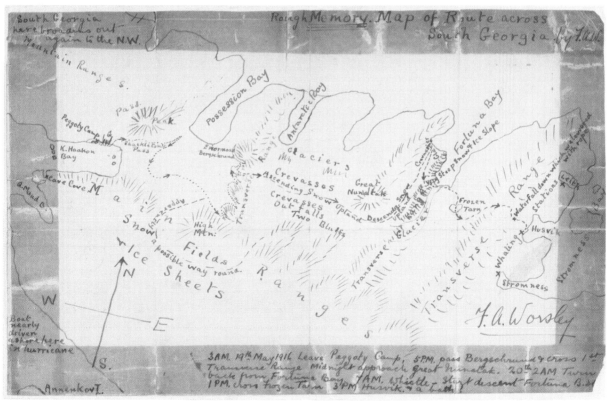

POSŁOWIE

Na tej triumfalnej porażce wyprawy Shackletona zakończyła się epoka eksploracji heroicznej. Historia musi mieć linie podziału; odyseja *Endurance* stała się takim punktem kulminacyjnym, po którym rozpoczął się nowy, współczesny etap. Kartografia również zdążyła się wyzbyć artystycznych upiększeń i zadomowiła się w dziale narzędzi naukowych. Wydaje się słuszne, że na tym etapie powinna się też zakończyć tradycja kolekcjonowania jej najwspanialszych dzieł.

Naturalnie wielkie dokonania geograficzne dzieją się nadal. Po pojawieniu się samochodów i samolotów nieliczne już białe plamy zaczęły znikać z map z niespotykaną dotąd szybkością. Pustynne peregrynacje Gertrude Bell, T.E. Lawrence'a i Harry'ego St Johna Philby'ego, a później Wilfreda Thesigera przybliżyły nam ostatnie wielkie niewiadome planety, a wybuch II wojny światowej nadał ich pionierskiej kartografii pierwszorzędne znaczenie strategiczne. W Arktyce, przy wciąż nierozwikłanej kontrowersji Cooka i Peary'ego, dopiero w kwietniu 1969 roku – tego samego, w którym człowiek stanął na Księżycu – doszło do bezdyskusyjnego zdobycia bieguna północnego na piechotę: dokonał tego brytyjski podróżnik Wally Herbert w najdłuższej w dziejach wyprawie arktycznej.

Fascynujące jest spoglądanie wstecz nie tylko na wyzwania stające przed odkrywcami, lecz także na ewolucję motywów, jakimi się na przestrzeni wieków kierowali. Ciekawość geograficzna, napędzana początkowo żądzą potęgi, handlu, zysku, ewangelizacji i złota, z nastaniem rewolucji naukowej zyskała nowy wymiar, w którym imperatyw zdobywania wiedzy i wzrostu precyzji wziął górę nad dążeniem do indywidualnego bogacenia się. W miarę jak „kraje niezbadane" skurczyły się do najbardziej ekstremalnych, nieprzyjaznych życiu obszarów, archetyp odkrywcy uległ przeobrażeniu w samotnego herosa, którego tak romantycznie ubóstwiało społeczeństwo wiktoriańskie. Epoka heroizmu, celebrująca dramatyczną przygodę niezależnie od tego, czy kończyła się sukcesem, czy porażką, ustąpiła erze mechanicznej, w której technika dała uczonym zarówno możliwość nieograniczonego gromadzenia danych, jak i środki do wygodnego przebywania w środowiskach tak jeszcze niedawno groźnych dla życia ludzi, którzy pierwsi wystawiali się na ich surowość.

*Mapa konstelacji gwiezdnych
Andreasa Cellariusa (1660)*

Nie ma już białych plam – co więc ma począć współczesny badacz? Teraz, gdy cały świat jest dokładnie zmapowany, doprawdy można by ulec przygnębiającemu poczuciu, że wszystkie jego tajemnice są już wyjaśnione. A jednak statystyka mówi, że zbadaliśmy tylko niespełna pięć procent naszych oceanów, odkryliśmy nie więcej niż jedną czwartą gatunków, z którymi dzielimy planetę. Są też jeszcze odkrycia czekające na przyszłe pokolenia podróżników i kartografów kosmosu. Wokół nas i ponad nami wciąż jeszcze zagadek jest bez liku. „Nie zaprzestaniemy eksploracji", zapewnia T.S. Eliot, „a jej końcem ostatecznym będzie chwila, gdy wrócimy do miejsca, z którego wystartowaliśmy – i po raz pierwszy będzie nam znane".

WYBÓR BIBLIOGRAFII

Bannister D., C. Moreland, *Antique Maps*, London 1994.

Baynton-Williams A., M. Baynton-Williams, *New Worlds. Maps From the Age of Discovery*, London 2006.

Baynton-Williams A., G. Armitage, *The World at Their Fingertips*, London 2012.

Bentley J.H., *Old World Encounters*, Oxford 1993.

Brolsma H., R. Clancy, J. Manning, *Mapping Antarctica*, London 2013.

Cameron I., *To the Farthest Ends of the Earth*, London 1980.

Cherry-Garrard A., *Na końcu świata*, przeł. J. Spólny, Poznań 2012.

Crone G.R., *Maps and Their Makers*, London 1953.

Dampier W., *A New Voyage Round the World*, London 1697.

Dilke O.A.W., *Greek and Roman Maps*, London 1985.

Edson E., *The World Map, 1300–1492*, Baltimore 2007.

Fisher R., H. Johnston, *From Maps to Metaphors*, Vancouver 1993.

Flinders M., *A Voyage to Terra Australis*, London 1814.

Frankopan P., *The Silk Roads: A New History of the World*, London 2016.

Garfield S., *On the Map*, London 2012.

Hakluyt R., *Divers Voyages*, London 1582.

– *Wyprawy morskie, podróże i odkrycia Anglików*, przeł. M. Adamczyk-Garbowska, Gdańsk 1988.

Hanbury-Tenison R. (red.), *Wielcy odkrywcy*, przeł. A. Binder, W. Grabowski, Olszanica 2011.

– *The Oxford Book of Exploration*, Oxford 1993.

Harris N., *Mapping the World*, London 2002.

Hart H., *Venetian Adventurer: Being an Account of the Life and Times and of the Book of Messer Marco Polo*, Stanford 1942.

Henderson B., *True North*, London 2006.

Henry D., *An Historical Account of All the Voyages Round the World*, London 1773.

Howgego R., *Encyclopedia of Exploration*, Sydney 2003–2013.

– *The Book of Exploration*, London 2009.

Hunter D., *The Race to the New World*, London 2012.

Huntford R., *Shackleton*, London 1985.

Jones E.T., M.M. Condon, *Cabot and Bristol's Age of Discovery*, Bristol 2016.

Koeman C.K., *Joan Blaeu and His Grand Atlas*, London 1970.

Larner J., *Marco Polo and the Discovery of the World*, New Haven 1999.

Levathes L., *When China Ruled the Seas*, Oxford 1994.

Lister R., *Old Maps and Globes*, London 1965.

Moorehead A., *Podróż, która zmieniła świat: Darwin na pokładzie Beagle'a*, przeł. J. Spólny, Poznań 2014.

Moreland C., D. Bannister, *Antique Maps*, London 1989.

Nebanzahl K., *Mapping the Silk Road and Beyond*, London 2011.

Park M., *Podróże we wnętrzu Afryki*, przeł. M. Kozłowski, Warszawa 2008.

Penrose B., *Travel and Discovery in the Renaissance, 1420–1620*, London 1962.

Purchas S., *Hakluytus Posthumus or Purchas His Pilgrimes…*, London 1625–1626.

Ridley G., *The Discovery of Jeanne Baret*, London 2011.

Robinson J., *Wayward Women*, Oxford 1990.

Shirley R.W., *The Mapping of the World*, London 1983.

Skelton R.A., *History of Cartography*, Cambridge 1964.

Thrower N., *Maps and Civilization: Cartography in Culture and Society*, Chicago 2007.

Wafer L., *A New Voyage and Description of the Isthmus of America…*, London 1699.

Watson P., *Ice Ghosts: The Epic Hunt for the Lost Franklin Expedition*, London 2017.

Williams G., *Voyages of Delusion*, London 2002.

Wulf A., *The Invention of Nature: The Adventures of Alexander von Humboldt, the Lost Hero of Science*, London 2015.

INDEKS

PODZIĘKOWANIA

Pragnę wyrazić najgłębszą wdzięczność wszystkim, którzy służyli mi tak niezbędną pomocą przy tworzeniu tej książki. Należą do nich: Charlie Campbell z Kingsford Campbell; Ian Marshall z Simon & Schuster; oraz Laura Nickoll i Keith Williams – zaprojektowali tak piękny wolumin. Podziękowania dla Franklina Brooke--Hitchinga za cierpliwe wysłuchiwanie moich niekończących się pytań i dla całej mojej rodziny za wsparcie; dla Alexa i Alexi Ansteyów, Daisy Laramy-Binks, Matta i Gemmy Troughtonów, Kate Awad, Katherine Anstey, Rosamund Urwin, Richarda Jonesa, Katherine Parker, June Hogan, Georgiego Halletta i Thei Lees. Dziękuję też przyjaciołom z QI. Są to: John, Sarah i Coco Lloydowie, Piers Fletcher, James Harkin, Alex Bell, Alice Campbell Davies, Anne Miller, Andrew Hunter Murray, Anna Ptaszynski, Dan Schreiber i Sandi Toksvig.

Szczególne wyrazy wdzięczności chcę przekazać wszystkim tym, którzy tak szczodrze dostarczali mi reprodukcji wspaniałych map i innych zebranych tu ilustracji oraz zgodzili się na ich publikację. Są wśród nich Barry Ruderman z Barry Lawrence Ruderman Antique Maps; Massimo de Martini i Miles Baynton-Williams z Altea Antique Maps; Daniel Crouch i jego personel z Daniel Crouch Rare Books and Maps; Richard Fattorini i Francesca Charlton-Jones z Sotheby's; Filip Devroe z Sanderus Antiquariaat; Charles Miller Ltd; i wreszcie cudowni (i cudownie cierpliwi) pracownicy biblioteki Królewskiego Towarzystwa Geograficznego oraz British Library, którzy udzielili mi ogromnej pomocy i niezastąpionych rad.

ŹRÓDŁA MAP I ILUSTRACJI

Altea Antique Maps: s. 9-10, 11, 15, 156-157; **Austriacka Biblioteka Narodowa:** s. 24; **Barry Lawrence Ruderman Antique Maps:** s. 12, 18, 20, 23, 34, 40, 53, 58-59, 61, 71, 77, 78, 85, 86, 87, 92, 94, 110, 112, 113, 116, 119, 122, 128, 137, 141, 146, 147, 150-151, 166, 170, 174, 184, 195, 196-197, 207, 209, 212-213, 220, 226, 247; **Bawarska Biblioteka Państwowa:** s. 51; **Beinecke Rare Book and Manuscript Library:** s. 69, 185; **Biblioteca Estense, Modena:** s. 64-65; **Biblioteca Nazionale Marciana, Wenecja:** s. 43, 46 (u dołu); **Biblioteka Bodlejańska, Dział Fotografii, Oksford:** s. 28, 29, 47; **Biblioteka Kongresu USA:** s. 72, 101, 107, 187, 219; **Dział Geografii i Map:** s. 44, 56, 62, 74-75, 76, 82-83, 98, 164-165, 186, 188-189; **Biblioteka Narodowa Australii:** s. 134, 136, 140, 148, 221, 222, 240, 243, 244 (prawa górna), 244 (dolna), 245 (górna); **Biblioteka Uniwersytetu w Uppsali:** s. 90-91; **Bibliothèque nationale de France:** s. 38, 50, 70; **Biodiversity Heritage Library:** s. 164; **Boston Public Library:** s. 63; **bpk / Gemäldegalerie, Staatliche Museen, Berlin / Jörg P. Anders:** s. 80-81; **bpk / Nationalgalerie, Staatliche Museen, Berlin / Karin März:** s. 179; **bpk / Stiftung Preussische Schlösser und Gärten Berlin-Brandenburg / Jörg P. Anders:** s. 182; **Bridgeman Images:** s. 96; **British Library, Londyn/ Bridgeman Images:** s. 102-103; **Bruun Rasmussen:** s. 35; **Charles Miller Limited:** s. 17; **Christies Images Limited:** s. 1, 2; **Daniel Crouch Rare Books:** s. 89; **Daniel Villafruela:** s. 67; **Fridtjof Nansens Institutt:** s. 228, 229 (górna); **Geographicus Fine Antique Maps:** s. 168; **Hampell Auctions:** s. 208; **Harry Ransom Center, University of Texas, Austin:** s. 54-55; **Jan Dalsgaard Sørensen:** s. 229 (dolna); **Karen Green:** s. 19 (górna); **mapsorama.com:** s. 45; **Martayan Lan Fine Antique Maps and Rare Books:** s. 172-173; **Metropolitan Museum of Art:** s. 54, 178; **Missouri Historical Society, Saint Louis:** s. 188 (górna); **Mitchell Library, State Library of New South Wales:** s. 163; **Musei Civici Fiorentini (CC BY 3.0):** s. 48, 224; **Museo Naval, Madryt:** s. 52, 60; **The Museum of Silhak:** s. 108-109; **Muzeum Arktyczne Peary'ego-MacMillana, Bowdoin College, Brunswick, USA:** s. 230 (dolna), 231 (dolna); **Nationalmuseum, Sztokholm:** s. 225; **National Portrait Gallery, Londyn:** s. 123, 203; **New York Public Library:** s. 135, 138, 158 (górna); **Norweska Biblioteka Narodowa:** s. 118, 231 (górna); **Philadelphia Museum of Art:** s. 46 (górna); **Royal Geographic Society:** s. 216; **Royal Museums Greenwich:** s. 198 (górna); **Sanderus Antiquariaat, Gandawa:** s. 26-27, 125; **Sir George Grey Special Collections, Auckland City Libraries:** s. 201; **Sotheby's:** s. 10, 30-31; **State Library of New South Wales:** s. 132, 244 (górna lewa); **Stanford University:** s. 66; **State Library of Victoria:** s. 238, 242; **Stephen Chambers:** s. 198 (dolna); **udostępnione za zgodą University of Cambridge, Scott Polar Research Institute:** s. 245 (dolna); **Walters Art Museum:** s. 33; **Yale Center for British Art:** s. 210; **Yale University:** s. 37; **Σταύρος:** s. 20. Pozostałe ilustracje pochodzą ze zbiorów autora.

Tytuł oryginału
The Golden Atlas

Redaktor prowadzący: Ian Marshall
Redaktor projektu: Laura Nickoll
Projekt książki: Keith Williams, sprout.uk.com
Projekt okładki: S&S Art Dept.

Mapa na okładce: Nolin Globe Terrestre 1775, dzięki uprzejmości Sotheby's

Redaktor: Małgorzata Chwałek

prawolubni ♥

Wydanie I (dodruk)
Poznań 2019

ISBN 978-83-8062-401-6

Dom Wydawniczy REBIS Sp. z o.o.
ul. Żmigrodzka 41/49, 60-171 Poznań
tel. 61-867-47-08, 61-867-81-40; fax 61-867-37-74
e-mail: rebis@rebis.com.pl; www.rebis.com.pl

Printed in Malaysia